Angelica

Arthur Phillips
Angelica

Traducción del inglés por
Francisco Lacruz

Título original:
Angelica

Primera edición: septiembre 2007

© Arthur Phillips, 2007
Todos los derechos reservados

www.arthurphillips.info

Esta traducción se publica
con la autorización de Random House,
un sello del Grupo Editorial Random House

Derechos exclusivos de edición
en español reservados para
todo el mundo:
© EDITORIAL SEIX BARRAL, S. A., 2007
Avda. Diagonal, 662-664 - 08034 Barcelona
www.seix-barral.es

© Traducción: Francisco Lacruz, 2007

ISBN: 978-84-322-3159-9
Depósito legal: M. 31.826 - 2007
Impreso en España

A Jan, por supuesto

El estudio científico de la experiencia espiritista u «ocultista» demuestra que una presencia espectral puede emerger de las olvidadas profundidades de nuestro propio pasado, y asumir una forma física y externalizada, ahora independiente de los recuerdos que la generaron, del mismo modo que Atenea brotó de la cabeza de Zeus, es decir de él, pero a la vez libre de él. Recuerdos y fantasmas no se distinguen tan fácilmente como las anteriores generaciones han supuesto.

Sir EVERETT D'OYLY, 1889

~·~

Primera parte

Constance Barton

upongo que la tarea que se me ha impuesto debería empezar como una historia de fantasmas, ya que seguramente así vivió Constance estos acontecimientos. Me temo, sin embargo, que ese término despierta exageradas expectativas en usted. Difícilmente lograré asustarlo, aunque lea esto a la luz de una temblorosa vela y con el ruido de fondo de las crujientes tablas del suelo. O conmigo a sus pies.

De acuerdo. Será una historia de fantasmas. La escena se inicia bajo una nada amenazadora luz del sol, la mañana en que Joseph echó a la niña de su dormitorio. Las historias de miedo que Constance le relataba a la cabecera de su cama siempre comenzaban pacíficamente, y así empezará la suya:

El estallido de la luz de la mañana reveló de repente el dorado polvo de las colgaduras carmesíes y dibujó venas negras en los bordes del alféizar de color nogal. Había que reparar el marco, pensó ella. Los lejanos trinos irregulares de los inseguros dedos de Angelica recorriendo torpemente las teclas del piano, abajo, el aroma a harina de las primeras hogazas de pan que se elevaba de la cocina: en medio de esta mullida seguridad doméstica la rabia de su marido la pilló desprevenida.

—He sufrido esta insultante situación demasiado tiempo —dijo él—. No puedo seguir tolerando esto ni una noche más... esta *inversión de la naturaleza*. Tú alientas este socavamiento de mi autoridad. Disfrutas con ello —la acusó—. Se acabó. Angelica tiene un dormitorio y dormirá en él. ¿Queda claro? Nos has puesto en ridículo. ¿No te das cuenta? Respóndeme. ¡Responde!

—¿Y si ella, querido, tiene que llamarme por la noche?

—Entonces vas a su lado, o no. La cuestión carece de importancia para mí, y, la verdad, dudo de que la tenga para ella.

Joseph señaló la camita, a los pies de su propio lecho, como si la viera por primera vez, como si su misma existencia justificara su rabia. Aquella visión reavivó su ira, y le arreó un puntapié, y se quedó satisfecho al ver que su bota deshacía un poco la camita tan bien hecha. Quería que el gesto afectara a Constance, y ésta retrocedió

—Mírame cuando te hablo. ¿Quieres que vivamos como una tribu de gitanos? —Estaba gritando, aunque ella no lo había contradicho, pues en siete años no se le había ocurrido rebelarse así—. ¿O ya no eres capaz siquiera de un sencillo acto de obediencia? ¿Hasta eso hemos llegado? Trasládala antes de que yo vuelva. No hay nada más que hablar.

Constance Barton se mordió la lengua ante el iracundo discurso de su marido. Cuando se ponía tan imperioso, cuando se imaginaba tan sumamente inglés, incluso mientras se pavoneaba como un *bravo* italiano, el sentido común no podía abrirse camino en él.

—¿Por cuánto tiempo lo habrías retrasado si yo no hubiera puesto fin a ese capricho femenino?

A pesar de la aquiescencia que implicaba su silencio, él siguió aleccionándola, hasta que ella le reconoció su buen juicio.

Pero Constance veía más lejos que él. Aunque Joseph podía engañarse creyendo que estaba simplemente trasladando la cama de una niña, ella veía más allá. Él estaba ciego (o fingía serlo) a las evidentes consecuencias de su decisión, y Constance sería la que pagaría si él no sabía controlar sus apetitos. Si se le pudiera convencer de que esperara un poco más, el problema desaparecería solo. El tiempo establecería una relación diferente, más fría, entre ellos. Ése era el destino de todos los maridos y esposas. Cierto, la fragilidad de Constance (y de Angelica) había exigido que ella y Joseph se adaptaran más apresuradamente que la mayoría, y ella lo sentía por él. Siempre había pensado que Angelica acabaría exilada abajo, desde luego, pero más tarde, cuando ella ya no requiriera la protectora presencia de la niña. No estaban lejos de ese horizonte más seguro.

Pero Joseph no concedería ninguna prórroga.

—Has permitido que se te escapen demasiadas cosas. —Se abrochó el cuello—. La niña se está malcriando. Ya te he permitido demasiado.

Sólo tras oír el ruido de la puerta de la casa, única garantía de que él se había marchado a su trabajo, bajó Constance a la cocina y, sin delatar ni una pizca de dolor al dar las instrucciones, le pidió a Nora que preparara el cuarto infantil para Angelica, llamara a un hombre para que desmontara la cama de la niña, que se había quedado pequeña, y trasladara la silla Edwards de seda azul del salón al lado del cabecero de su nueva cama.

—Para cuando le lea —añadió Constance, e ignoró la expresión de extrañeza de la muchacha irlandesa.

—Ya lo verás, Con... La niña se alegrará del cambio —le había prometido Joseph antes de marcharse, bien fuera por falta de consideración o por pura crueldad (qué niña se alegraría al separarla de su madre). Constance deslizó sus dedos por las livianas ropas de Angelica, que colgaban en el armario de sus padres. Sus juguetes ocupaban sólo una ínfima parte del espacio de la habitación, y sin embargo, él había ordenado: «Fuera todo esto. Absolutamente todo. No quiero ver una sola cosa cuando vuelva.» Constance transmitió estas bruscas órdenes a Nora, ya que ella no se sentía capaz de ejecutarlas por sí misma.

Salió con Angelica, buscando excusas para permanecer alejada de todo aquel trastorno hasta última hora de la tarde. Llevó, como todas las semanas, dinero, comida y conversación a la viuda Moore, pero no consiguió ahogar sus preocupaciones en las agradecidas, rutinarias lágrimas de la vieja. Se entretuvo en el mercado, en el salón de té, en el parque, observando cómo jugaba Angelica. Cuando finalmente regresaron, mientras rompía a llover como venía amenazando desde hacía rato y caían cortinas de cálida agua, se ocupó de sus tareas abajo, sin mirar nunca hacia la escalera, dándole instrucciones a Nora, recordándole que ventilara los armarios e inspeccionara la cocina. Hundió el dedo en el pan, criticó el descuidado estado de la despensa y luego dejó a Nora a media reprimenda para sentar a Angelica ante el piano para que practicara *El Niño Malvado y el Bueno*. Se sentó al otro lado de la habitación y se dedicó a doblar las servilletas.

—¿Cuál de las dos niñas eres tú, cariño? —murmuró, pero no encontró más que tristeza en la bien ensayada respuesta:

—La buena, mamá.

Mientras la niña interrumpía y reanudaba sus ejercicios, Constance se obligó finalmente a subir al primer piso. Dio varias vueltas ante la puerta cerrada del nuevo hogar de Angelica. Ninguna sorpresa le deparó su interior. De hecho, la habitación apenas mostraba cambio alguno, el cuarto llevaba media docena de años esperando. Seis años antes, con su flamante esposa embarazada de siete meses, Joseph, sin resentimiento aparente, había desmantelado su amado laboratorio para montar la habitación de los niños. Pero Dios le exigió a Constance tres intentos antes de que sobreviviera un bebé que ocupara la habitación. Y aun entonces siguió vacía, porque durante las primeras semanas de la vida de Angelica, tanto la madre como la hija estuvieron enfermas, y era más sensato que la recién nacida durmiera al lado de su insomne madre.

En los meses que siguieron, la fiebre puerperal de Constance y las enfermedades infantiles de Angelica fluían y refluían, como si entre las dos almas unidas hubiera solamente salud para una de ellas, de manera que había transcurrido un año entero antes de que fuera aconsejable enviar a la niña abajo, al cuarto infantil. Incluso cuando la salud de Angelica se hubo recuperado, el doctor Willette insistió mucho en el otro tema, éste más sensible, y por ello —la solución se le ocurrió a Constance— pareció más sencillo y más seguro mantener a Angelica provisionalmente durmiendo al alcance de su oído.

Nora había colocado la silla al lado de la cama. La muchacha irlandesa era fuerte, más musculosa que gorda, pues la había llevado ella sola. Había puesto la ropa de Angelica en el infantil armario de madera de cerezo. Ese encierro al que Angelica había sido condenada era desolador. La cama era demasiado grande. Angelica se sentiría perdida en ella. La ventana no encajaba bien y el ruido de la calle seguramente le impediría dormir. La ropa de cama se veía gastada, lúgubre bajo la grisácea luz del lluvioso día. Los libros y las muñecas carecían de alegría en sus nuevos lugares. No era extraño que Joseph hubiera tenido su laboratorio allí; era una oscura y desagradable habitación, adecuada sólo para el hedor y los residuos de la ciencia. La Princesa Elizabeth destacaba reclinada en la cima de las almohadas, sus piernas cruzadas a la altura de los tobillos. Nora sabía cuál era la muñeca favorita de Angelica, y demostraba su afecto por la niña.

La silla azul estaba demasiado lejos de la cama. Constance la empujó para moverla, produciendo un ligero golpeteo, unos centímetros hacia delante. Volvió a sentarse, se alisó el vestido, luego se levantó y enderezó las piernas de la Princesa Elizabeth hasta que tuvieron una posición más natural. Le había levantado la voz a menudo a Angelica durante su paseo, ladrándole bruscas órdenes (igual que Joseph había hecho con ella) cuando un poco de amabilidad habría sido mucho más eficaz. El día en que ella iba a perder una parte de su niña, el día que deseaba abrazarla con más fuerza que nunca... justamente ese mismo día, Angelica la había estado irritando cada dos por tres.

El cambio de habitación de Angelica —ese catastrófico cambio de *todo*—, poco después de su cuarto cumpleaños, posiblemente marcó el nacimiento de los más tempranos y profundos recuerdos de la niña. Todo lo que había pasado antes —los abrazos, los sacrificios, los momentos de satisfacción expresados con un lento parpadeo, la defensa de la niña contra algún acto de fría crueldad de Joseph—, nada de eso sobreviviría en la pequeña como recuerdo consciente. ¿De qué servían aquellos años olvidados, toda la bondad no registrada? Como si la vida fuera el relato de una historia cuyo centro y final fueran incomprensibles sin un comienzo que se recordara claramente, o como si la niña fuera desgraciada, culpable por no recordar toda la generosidad y amor mostrados a lo largo de esos cuatro años de vida, de ocho meses de llevarla dentro, de toda la agonía de los años previos.

Ese día, ese hecho, marcaban el momento en que la relación de Angelica con el mundo cambiaba. Ella empezaría a recordar su propia historia ahora, reuniría a partir de esas semillas los medios para cultivar un jardín: esos cristales transparentes serían la «ventana de su habitación infantil», del mismo modo que la de Constance, recordaba ella ahora, había sido un círculo de vidrio coloreado, separado por unos listones de madera que lo dividían en ocho porciones, como una tarta. Sería como su manta, cuya textura definiría el concepto de «suave» que tendría Angelica el resto de su vida. Los pasos de su padre en la escalera. Su olor. Cómo se consolaría ella en los momentos de miedo.

Una canción farfullada usurpó el lugar de las escalas de piano inacabadas, la melodía se detuvo en seco, abandonada en medio de la segunda escala. La inconclusa armonía hizo estremecer a Constance. Un momento más tarde, oyó los pasos ligeros de Angelica en la escalera. La niña entró corriendo en su nueva habitación, saltó sobre la cama y estrechó su muñeca entre sus brazos.

—De modo que era aquí donde se escondía la princesa —dijo—. Estuvimos buscando por todas partes a Su Alteza.

Tocó ceremoniosamente cada uno de los oscuros postes de la cama, luego examinó la habitación desde el techo hasta el suelo, jugando a la recatada cortesana. Era evidente que quería hacer una pregunta. Movía sus labios como si seleccionara las palabras. Constance casi podía leer los pensamientos de su hija, y finalmente Angelica dijo:

—Nora dice que voy a dormir aquí ahora.

Constance apretó a la niña contra su pecho.

—Lo siento mucho, cariño.

—¿Por qué lo sientes? ¿Ha de quedarse la princesa contigo y con papá?

—Claro que no. Tú eres su dama de honor. Se sentiría perdida arriba.

—Aquí estará libre de preocupaciones reales, por una temporada. —Angelica citaba inconscientemente un libro de cuentos. Cruzó la habitación hasta el diminuto tocador, arrastró su sillita pese a las protestas de su madre y se subió a ella para atisbar por la ventana—. Puedo ver la *calle.* —Se puso de puntillas en el borde del asiento de la silla, forrado en tela escarlata, y apretó las manos y la nariz contra el vidrio de la ventana, que no encajaba bien.

—Por favor, ten cuidado, cariño. No hagas eso.

—Pero *puedo* ver la calle. Ésa es una yegua alazana.

—Ven, por favor, ven un momento. Tienes que prometerme que, si me necesitas, no vacilarás en llamarme o incluso en venir a despertarme. Nunca me enfadaré si me necesitas. Será como siempre, de veras. Sentada en mi regazo. Sí, y la princesa también. Ahora dime, ¿estás contenta con este arreglo de tu padre o no?

—Oh, sí. Papá es muy bueno. Estamos en una torre, ¿no?, lo digo por esa ventana.

—No, no es una torre. Ya dormías en un lugar alto, con nosotros, arriba. Soy yo la que duerme arriba, en la torre.

—Pero tú no tienes ninguna ventana desde donde se vean los caballos allá abajo, así que ésta es la torre.

La niña se sentía feliz.

—¿No tendrás miedo de estar sola cuando te duermas?

—¡Oh, mamá, sí! ¡Sí que lo tendré! Da mucho miedo. —Y su cara reflejaba que estaba pensando en la oscura noche que la esperaba, pero luego inmediatamente se iluminó—. Pero seré valiente como la pastora. «Cuando los bosques se escuecen, / la débil luz de las estrellas palizas, / la luz de Dios deja su marca. / Entonces su corazón se lamenta. / La luz de Dios deja su marca... Cuando los bosques se escuecen...»

Constance alisó el cabello de la niña, acarició sus pequeñas y blandas mejillas, y acercó la redonda carita a la suya.

—«Cuando los bosques se oscurecen / y a la débil luz de las estrellas pálidas, / sí que la luz de Dios deja su marca. / Entonces su corazón se acobarda, pero...»

—«Pero su fe es como una lámpara» —la interrumpió Angelica orgullosamente, pero luego volvió a balbucear—: «Y el amor de Dio... De De...» No me acuerdo.

—«Y el *amor* de Dios es más vivo... todavía... que...» —le animó su madre.

—¿Veré la luna a través de la ventana de la torre?

Capítulo 2

*E*l nerviosismo de Angelica resultaba inconfundible a medida que la noche se aproximaba. Por dos veces miró fijamente a Constance y dijo con gran seriedad:

—Me da miedo estar sola esta noche, mamá.

Pero Constance no la creyó. Angelica fingía tener miedo solamente porque podía captar —por razones que escapaban a su comprensión— que su madre deseaba que ella *estuviera* asustada. Su fingido miedo era un regalo inesperado —como el dibujo garabateado de un niño— ofrecido con un amor profundamente sabio.

Sin embargo, aquellas transparentes mentiras eran lo único que contradecía lo ilusionada que estaba. Constance la lavaba y Angelica hablaba de las aventuras de la princesa, sola en su torre. Constance le cepillaba el cabello mientras Angelica cepillaba el de la princesa, y preguntaba si podía, por favor, irse a la cama ya. Constance le leía desde la silla azul, y en mitad de una frase, Angelica, de forma impropia en ella, dijo que se sentía fatigada y luego, suavemente, rechazó la oferta de su madre de sentarse con ella hasta que se quedara dormida.

—¿Quieres que deje la puerta abierta, cariño?

—No, gracias, mamá. La princesa desea estar sola.

Constance esperó en el estrecho pasillo, ordenó la ropa del armario, puso derechos los cuadros, bajó la luz de las lámparas;

pero no oyó ninguna protesta, sólo murmullos palaciegos, hasta que eso, también, fue desapareciendo.

Abajo, Joseph aún no había regresado.

—¿Está todo bien en el dormitorio de la niña, señora? —preguntó la doncella.

—En el *cuarto infantil*, Nora. Sí, gracias.

Cuando Joseph llegó, no hizo preguntas, sino que supuso que sus órdenes habían sido ejecutadas sin más. Habló del día que había tenido y no mencionó a Angelica, y ni siquiera —cuando apagaron el gas de abajo y subieron al segundo piso— se detuvo en la primera planta para ver a su hija en su nueva situación. Su frío triunfo se daba por hecho.

—Angelica se opuso al nuevo arreglo —se permitió decir Constance a modo de suave rebelión.

Él no se mostró nada preocupado. Incluso parecía sentir cierto placer en ese informe, o, al menos, en el hecho de que Constance cumpliera su voluntad, pese a su resistencia. Ella sentía curiosidad por saber si algún detalle le haría ser más comprensivo, o incluso que se retractara de sus terribles órdenes. Además, la actual satisfacción de la niña esa noche era seguramente temporal, y Constance se preguntaba qué tipo de respuesta ofrecería él cuando el valor de la pequeña finalmente se esfumara, por lo que dijo:

—Angelica lloró hasta dormirse, se siente muy sola.

—Ya se adaptará, imagino —replicó él—. No tiene otra elección, y cuando uno no tiene elección, se adapta. Aprenderá eso enseguida. O no. —La cogió de la mano. La barba ya le había crecido mucho y le poblaba el rostro. La besó en la frente. Luego soltó su mano. Se levantó, se acercó a la jofaina y se miró al espejo—. Se adaptará —repitió, y se examinó—. Además, he estado pensando en su educación.

Daba la impresión de que no se quedaría satisfecho con su victoria de ese día, como el dique que ha aguantado durante años hasta que tiene su primera grieta y luego se derrumba en pocos minutos.

—No me dirás que es urgente decidir sobre eso también —repuso Constance.

—Quizás yo pueda decir algo antes de que te permitas seguir llevándome la contraria.

—Lo siento.

No lamentaba su mentira, sólo deseaba que el llanto de su hija pudiera causarle a él algún dolor, y se puso a cepillarse el pelo.

—No me he preocupado suficientemente de su educación. Ha llegado a una edad en que su formación como persona racional debe ser controlada.

—¿Crees que no ha estado bien bajo mis cuidados?

—No dejes correr tanto la imaginación, querida. Necesita más influencia de su padre. Pienso si quizás fuera pertinente un tutor o si debería ir a ver a Mr. Dawson. Lo decidiré pronto.

—¿Y que pase todo el día lejos de mí? Es demasiado joven.

—No recuerdo que te haya preguntado sobre este asunto. —Cruzó la habitación y la cogió de la mano—. Aún puede llegar el día en que me considere su amigo.

«En que me considere su amigo», una frase cómplice, dicha del mismo modo en que se lo dijo a la dependienta de una librería no hacía muchos años, aunque el rostro de Constance era entonces mucho más joven. «Puede usted considerarme un amigo», le dijo Joseph a la muchacha a la que tenía intención de conquistar.

Y esa noche la miraba con un deseo evidente. Así que, tan pronto pensaba romper su antiguo acuerdo... esa misma noche. Aunque la niña llorara al pie de la escalera (como él se imaginaba), él la asaltaría con ansia, sin consideración alguna por los riesgos de Constance, revelando con ese apetito la ausencia de toda ternura por ella.

—Debo ir a ver cómo está Angelica —dijo ella. Él no replicó—. Es su primera noche separada de mí. De nosotros. Estaba trastornada. Estará incómoda. Tienes que ser paciente con ella.

Él no dijo nada —su intento de conquistarla luchaba pro-

23

bablemente con su irritación—, pero no hizo ningún movimiento para detenerla.

—Eres bastante comprensivo —le dijo ella, y salió cuando él se daba la vuelta.

Una vez abajo, se sentó y contempló cómo dormía Angelica. Él no podía tener la intención tan pronto, tan deliberadamente, de amenazar la seguridad de Constance. No era posible esa terrible falta de consideración por ella. Sin embargo, él llevaba tiempo perdiendo interés por ella. Tal indiferencia por su seguridad podía ser resultado de su prolongada frialdad.

Constance regresó cuando estuvo segura de que él se había dormido. Lo observó silenciosamente desde el umbral y luego se echó a su lado. Deseaba mostrarse afectuosa y sumisa, pero sin llegar a despertar su deseo. Dormitó y luego se despertó, completamente despierta, arrancada del sueño. Las tres y cuarto. Se zafó de la presa de Joseph, cogió una vela y cerillas de la mesilla, y en la oscura noche dio unos pasos hasta la gruesa alfombra escarlata.

Las escaleras crujieron bajo su peso tan insistentemente que no podía creer que el ruido no despertara a Joseph, arriba, ni a Angelica, abajo. Encendió la vela y anduvo por el corredor hasta la habitación de Angelica, demasiado grande. Nora dormía debajo. Aquella noche Angelica dormía más cerca de la criada que de su propia madre.

Parecía tan pequeña en aquella gigantesca cama, en medio del revoltijo de ropa... Constance acercó la vela a su redonda carita enmarcada por el negro cabello. Estaba terriblemente pálida. Le tocó la alta frente, y Angelica no se movió. Acercó la vela un poco más. La niña no respiraba.

Claro que respiraba. ¡Cuántos temores desde que había nacido! La niña se encontraba perfectamente. Ya no había nada que temer por su salud. A Constance se le podía perdonar que las viejas ideas siguieran turbándola, pero la verdad era evidente. Angelica era robusta, una antigua expresión de Joseph para definir a la niña.

«Es robusta», le había asegurado a Constance durante sus vacaciones el verano anterior, cuando obligó a Angelica a permanecer fuera de la casa después de anochecido, espantando a los insectos, hasta que cayó gravemente enferma, y fue necesaria toda la ciencia del médico local (al que Joseph se había resistido a llamar) para salvar a la niña, mientras Joseph se llenaba la boca con los gastos y se comportaba como si todo aquello fuera motivo de diversión. «Es una niña robusta», le masculló a Constance, como si ésta fuera una imbécil por dudar de ella.

La vela desplegó una espiral de humo, y su cera se humedeció y se congeló en lágrimas de mármol. Desde la silla azul Constance observaba. Qué sueño más profundo, el sueño de un gatito. Qué envidiable dejar que el sueño te acune tan profundamente que pareces acercarte a ese otro mundo oscuro... Ningún adulto puede dormir así, pensó ella; sólo una inocente niña. Los hermanos de Constance se habían dormido demasiado profundamente.

Su cabeza cayó hacia delante, y ella parpadeó ante el cono de la vela, una pulgada más baja que antes. Qué frase más estúpida: «dormir demasiado profundamente»... aquella semilla que su madre había plantado en ella cuando no era mucho mayor que Angelica, la expresión que había atemorizado a Constance durante tantos años, haciéndole temer la oscuridad y el sueño. Sintió aquel miedo infantil por un instante ya adulta y en la habitación de su propia hija, luego dejó que la abandonara a medida que volvía al presente. Habían pasado veinte años o más desde que su madre la sostuviera, humedeciendo su cara con lágrimas, estrechándola tan fuertemente que a Constance le dolían los hombros: «No debes dormir así, Connie, no debes; no debes abandonarme.» Los hechos, sin embargo, estaban ahí, indiferentes a los sentimientos maternales: Alfred había muerto de tifus, y George y Jane, ambos de cólera, causada por el pozo contaminado.

Años más tarde, en un momento de su cortejo, sé que Constance —durante un paseo que duró horas, de la ciudad al parque, luego al café, y otra vez al parque— confesó a su pretendiente que era huérfana. Ella presentía que esa confesión sería probablemente el final de su breve compañía, y que las fantasías que se había forjado con el amor de Joseph (furtivamente disfrutadas incluso en soledad) estaban condenadas. Sin embargo, ella hablaba como si estuviera ofreciendo a un juez implacable los atenuantes de su mancillada condición. Le habló a Joseph de sus hermanos, y, al describir sus sucesivas muertes, dijo: «Dormían demasiado profundamente. Mi madre solía decirme eso.» Él no la rechazó. Sólo le preguntó si ella lo acompañaría a su casa: quería mostrarle algo. Eso era inaceptable... pero era un insulto que a ella, aunque lo reconocía, no la afectaba, porque, para entonces, ella se habría rebajado hasta donde fuera necesario para lograr su aprobación. Alegremente entró en su grandioso hogar y fue conducida a su estudio, aquella misma habitación donde su hija dormía ahora a la luz de la vela. «Éstos son tus enemigos —dijo él y le pidió que mirara por el negro cilindro de su microscopio los bucles y filamentos—. Éstas son las bestias que roban vidas. No es verdad que tus hermanos durmieran demasiado profundamente. Por el contrario, probablemente imploraban poder dormir. Insomnes, la frente húmeda por la angustia, mareos sumamente violentos y continuos... un tormento tanto para el enfermo como para los parientes.» Vaya conferencia para una joven a la que estaba cortejando. La lección de biología había terminado cogiéndole él la mano. Habían estado a punto de que sus cuerpos se encontraran en aquel momento, rodeados por los aparatos del laboratorio y los recuerdos de su destruida familia, el guapo científico explicando las crueldades de la naturaleza. Pero ella no sentía ninguna pena, sólo un hormigueante calorcillo en sus dedos y mejillas, y el deseo de que la mano del hombre siguiera envolviendo la suya.

Sabía que las descripciones de Joseph eran exactas, pero no podía *recordar* los hechos tal como él los describía. Sus recuerdos más seguros (aunque desde luego falsos) brillaban tan indiscutiblemente como sagradas reliquias o reportajes de periódicos:

ella deseándole a su saludable, fuerte hermano mayor Alfred las buenas noches, luego sentándose a su cabecera, contemplando cómo caía dormido, cada vez más profundamente, hasta que de repente se volvía blanco y frío, y una última y visible bocanada de vapor se escapaba de entre sus agrietados y ennegrecidos labios. A la luz de la paciente e instructiva conversación con Joseph, Constance vio que ese fantástico recuerdo era imposible: ella era mucho más joven que Alfred, nunca lo había metido en la cama o contemplado cómo dormía, y, por supuesto, no era así como llamaba el creador a sus almas. Ella debía de haber visto su cuerpo en el entierro, pálido y frío. Quizás aquél era uno de los fragmentos a partir de los cuales había creado su ficción: su propio aliento en el frío noviembre formando volutas por él, sus propios labios agrietados por el cortante aire.

Ella era mucho más joven que Angelica ahora cuando Alfred murió, y fue el primero en irse. Alfred, George, Jane, padre, madre. Invisibles bestezuelas con forma de filamento se deslizaban furtivamente en la sangre y nos devoraban. Joseph se rió cuando ella le preguntó: «¿Cómo esperan los médicos coger a unos diablos tan diminutos como ésos?» Recordó que en aquel momento ella había considerado que su risa era amable. «No se pueden capturar. Sólo podemos privarlos de las circunstancias que favorecen su crecimiento», dijo sin más.

¿Y qué podía hacer una madre en un mundo donde tales enemigos atacaban a los niños? ¿Qué podía evitar, si no podía hacer nada contra las enfermedades que habían provocado tanto sufrimiento a su propia madre, que vio desaparecer un hijo tras otro de su lado? ¿Qué podía el débil brazo de Constance hacer contra los gérmenes o los asesinos o los negros que, como leyó en el periódico aquella tarde, habían matado en un país lejano a cincuenta y seis indefensas mujeres y niños en sus casas. La verdad resplandecía en esa negra noche londinense. Ella no podía proteger a Angelica de las amenazas, grandes o pequeñas, humanas o inhumanas. Ser madre era como estar sentenciada a observar —sin poder evitar nada—, sólo a esperar a que algo horrible le sucediera a su niña, y luego sentarse a su lado, gimiendo y sintiéndose inútil. Ahora comprendió, siendo una mujer con su propia hija bienamada, lo que su madre debió haber sentido: no debía considerarse una sorpresa ni pecado que ella finalmente hubiera decidido huir de las congojas de este mundo, dejando sola a Constance.

Encendió otra vela en la cabeza de su pequeña descendiente. Su cabello se había soltado. Iba a recogérselo, pero al momento siguiente Angelica se había levantado, sus piernas sobre la cama y sus manos en las rodillas de su madre, la habitación gris y amarilla. «¡Madre, madre, madre, madre!», decía riendo Angelica al ver lo que le costaba despertarse a Constance, remedando sus rápidos parpadeos, su confusión ante la mecha negra en un charco de sebo. La niña gritaba con alegría matutina, chillaba.

—Chitón, ratoncito —dijo Constance—. Me encanta tu carita a la luz de la mañana.

—Has dormido conmigo —exclamó maravillada la niña—. ¡En una silla!

—Sí, lo he hecho —dijo Constance, metiéndose bajo la ropa de cama hasta colocarse junto a Angelica.

—Estabas dormida y te he despertado.

—Es verdad, estaba dormida y me has despertado.

—¿Dónde está papá?

—Todavía en la cama, creo. ¿Quieres que lo despertemos?

—No —dijo Angelica—. Mamá y nena.

Constance besó los cabellos de la niña.

—Claro que sí, y una nena muy bonita.

—Mamá y nena muy bonita.

Capítulo 3

Angelica se parecía cada día menos a su madre. Y, más doloroso aún, la diferencia se aceleraba durante las separaciones. Últimamente, cuando Constance se veía obligada a dejar a Angelica al cuidado de Nora, podía, a su regreso, parecerle que la odiosa alteración incluso había progresado, como en algún espantoso cuento para niños.

Al nacer, con un mapa de venas que se adivinaba bajo su piel traslúcida, volviendo sus ciegos ojos hacia el imprescindible pecho de Constance, con sus rígidos miembros y sus berridos de apetito insatisfecho, Angelica inició su vida como un animal extraño, pero, muy pronto, la leche de Constance instiló en la niña algún elemento de su madre, tanto que un admirador tras otro empezó a observar una creciente semejanza. En la calle, en las tiendas, las visitas... el coro era cada día más audible: «Es tu viva imagen.» No... su pecho no había sido tan imprescindible, recordó Constance, porque se había visto obligada a compartir la niña de sus ojos con aquella asquerosa ama de cría durante los dos meses que se la robó.

Por supuesto, Joseph, en alguna fase temprana de su ruindad, había mostrado uno de sus fugaces pero imperiosos destellos de entrometido interés en Angelica y («siguiendo el mejor consejo de los médicos») insistió en que aquella frágil niñita fuera arrancada, llorando, del pecho de su madre y plantada inmediatamente ante un plato de comida. «La asfixiarías si le hicieras comer unos macarrones tan pronto», replicó ella, haciéndolo callar y ganando unos meses para engordar a su réplica con el mágico producto diseñado para hacer que ambas se parecieran en temperamento y aspecto. Incluso cuando prevalecía la voluntad de Joseph, ella alimentaba secretamente a Angelica durante bastante rato, siempre que Nora se encontraba fuera de la casa, y nadie pudiera informar de su amorosa desobediencia. Sin embargo se produjo el cambio. Cuanto menos la alimentaba, más pronunciada era la transformación. Y no tardó en acelerarse la metamorfosis de Angelica: su cabello fue pasando del castaño hasta llegar al azabache, y por encima de las frías aguas marinas septentrionales de sus ojos se deslizaron capas de tinta italiana.

Cuando la lluvia empezó a amainar, Constance se dejó llevar por la engañosa promesa de un cielo azul y llevó a Angelica al parque, donde la niña inició una animada conversación con un niño vestido de marinero. No podía oírlos desde donde ella estaba sentada, pero veía cómo su hija iba mostrando una postura cada vez más inflexible. ¿Qué podían discutir aquellos dos con semejante pasión? El marinerito, pelirrojo y pálido, parecía a punto de romper a llorar. Algún día sería un robusto y rubicundo inglés. ¿Mantendría entonces apasionadas conversaciones con las damas? Golpeaba el suelo con un pie calzado con un limpio zapato negro, y su ira hizo que Angelica se riera. Aquel sonido lo retuvo Constance como el mejor momento del día.

Se susurraban cosas al oído, rodeando sus secretos de un innecesario teatro, con la astucia de unos conspiradores novatos que disimulan, sentados uno al lado del otro. Pretendían ocultar sus palabras incluso a Constance. ¿Cómo podía ese ser extraño, carente de encanto, sin el más pequeño esfuerzo, provocar esas expresiones en la cara de Angelica, ganando un premio cuyo valor ese tonto es incapaz de apreciar? ¿Qué clase de observaciones hace ya Angelica sólo para otros, tan cruelmente pronto, que nunca comparte, ni resume, para Constance, que antaño —ayer, tan sólo— era su único confidente? Susurrándole bajo el árbol, Angelica reserva ahora sus pensamientos para los varones que pronto exhibirán sus pacientes sonrisas depredadoras ante la vieja madre mientras uno de ellos saca a bailar a Angelica entre una multitud de parejas que dan vueltas.

¿Y qué es, exactamente, a esa tierna edad, lo que ese hombre de mar siente cuando mira a la morena princesa? La fría sangre de inglés que evidentemente lleva, poco dada a la emoción, apenas capaz de teñir su pálido rostro, por más que el sol haya provocado unas pecas por toda la cara, en un esfuerzo por darle color. Pero esa sangre —la misma de Constance— corre desesperadamente como la inerme marea ante la suave, resplandeciente mirada de la luna meridional. Porque aunque Joseph había nacido en Londres, eso no alteraba los hechos, como tampoco su impecable acento y sus modales, ni su empleo en el centro de la medicina inglesa, ni su servicio en el ejército de la Reina, ni su madre inglesa: y los hechos eran que él era italiano, y su padre se llamaba Bartone.

Al igual que Angelica y este marinero, el elemento italiano había formado una parte nada despreciable del ascendiente de Joseph sobre Constance, incluso al comienzo, antes de que ella supiera lo que él era. Cuando él le reveló la verdad, antes de su oferta de matrimonio, Constance comprendió la influencia que él había ejercido sobre ella desde el momento en que entró en Pendleton's y captó su atención. Y ella veía ahora los efectos de aquella sangre caliente sobre la fría, incluso en la mofletuda cara del marinero: el gradual debilitamiento, la curiosidad, la maravilla ligeramente asustada que le producía estar cerca de algo innombrable, pero atractivo y burlón, seguro de sí. Sí, Angelica ya tenía todo eso, desde la sangre que corría por sus venas hasta su casi negro cabello. El deseo en los ojos del marinero era inconfundible. Angelica era deseable... Constance lo veía en los ojos de casi todo el que hablaba con la niña. Joseph debería haberse sentido satisfecho: Constance no podía darle ningún hijo, pero resplandecía como un alentador consuelo esa hija tan perfecta, cada vez más perfecta y más parecida a su padre cada día que pasaba, y menos parecida a la madre, que casi había muerto al darle la vida.

Constance se quejó. ¿Hacía falta que su culpa se prolongara por todo el futuro? Seguramente ni siquiera Joseph, pese a su decepción, podía concebir que ella le hubiera hecho eso a él deliberadamente. Ella no había aceptado su proposición de matrimonio sabiendo sus limitaciones físicas... ¿Cómo podía haberlo sabido? ¿Sabían las otras mujeres antes de probarlo que saldrían con éxito? ¿Susurraban sus cuerpos unas promesas que una mujer decente podía oír, en tanto que Constance había aceptado el silencio de su propio cuerpo como un consentimiento? Ella le preguntó a la comadrona, la primera vez, cuando la vieja regresaba a la habitación con más trapos; «¿Por qué no lo sabía yo?»

Hablando con justicia, Constance no era estéril. Era, si acaso, una tierra demasiado fértil. Y, si se toma todo en cuenta, le había dado aquella maravillosa niña, que crecía tan brutalmente deprisa, liberada ya de su gordura infantil, reacia ya, de vez en cuando, a los besos de Constance, que ya se lavaba sola, comía sola, que se había enamorado de los cepillos y peines que Constance le había regalado en un impulso, y para inmediatamente lamentarlo, cuando Angelica insistió en peinarse por sí misma. Era casi insoportable (el marinero colgado de una rama baja, y Angelica lo ignoraba, a pesar de que él gritaba para llamar su atención), saber que ella nunca más volvería a pellizcar el sonrosado culito de un bebé, a esparcir polvos sobre unas suaves y regordetas piernas y besar el diminuto botón de un ombligo. Una vez y sólo una, ésa iba a ser su recompensa y su propósito en la vida. Ella habría llorado, caso de permitírselo, como ese niño, que contenía las lágrimas, tras haber caído de la rama y haberse hecho sangre en la nariz, con lo que consiguió despertar el interés de Angelica.

—Siento interrumpir vuestra conversación —les dijo—, pero debo recordar a Angelica que nos espera la cena. No tendríamos que decepcionar a Nora. Y seguramente a ti te esperan también en el Almirantazgo, mi guapísimo señor.

—Adiós, Angelica —dijo el marinero, acercándose sin pensarlo, para abrazar a la niña, pero siendo hábilmente interceptado por una niñera mientras Angelica se burlaba de él.

—¿Tienes hambre, mi amor? Nora nos ha prometido un estupendo pescado.

La niña no replicó. Otra ofensa, justo el primer día después de que hubiera dormido lejos de ella. Había aprendido en alguna parte la habilidad de ignorar a su madre. Anduvieron en silencio. La cara de Angelica era inexpresiva. Antaño, cualquier cambio en la voz de Constance podía provocar la correspondiente variación en el rostro de la niña. Pero ahora Angelica estaba aprendiendo a controlar su expresión, a guardar sus tesoros incluso de su madre.

—Responde cuando te hablo, niña desobediente.

Al punto la cara de Angelica se descompuso de forma demasiado evidente, y Constance atrajo a la llorosa niña hacia ella, presa de un vivo remordimiento.

ngelica estaba casi dormida. Poco dispuesta a que su madre se marchara de su cabecera, se esforzaba por mantener una conversación.

—¿Papá es un marinero? —preguntó, con la imagen de su nuevo amigo todavía presente en su memoria.

—No, cariño. Fue soldado, pero ahora trabaja.

—¿Qué es trabajar?

—Trabajar es lo que todo hombre debe hacer.

—¿Y qué debe hacer papá?

—No lo sé, ángel mío. Debe cuidar de nosotras y protegernos. Debe curar enfermedades. Y *tú* debes cerrar los ojos.

La niña lo hizo, a punto de dormirse, exhausta por el día, pero, con todo, se resistía.

—¿Dónde está papá? —pensó Constance que había preguntado la niña.

—Está en el trabajo. Lo verás en el desayuno.

—No, *ahí* está papá.

Constance se volvió con un sobresalto porque él había aparecido, detrás de ella, en el marco de la puerta. Y la despidió.

—Yo la haré dormir.

—No hace falta que te molestes —empezó a decir ella, pero él se limitó a repetir sus intenciones. Ella se retiró, concediéndole un papel que su marido nunca había deseado. Y ella pudo sentir, casi oler, su continua y constante ira. Era lo suficiente hombre para fingir otra cosa, quizás incluso creer otra cosa, pero no lo bastante inteligente para ocultárselo a ella. Había estado irritado desde mucho antes de desterrar a Angelica abajo, irritado con Constance, por la estricta y drástica abstinencia dictada por el médico, por los compromisos que la vida le exigía. Constance no lo censuraba por despreciarla. Había sacrificado muchas cosas por hacerla su esposa, pero nunca lo habría hecho de haber sabido cuánto se le exigiría cuando ya no tenía ninguna oportunidad de escapar. Un inglés como Dios manda podría tal vez haberse acostumbrado a esas limitadoras circunstancias, pero no un italiano, constituido para no soportar ninguna privación ni insatisfacción. No era raro que la despreciara. Cuando él bajó, Nora les sirvió la cena.

—¿Se resiste la niña al nuevo arreglo? —preguntó él, aunque sin una auténtica preocupación.

—Como tú dijiste, no tiene elección.

Él masticó la comida y asintió, mucho después de que la respuesta de Constance se hubiera apagado.

—¿En qué habéis estado ocupadas hoy?

—Eres muy amable de preguntarlo. No paraba de llover esta mañana, de manera que, después de su lección de piano, Angelica se divirtió muchísimo con tu libro de láminas. Fue muy amable por tu parte. «El libro de papá», lo llama. Yo le leía el nombre de cada animal en inglés y en latín, y le mostraba los esqueletos y los dibujos de los músculos. Parte de eso es más bien, diría yo, impropio para ella, pero, si a ti te parece adecuado yo no pondré ninguna objeción. Fue muy aplicada en su lección de piano y está haciendo muchos progresos. Si tuvieras la bondad de escucharla, creo que quedarías muy impresionado. Le diré que tiene que preparar un recital para ti. Entonces tendrá una ambición y eso la inspirará. Después tuvimos un poquito de sol, así que fuimos a tomar el aire en el parque, y estuvo jugando con un amiguito que quedó encantado con su compañía, pero, es divertido, la niña se muestra muy discreta sobre él, y no quiere revelar ni su nombre ni los detalles de su conversación. Nos paramos en Miriam Brothers a tomar el té, pero descubrí que el chico del mostrador era de una impertinencia inaceptable, y soy de la opinión que deberíamos frecuentar otro local.

Gustosamente ella habría seguido parloteando, hasta que, abrumado por tantos detalles reales e imaginarios, él se quedara dormido sobre la mesa. La cercanía de la noche le provocaba una profunda preocupación. Retirarse, con Angelica tan lejos, suponía un anochecer angustioso, por no hablar de la otra vaga preocupación: Constance ya no podía confiar en la proximidad y en el sueño ligero de la niña para rechazar lo prohibido. Una segunda noche sin incidentes sería un milagroso alivio, pero sólo por un día. Si no esta noche, sería pronto, pero la cuestión se agudizaría hasta que habría un terrible enfrentamiento, y su miedo se mezclaba con la comprensión de que la situación era igualmente difícil, aunque inversa, para su marido.

No era ni su elección ni su voluntad decepcionarle, pero había sido incapaz de decírselo durante esos años. Incluso tras la primera criaturita perdida, siete meses después de la boda, los médicos habían expresado dudas. «Dios no tiene pensado que todas las mujeres sean madres», murmuró un tembloroso anciano, amablemente pese a lo odioso de sus palabras. Seis meses más tarde, le falló a Joseph por segunda vez, y el nuevo doctor se mostró más fríamente sincero. Pero los médicos estaban equivocados —ella podía todavía sentir una oleada de orgullo ante su error—, porque, diez meses después, había tenido a Angelica, aunque la niña se mostró sumamente violenta en su llegada, poniendo en peligro la vida de su madre aun después de que ya estuviera a salvo en este mundo. Constance no podía ingerir ningún alimento, ni permanecer de pie. No podía, al principio, ni siquiera alimentar a su hija sin desmayarse. Cuando Nora le trajo un ama de cría para su aprobación, la entrevista la deprimió tanto que ni siquiera pronunció una palabra, de manera que la propia Nora se ocupó de todo, interrogó a la muchacha e hizo que se desnudara para mostrarle sus pezones a Constance. «¿Señora...? ¿Servirá, señora?»

¿Me permite una observación sobre la tarea que me encomendó? Entonces, por favor, comprenda que de usted —como de todos los hombres con consultas especializadas en Cavendish Square, a veces suaves aguas minerales, a veces amarga tónica— no puede esperarse que sienta el profundo dolor que supone la historia clínica de Constance, una historia con la que su mujer y hermanas, madre e hijas simpatizarían. El corazón de Constance fue roto por unos torpes y rudos médicos de mujeres y nunca adecuadamente recompuesto, esos *especialistas*, que, en su ambición por aparecer como maestros indiscutibles, barraban el paso a unas comadronas más sabias y luego examinaban a su paciente con unas manos heladas y unos ojos poco sabios. En su propio hogar la mujer sangraba para ellos, chillaba, llamaba a unos hijos que no nacerían, o no respirarían, y luego alargaba la mano para acoger a la hija que casi la mataría con su violenta aparición en escena, mientras los médicos hablaban sin tapujos de la inminente muerte de la niña y el evidente engaño de la madre, como si ésta estuviera sorda además de deprimida. Incluso cuando madre e hija sobrevivieron, las ásperas conferencias prosiguieron, demasiado cerca, en unos helados quirófanos, mientras su marido se encontraba siempre muy lejos.

Durante tres años después del nacimiento de Angelica —sin duda una carga inhumana para Joseph— la estricta prohibición de los médicos no perdió su poder atemperador, inhibidor. Pero finalmente, hacía once meses, con Angelica dormida a sus pies, ninguno de los dos contuvo sus peores instintos. Constance se despertó en la oscuridad, sobresaltada y ahogándose, casi sofocada. Gritó: «La niña», sin tener todavía claro dónde estaba o con qué cíclope de múltiples miembros tan profunda e imprudentemente se había acostado, pero él no le hizo ningún caso y Angelica siguió durmiendo con tranquilidad a sus pies, nunca se despertó para defender a su mamá, quien, medio en sueños, estaba para entonces abrazando el cuerpo que la abrazaba a ella.

—Los médicos nos dijeron que no debemos —le susurró una y otra vez al oído, pero sin convicción, en un tono que cada vez traicionaba más sus verdaderos deseos. Ella pagaría un sangriento precio por su mentira.

Al día siguiente se cruzaban por la casa silenciosos y avergonzados, y el miedo empezó a apoderarse de ella, y él no tenía palabras ni gestos para dispersarlo. Cinco meses más tarde, ella le volvió a fallar, incapaz nuevamente de conservar a su hijo, probablemente su hijo más querido, especuló la comadrona. De nuevo el precio lo pagó una criaturita que salía de ella con tan desgarradora agonía que Constance tuvo la visión de que el bebé estaba cubierto de espinas, como si los hijos se suavizaran dentro del útero a medida que crecían, pero iniciaran su vida como un cortante hierro. En el momento final, le gritó a la vieja comadrona que tuviera cuidado con sus manos porque las hojas del monstruo seguramente le cortarían la carne de sus palmas.

Hacía ya tres meses del fracaso, el tercero de Constance, y Joseph lo empezaba a olvidar. Pero Constance nunca olvidaría al doctor Willette riñéndola mientras ella lloraba al oír sus palabras, por más que mereciera su censura.

—Señora Barton, ¿quiere usted dejar sin madre a su hija? ¿Lo quiere? Lo que le dije el día de su nacimiento, cuando las dos fueron devueltas al seno familiar sólo por la gracia de Dios misericordioso, veo que tendré que repetírselo en términos más enérgicos.

Aquella última pérdida era sobre todo un castigo por haberse atrevido a desafiar a los médicos. El doctor Willette la había regañado sin cesar, incluso mientras ella se tapaba la cara con las manos y se retorcía por los dolores de vientre. No podía concebir un castigo más apropiado:

—Señora Barton, no está usted calificada para objetar las enseñanzas de la medicina. Usted busca satisfacer su propio deseo a costa de su familia.

—¿Qué quiere usted que haga? —le preguntó a su juez. Éste solamente se ocupaba de su penosa, fría inspección—. Por favor, dígame. ¿Qué debo hacer?

—Señora. —Se levantó y miró a la mujer con gesto exasperado, secándose las manos delicadamente con un trapo mientras ella yacía allí todavía con las piernas abiertas—. ¿Quiere usted que le pinte un cuadro? Muy bien. Tiene usted que desistir enteramente. Practicar *pudicitia pervigilans*. Hacer de usted un *hortus conclusus*, señora. Si encuentra usted que es un esfuerzo demasiado grande para una lasciva e inmoderada voluntad, entonces haga usted una rigurosa *ratio menstrua* y prepárase para lo peor si comete siquiera el más pequeño error matemático. Ninguna otra técnica funcionará. No se puede confiar en la precisión del caballero en el momento de la conclusión. E incluso aunque uno pueda estar seguro de su capacidad para cumplir su deber, no puedo prometerle una absoluta seguridad. Por supuesto hay charlatanes —Londres los produce en abundancia— que, sin tener estudios ni ciencia alguna, le ofrecerán a usted soluciones concebidas por mecánicos de limitada capacidad pero ilimitada depravación. Le informo en términos nada dudosos, señora, de que tales métodos se demostrarán tanto inmorales como ineficaces. Dios y la ciencia caminan unidos en este punto.

Constance se pasó semanas enteras en cama, convaleciendo con vacilante lentitud, pues la idea de dejar a su hija sin una madre obsesionaba sus grises, melancólicos días y funestas noches. Angelica la visitaba diariamente, pero junto a Nora. Cada día Constance veía a la niña más firmemente unida a su niñera irlandesa, y ella sabía que, cuanto más yaciera en el lecho, abrumada por su debilidad, más probablemente perdería a su única hija ante una gorda irlandesa pecosa contratada a través de anuncio, que vivía debajo de la escalera y a la que se le pagaba por meses.

—Nora, deja estar a Angelica. Descuidas tus propias obligaciones fingiendo ser su madre.

Y ahora Joseph había ordenado que Angelica saliera de la habitación. El razonable temor de despertar a la niña ya no podría proteger a Constance, y aunque él no lo reconocería ni siquiera ante sí mismo, la despreciaba. De ser él, ella nunca habría aceptado tan pacientemente esa heladora sentencia. A estas alturas habría forzado la cuestión, al diablo las consecuencias.

Ahora, indefensa por segunda noche, yacía en la oscuridad, que en junio afortunadamente llega tarde. Y preparó su dique contra la violenta marea que iba a producirse.

—Dijeron que no debíamos correr semejante riesgo, amor mío —diría ella en un tono suave, apaciguador—. Estaban todo lo convencidos que se puede estar. Tuvimos suerte en nuestro último error.

No podía decir eso... *Suerte* era una broma cruel después de su último fracaso. Pero esto no tuvo importancia, al menos esa noche, porque después de unos minutos yaciendo en inquieta aunque buena disposición, ella oyó su respiración y luego, poco después, un profundo sonido de fondo que la acompañaba. Un milagro que duró lo que la vida de una mariposa: el peligroso, ardiente momento había pasado. Y él no había exigido lo que sin duda se le debía y nunca podía ser pagado.

Las tres y cuarto. Ella bajó las escaleras para contemplar a Angelica, cuyo rostro, desprevenido en el sueño, seguía reflejando su alma. Ella le debía a su marido otro hijo, tantos como pudiera dar a luz. Toda su existencia estaba dirigida a eso. Su cuerpo estaba hecho, en cada pliegue y poro, para tener hijos. ¿Qué iba a ser de ella y de su pobre, traicionado Joseph si los médicos se creían dioses e insistían en que ellos dos pagaran el tributo a la esterilidad y el agostamiento de las mujeres? Mañana por la noche los desafiaría. «No tengo miedo», pensó. Pero, por supuesto, era una mentira. Tenía miedo de abandonar a Angelica y, algo sumamente egoísta, de volver a sufrir.

Observó cómo la llama de la vela bailaba y proyectaba su elegante forma de lágrima simultáneamente en todas direcciones hasta que su falda azul cubrió el cono de luz y unos momentos más tarde, con un suspiro lacrimoso, se extinguía, igualando la respiración de la durmiente niña y la respiración acompasada de Constance. Tenía que regresar arriba y *consentir*. Si no, su marido pensaría que ella se consideraba demasiado buena para él. Ella deshonraba su lecho, no con ningún hombre vivo, sino con el miedo, el asistente de los médicos. Constance no podía vagar, flotando por ahí, muy por encima de la casa, de esa manera, su respiración acompasada con la de la niña dormida, sólo fiel a sus temores, negando su consentimiento al hombre que la había salvado. En el sueño, su apetito se imponía a su flotante cuerpo, y ella sabía que sólo Joseph podía satisfacer ese apetito voraz. Ella deseaba ser amable con él, negarse a sí misma el banquete pese al dolor que le producía ese apetito, y así se contenía y se limitaba a comer entre sus más ensortijados rizos, pero eso no satisfacía su constante hambre, y ella se veía obligada a separar de su durmiente y maleable forma las partes más fáciles de aislar, y devoraba sus dedos, orejas y nariz. Con todo, ella ardía por culpa de ese ávido apetito, y supo inmediatamente que se sentiría mucho más satisfecha si usara su otra y más eficiente boca. «¿Qué estoy pensando? —se reprendió—. No tengo ninguna segunda boca.» Pero apenas hubo pensado eso cuando se quedó sin aliento por el miedo, y apartó la mirada para escapar de esa visión. «Nunca debo mirarlo, he de estar constantemente vigilante.» Se suplicaba a sí misma no mirar, pero en vano: allí yace, la segunda, más brutal boca, ensangrentada. Se dio la vuelta, llorando por él, por la durmiente forma de Joseph, deseando que esa boca no exigiera que ella lo consumiera.

—Venga. Ven a la cama ya —dijo él, despertándola. Estaba de pie, con otra vela en la mano, y Constance casi gritó «No» en su deseo de protegerlo de la amenaza con la que ella aún soñaba, el cuerpo húmedo y tembloroso.

~ · ~

Capítulo 5

A la mañana siguiente, ella se levantó temprano para llevarle su té y sus bollos en una bandeja. Angelica jugaba en el suelo, y Constance servía a su señor en su lecho de cortinajes, le limpiaba las migajas de la barba y le decía palabras de amor. Quería que él viera que ella estaba dispuesta a entregarle todo el calor y el debido amor que podía darle con seguridad.

Él se quedó al principio aturdido, dulcificado por el sueño, y la miraba con moderada maravilla, como si solamente una parte de él —una parte dulcemente infantil— hubiera despertado en este idilio, ese claro en su bosque de malentendidos.

Pero qué fácilmente él lo destruyó todo, cuán rápida fue su ira. El único pretexto que necesitó fue el ligerísimo ruido que hacía Angelica al otro lado de la habitación, probablemente insuficiente para molestarlo, pero como no podía justificar de otro modo su continua furia contra la mujer que en aquel momento le estaba acariciando la mejilla y dándole la mermelada, sólo pudo canalizar su flamígera rabia acusando a la inocente niña.

Cuando él se marchó, ella leyó el periódico de la pasada tarde, abierto sobre la mesa, manchado con gotas de su té. El periódico (como todos los demás, no era otra cosa que una detallada relación de muertes) hablaba del último sanguinario asesino de Londres. Otros dos ataques, que llevaban el mismo sello del primero, habían tenido lugar la noche anterior entre la medianoche y las cuatro de la madrugada. Los funcionarios encargados de la seguridad pública se prestaron a las posibles dudas sobre su competencia cuando admitieron estar «desconcertados» por lo que habían hallado en los dos asesinatos. ¿Cómo, por ejemplo, habían sido arrancadas las dos mujeres —casadas, respetables— de su casa en esa hora negra, sin nadie que fuera testigo de los secuestros? ¿Y cuál era el significado de la atrocidad infligida a sus manos? Seguramente, si fueran simples robos o sólo vejaciones más perversas de la persona («¡sólo!», Constance se fijó en el término), no había ninguna necesidad de semejante crueldad, cometida en ambas víctimas. Todo apuntaba a un extranjero, quizás un salvaje, y los inspectores admitieron que habían consultado a expertos del Museo Británico con conocimientos sobre rituales tribales de África y Asia. El periódico se burlaba del «desconcierto» de la policía. Un bárbaro maníaco, de piel negra, deseoso de practicar su brujería, sería detectado fácilmente en las calles de Londres.

Esto era entonces Londres, hombres que se burlaban de otros hombres, los unos dedicados a la caza de otros que, en oscuras esquinas, atacaban con incomprensibles rituales a las mujeres. Pero no a la luz del día. Pero también era su Londres, y ella no estaría asustada dentro de casa. Con Angelica dormida, salió a la lluvia de la tarde. Hubiera hecho algunas visitas, de haber tenido alguna para hacer, pero no le quedaba ninguna. De manera que anduvo vagando y repartiendo dinero a las viudas que había llegado a conocer en esos múltiples paseos solitarios.

Antaño apenas había sido consciente de su falta de sociabilidad, incapaz de desear otra compañía que la de Joseph. Desde el día en que él entró en Pendleton's, había concebido muchas esperanzas de conseguir su compañía, aunque hoy en día ella apenas podía recordar por qué las había albergado. «Joseph será la aventura de mi vida», le dijo a Mary Deene. Recordaba perfectamente esa emoción. «La aventura de mi vida.»

—Es sólo un hombre —replicó Mary, sin mostrarse para nada de acuerdo con la afirmación de Constance, y no sin cierto tono de envidia, la natural amargura de la muchacha carente de atractivo.

—Saber todo lo que hay que saber de un solo hombre lleva al menos una vida entera, si no dos —declaró Constance—. Eso es un matrimonio.

—Es un hombre, Con. La mayoría no oculta más misterio que esta silla.

Constance recordó la inmensa compasión que había sentido por Mary. Ella había encontrado el final a su soledad en aquel extranjero que había entrado en la papelería, y deseaba que Mary y todas las otras chicas también pudieran encontrar un final a sus soledades.

Había sido una tonta al sentir compasión por Mary Deene, comprendía ahora, de pie al otro lado de la calle, frente al edificio que la había albergado durante once años, la verja de hierro, la puerta de roble, la enorme fachada sin ventanas.

Conocer a Joseph había exigido menos de una vida, y para eso ella había abandonado a los que la habían mantenido. Los había desdeñado fríamente, aunque en aquella época se justificó diciéndose que tenía que ser realista, que hacía los sacrificios que su nuevo marido merecía. Tenía intención de entrar en su mundo limpiamente y no cometer ningún error. Constance Douglas mantenía cuidadosamente a su admirador lejos del Refugio y nunca permitía que Sarah Close o Jenny Harris se encontraran con él o supieran dónde vivía. Cuando llegó el día, se despidió de ellas con un cortés adiós. «¿No nos veremos...?», empezó a decir Jenny, demasiado lenta para comprender lo que Sarah ya había previsto. Sarah interrumpió aquella ridícula pregunta. «Adiós, Con. Te deseo suerte. Vamos, Jen.» Con otras personas, ella tuvo intención, o fingió, que la amistad sobreviviría al cambio. Mary Deene había sido demasiado importante para renunciar a ella. Ya encontrarían la forma, se prometieron con las manos juntas y los ojos húmedos. Pero, tras una única visita al hogar de los Barton, Mary se mantuvo alejada, y Constance no le escribió. ¿Qué había sido de ella? Constance no lo sabía... para vergüenza suya. Ella también había encontrado, quizás, a un heroico príncipe, o se había ido al extranjero y era tal vez una de las cincuenta y seis desgraciadas personas asesinadas allá lejos, en sus lechos. Se había sentido avergonzada de todas aquellas estupendas muchachas que le habían ofrecido su amistad cuando ella estaba sola. Avergonzada de ellas.

En las semanas previas a su matrimonio, ella se imaginaba a los nuevos conocidos, los suyos y los de Joseph. Pendleton, su antiguo patrono, con todo lo bueno que había sido, iba de pronto a convertirse en alguien de inferior condición social a la suya, la esposa de un científico. Él la tendría como una generosa y amable cliente, y ella nunca se comportaría como tantas esposas e hijas lo habían hecho con ella. Entraría con una sonrisa y le tendería la mano como a un amigo o un igual... o no exactamente como a un igual, aunque ella no se comportaría como si *no* fueran iguales. Resultaba difícil imaginarse *cómo actuaría* llegado el momento. Cuando la señora de Joseph Barton tuvo necesidad, finalmente, de comprar artículos de papelería, bueno, los Barton no vivían cerca de Pendleton's. Constance, en su nuevo papel de clienta, fue a McCafferty.

De forma sorprendente, aunque vivían demasiado lejos de Pendleton's, no vivían tan lejos que en el barrio no supieran, como por arte de magia, que Constance había «venido» de allí, como si ella hubiera nacido allí, o hubiera sido comprada, igual que una de las piedras del estuche de terciopelo gris del escaparate. Tres días después de regresar del viaje de bodas, una mujer que pasaba por la calle descubrió a Constance saliendo de su nueva casa.

—Pero, pero tú no eres... ¡claro que lo eres! Eres la chica de Pendleton's. Estás *preciosa*. Pero nunca le perdonaré a James Pendleton que te haya rebajado a hacer entregas a domicilio.

Inmediatamente y por unos mecanismos demasiado discretos para que ella pudiera conocerlos, todo el mundo se enteró de que se había elevado desde abajo de todo, desde lo más vulgar, o entretenido. Las pruebas le llegaban de manera insegura, como si estuviera oyendo voces en la lejanía. ¿Aquellas dos mujeres habían pasado por su lado y se habían vuelto para observarla? No... Se habían reído, pero no de ella. Alguien dijo «trepa» bastante claramente. Pero no podía referirse a ella, ella no era ya una trepa. Era la esposa de un caballero del barrio, estimado por otros hombres de ciencia, que algún día llevaría un FRS (Fellow of the Royal Society) tras su nombre, o... «había trepado tan lejos que había aterrizado en un *bordello* italiano».

Constance encajó el golpe. Decidió encajarlo, sabía que hacía mucho tiempo que iba a venir. Aceptó incluso que hubiera algunos que consideraban a Joseph inaceptable. Sus oídos estaban abiertos a cualquier desaire ahora, y oía muchos: aquel hombre procedente de climas meridionales era turbio, de apetitos inmoderados. Ella era una intrigante, y él su víctima. Él era un corrupto, y ella su víctima. Algunas voces detrás de las verjas, las institutrices en el parque, decían que era judío. Que no lo fuera no refutaba la acusación, como tampoco podía Constance apartar la idea de que la acusación era hasta cierto punto justa, ya que apuntaba a cierto componente esencial común a italianos y judíos. Él, a fin de cuentas, le había negado una boda religiosa, y muchos papas habían sido judíos.

Al regresar a casa de su paseo sin propósito fijo, encontró a Angelica sobre las rodillas de Nora.

—¿Has terminado tu trabajo, por lo que veo, y ya puedes dedicarte a divertirte?

—Sí, señora. Y Mr. Barton ha venido, señora, y me ha pedido que le informe a usted de que él y el doctor Delacorte estarán en un combate de boxeo, señora, y que Mr. Barton volverá tarde.

—El doctor Delacorte me enseñó una canción al piano, mamá.

—¿Ah, sí? Qué amable por su parte.

Harry Delacorte era un tipo odioso, compañero habitual

de Joseph. ¡Aquel caradura rondando por su salón, hablando con Angelica en ausencia suya! Se había comportado de una forma incalificable, vergonzosa, con Constance, unos meses antes, aunque ella, desde luego, le había ocultado el hecho a Joseph. Y ahora había entretenido a Angelica.

Cuando, afortunadamente, la larga tarde de Joseph con su amigo se prolongó, Constance yacía en cama disfrutando de la soñolienta paz de un hogar femenino. Durante mucho tiempo había esperado tropezar con la paz de la misma manera que uno dobla la esquina y se encuentra una florista. Esta persistente esperanza era una pesada expectativa que llevar, pues aminoraba el paso y embotaba la inteligencia dedicar tanto tiempo a aquella vana ilusión. Ella había esperado que Joseph acabara con su soledad, pero lo cierto es que ella llevaba la soledad en su interior como una excrecencia o un absceso. Incluso estando en compañía, la gente lo notaba. El aislamiento era casi consustancial en Constance. Y ella no lo había elegido, como tampoco había elegido el color de sus ojos o las plateadas estrías en sus caderas y barriga provocadas por los niños malogrados. En una ocasión pensó que Angelica curaría ese aislamiento para siempre. Qué pronto demostraba un simple marinerito lo vanas de semejantes esperanzas, incluso aunque Joseph no amenazara con enviarla a un colegio.

Él pronto llegaría a casa. Ella saltaría de la cama si su marido no sabía controlarse. O ella. Tal vez ella se resistiría, y pasaría la noche en blanco, y al día siguiente él se enfadaría por nada y la determinación de Constance se vería socavada, y se iría arrastrando, inevitablemente, por los sofás.

Pero Constance estaba dormida cuando Joseph regresó de su combate de boxeo. Ella sintió, más que oyó, su llegada. Más tarde ella se esforzó otra vez por abrirse paso a través de los pasillos del sueño y le oyó subir por las escaleras, abriendo la puerta de Angelica. Un instante después, estaba ya en lo alto, cerca de la habitación de matrimonio, precedido por cierto olor, que se extendía rápidamente por el aire y que se aferraba a la nariz y garganta de Constance, entrando y saliendo de su inquieta duermevela, indicando un imposible número de salidas y entradas de Joseph de la habitación. Un olor fuerte, aunque no desagradable, y familiar, pero no era de la piel de Joseph. Entonces él se metía en la cama, y ella quedaba suspendida en el punto donde fingir dormir y desear dormir no se puede diferenciar. Él parecía estar bañado en el penetrante aroma, su vellosa piel apretada contra la de ella, y Constance daba coces con sus piernas como para liberarse de un asaltante en una pesadilla.

Se despertó con un sabor metálico en la lengua, frío en el rostro y las ropas de la cama desechas. Joseph yacía como si estuviera corriendo, desnudo, y se encontrara en mitad de una zancada. Las manecillas del reloj se apresuraban hacia la derecha, y un verso infantil acudió a su memoria «Las tres y cuarto, mira a mi derecha. Las nueve menos cuarto, la izquierda está bien hecha.»

Las colgaduras de la cama se cerraron tras ella, y Constance salió al pasillo. Rascó un fósforo y encendió una vela. Sólo allí, ante el espejo, vio la hemorragia nasal, todavía borboteante, que le había helado la cara y manchado la ropa. Y aquel olor nuevamente, que había entrado con Joseph, y que ahora se aferraba a ella, aquel efluvio más fuerte que el del estiércol de caballo de la calle, que las flores del jarrón de la mesilla de noche, y lo suficientemente intenso para impregnar la sangre de su nariz. Bajó por las escaleras, la sangre de su mano iluminada por la luz de la vela.

El pomo de la puerta de Angelica estaba helado al tacto y resistió los esfuerzos de Constance para girarlo. El olor era más fuerte aún, y nubes de humos dorados casi visibles se levantaban entre la rendija del bajo de la puerta de Angelica y el suelo, donde las botas de Joseph montaban guardia. El olor le escoció en los ojos y sus lágrimas se mezclaron con la sangre seca de su cara. Luchó con la puerta; entonces, de repente, el pomo giró fácilmente, como si una mano en el otro lado hubiera cedido. Cuando se abrió, el olor la golpeó con fuerza, y Constance se apoyó contra el marco de la puerta para disipar su mareo, mientras su nariz empezaba a moquear en un vano esfuerzo por expulsar al intruso. Con su mano libre se cubrió la boca. El olor no tenía un origen localizable, aunque era extrañamente concentrado. Pese a que estaba abierta la ventana, llenaba hasta el último rincón de la habitación, aunque apenas cruzaba el umbral para penetrar en el pasillo. A la vacilante luz de la vela, vio a Angelica dormida encima de la ropa de cama, su camisón ladeado, las piernas dobladas y en una postura extraña. Constance cruzó la habitación y cerró un poco la ventana. Baja en el cielo, una luna en cuarto menguante parecía descansar sobre su dorso. Constance se dio la vuelta hacia la cama. Angelica estaba incorporándose, parpadeando.

—Mamá, ¿es de mañana?

—No. Vuelve a dormir.

—¿Qué ha pasado? ¿Quién te ha mordido en la cara?

—Es sólo una hemorragia. Tranquila, cariño, tranquila. Duérmete otra vez.

—¿Me morderá la cara a mí?

—Tranquila, amor mío.

—El piano suena demasiado fuerte.

—Nadie está tocando el piano.

—Sí. Cada noche, la Princesita de los Tulipanes lo toca. Es muy nerviosa. Duerme muy mal.

Constance acarició a Angelica, que pronto volvió a dormirse. Alisó la ropa de la cama y con un húmedo pulgar rojizo limpió una gota de su sangre de la mejilla de la niña, depositada allí junto con un beso maternal. Sólo entonces se fijó en la mariposa montada en una caja de madera, con cristal, cerca de la cama, un feo obsequio para un niño, dejado en lo más oscuro de la noche para que ella la descubriera, pinchada y bien abierta, mostrando todos sus impropios detalles. Tras haber tropezado con semejante visión, Constance, por supuesto, soñó con ellas poco rato después, dormida en la silla de seda azul.

Las bestias arañaban con sus resbaladizas y goteantes pezuñas sus secos y abiertos labios, y ella sintió que se le cerraba la garganta. Pasaron entonces sobre sus ojos abiertos. Ella sabía que jamás olvidaría aquel sonido, si alguien llegaba a rescatarla. Las mariposas hablaban, era un sonido inhumano que se alzaba de todas ellas simultáneamente. Sus alas temblaban en armonía con el penetrante zumbido. Y ella descifró aquel sonido oscilante: ella era la culpable. «Así es como Dios castiga a los malvados, Constance —decían—. Exactamente así. Y así. Llora todo lo que quieras, niña.»

Capítulo 6

No lo hueles, Nora? Lo impregna todo. Es asqueroso, y se pega a la piel. —La muchacha asintió—. Apenas puedo dormir por ese olor. Abre la casa y hazlo salir.

La irlandesa fue a buscar la fuente del olor, pero Constance la detuvo.

—Espera. He visto alguna grieta en la vajilla buena, Nora. Por favor, dímelo cuando se rompa algo. Ya sabes que nunca castigo los accidentes. Sólo el engaño.

—Dispense, señora. Pero yo no sé nada de platos rotos.

—Ya basta. Ve a airear la casa.

Constance subió por la escalera y se detuvo en el umbral de su cuarto, asombrada ante lo que veía: Joseph se había afeitado la mitad de la cara. El lado izquierdo seguía siendo el de su marido, su prometido, su pretendiente. ¡Pero el derecho! No se había recortado o arreglado la barba; se la había quitado, y allí aparecía un rostro que ella nunca había visto, salpicado aquí y allá de sangre. Joseph estaba suavizando la navaja y examinando su nuevo rostro en el espejo.

—Era hora de cambiar —le dijo al pequeño y lejano reflejo de la mujer.

Ella se acercó lentamente.

—¿De veras? Estoy tan... No me habías dicho nada de esta... drástica intención. Es completamente... ¿Se afeitan los demás totalmente ahora?

El blanco lavabo se estaba llenando de pelos de la negra barba, al tiempo que él se la afeitaba.

—Llega un momento en que los viejos arreglos han de cambiarse. Es una suerte de perdón, podría decirse.

—¿A quién estás perdonando, amor mío?

Él se limitó a ponerse un poco más de jabón en la mejilla.

—De niño, yo estaba de pie ahí, donde tú estás ahora, y veía cómo lo afeitaban. Un ayuda de cámara, o incluso mi institutriz. Parecía un sacramento. Siempre iba rasurado.

—Pero eso era la moda entonces. Apenas hablas nunca de él.

Durante siete años ella había conocido la cara de Joseph, inalterable, sin edad. Ahora, de repente (o, más bien, en dos etapas), él le estaba ofreciendo una enorme y profunda alteración. No parecía más viejo, ni era menos guapo, sólo nuevo, recién hecho, con diferentes expresiones que aprender, e indudablemente más italiano, demasiado italiano.

Cuando Constance regresó a la habitación veinte minutos más tarde para recoger la ropa de cama y las camisas de Joseph, encontró a Angelica en las rodillas de su padre. Se estaban susurrando cosas. Él se había vestido ya, y la niña le estaba acariciando la mejilla desnuda, primero con su mano y luego con los deditos de madera de su muñeca.

—¿Te gusta? —le preguntó Angelica.

Constance anunció su presencia, y Joseph se dio la vuelta, revelando su otra mejilla, que tenía un corte rojo en diagonal. Ella le dio una toalla.

—¿Cuántos años tienes, niña? —le preguntó él muy seriamente a la niña mientras Constance le restañaba la sangre.

—¡Cuatro!

Él miró a Constance, como si la respuesta demostrara algo que él hubiera pensado.

—¿Te acuerdas de algo de ti misma a esa edad?

—Apenas. Recuerdo muy poco, tenía muchas penas en esa época.

—Diría que fuiste la niña más bella... la viva imagen de la

mujer en que te has convertido —dijo con esa otra, y más nueva bella niña en su regazo, ambas, madre e hija, con la mirada fija en su rostro.

Despidieron a Joseph en la puerta, Angelica sosteniendo la mano de su madre. Dentro, con todas las puertas y ventanas abiertas, el aire de junio penetraba en el hogar, y Constance se reclinó en el sofá, atrayendo a su hija hacia sí. Acarició el pelo de la niña, que a su vez acariciaba el de su muñeca.

—Conocí a tu papá con esa barba —dijo, maravillándose ante toda la compartida historia que él había cercenado por un capricho.

—Es usted nueva —le había dicho el hombre de la barba mientras le pagaba dos libros mayores encuadernados en piel, la tinta china y la caja de tarjetas.

—Cierto, señor. Mr. Pendleton me ha dado el empleo no hace mucho.

—Bueno, entonces, felicidades de parte de uno de los clientes de Mr. Pendleton. Su presencia es muy bien recibida. La tienda está más animada.

Su acento lo revelaba como un caballero de calidad. Un tonillo —¿era de burla?— se deslizaba en su voz. Le pasó las monedas, una por una, con exagerada lentitud, le pareció a ella ahora, siete años más tarde, de pie en la cocina, observando cómo limpiaba Nora los fogones, escuchando sólo distraídamente la cháchara de Angelica sobre las hazañas de la Princesa Elisabeth. En el recuerdo, las acciones del hombre eran lentas hasta casi la inmovilidad, una lentitud imposible. El cliente apretaba cada moneda contra su palma, imprimiéndola ligeramente en la blanda carne de su mano, y, con cada moneda, iba haciendo la suma, sin apartar la mirada de sus ojos. La memoria se aceleró hasta recobrar las imágenes su velocidad natural: ella le tendía dos monedas de cambio, envolvía sus compras en el fino papel, sellaba el paquete con el extravagante sello en forma de ave de *Pendleton, Papelero*, le daba las gracias y le deseaba un buen día.

—Ahora estoy seguro de que tendré un día inmejorable.

Mr. Pendleton la había preparado justamente para eso, desde luego... Le había dado el empleo para provocar exactamente eso. «Nuestro caballero paga un recargo para sentir que el tiempo que pasa en nuestra casa es una maravilla desde el momento que entra. El olor de cuero que lo recibe, la vista de las vitrinas, bien brillantes, y, sin duda no lo menos importante —había dicho Mr. Pendleton, sin rastro alguno de aprecio, o deseo, por lo que estaba describiendo—, las preciosas damitas que responderán a las preguntas de nuestro caballero, alabarán su gusto por los *objetos* elegantes y lo conducirán hacia las compras que *ellas* encuentren más apropiadas como complemento para ese hombre que conocen tan bien.» Sólo entonces llegarían las explicaciones sobre láminas, sellos, almanaques, tarjeteros, tonalidades y gruesos de papel, el método adecuado para envolver la compra de una caja destinada a guardar el papel de envolver cajas.

Mary Deene se rió sarcásticamente.

—Se te aconsejará que muestres tu bonita cara la próxima vez que él venga a husmear por aquí. Que le preguntes todo lo cortésmente que puedas en qué tinta le gusta humedecer su pluma. Y asegúrate de que tu Mr. Pendleton sabe que el caballero en cuestión viene a rellenar sus tinteros con más frecuencia desde que tú estás en el mostrador. Apuesto a que nuestros caballeros empezarán a verter su tinta en la calle para poder volver antes a depositar sus monedas en las bonitas manos blancas de Connie Douglas. Las calles quedarán todas manchadas de negro, como un bebé de Bombay, y nosotras, las chicas sin atractivo, tendremos que comprarnos zuecos para poder caminar entre los ríos de tinta.

Constance sugirió que el desconocido quizás había sido muy bondadoso. La pecosa Mary se rió y prosiguió:

—Oh, sí, harán cola, deslizando suavemente sus duras monedas en tu suave mano, derramando su tinta, mientras Pendleton se frota las manos.

Ella recordó (ignorando la imperiosa queja de Angelica sobre esto o aquello) cómo se encogió de miedo cuando él apareció al día siguiente, pretendiendo haberse olvidado de comprar un calendario de mesa el día anterior y haber sufrido, de resultas, el enfado del colega que se lo había encargado. Deseaba «corregir las omisiones» del día anterior. Y la miraba fijamente, sin parpadear, como una serpiente. ¿Sin parpadear? Seguramente no, aunque ella recordó que no sabía adónde tenía que mirar. La certeza de que la amabilidad de él era inocente desapareció, sustituida por una sensación (no del todo desagradable) de que...

—¡Mamá, que la derramas, mamá!

—No hay motivo para regañarme, Angelica. Puedo ver perfectamente bien.

Nora, que estaba de rodillas, se levantó para recoger con un trapo el blanco charco, y el recuerdo de aquella sensación desapareció de su mente rielando. Podía recordar el hecho, claro, pero el significado oculto, que ella casi había captado, ahora se le escapaba.

Algún tiempo después, tras varias compras más, cada una de ellas menos necesaria que la anterior, ella lo vio no lejos de Pendleton's, un encuentro casual, y, como era debido, él no trató de saludarla hasta que ella lo hubo reconocido y se detuvo. Él le preguntó cómo podía Pendleton permitirse dejarla salir de la tienda. ¿Podría ella, en algún momento, más adelante, estar disponible para dar un paseo con él, para disfrutar de aquel aire primaveral? Ella podía, desde luego, invitar a una amiga, o a su madre, para que los acompañara. Ella no sabía cómo aceptar sin revelar su situación. «Me haría usted un gran honor», la apremió él, como si su silencio indicara una coqueta resistencia.

—¿Te acuerdas del día en que nos conocimos?

En tres ocasiones durante sus años de matrimonio, Joseph le había hecho esta pregunta, siempre solos en su habitación, mientras caía la tarde. Y cada vez se habían entregado luego al placer de él.

—Mamá, no estás mirando a la Princesa de los Tulipanes. Mira a...

Las tres veces él la había cogido por la nuca con mano firme.

—El día que nos conocimos está tan claro para mí como si fuera ayer, Con.

—¡Mamá! ¡Mira! ¡Mira a la princesa!

—¡Angelica! Deja de gritarme por un momento, ¿quieres?

Las lágrimas de la niña desgarraron el corazón de Constance, aunque no tanto como la diminuta carita, aturdida por la reacción de su madre. A Constance también le dolió la injusticia, como si hubiera sido ella misma la que suplicara un poco de atención, mientras egoístamente se permitía jugar con su memoria, acariciando viejos, polvorientos, deslustrados cachivaches.

—Vale, vale, mi niña, mi ángel. Mamá lo siente. Vámonos tú y yo al parque. Cuando estés lista, amorcito. Venga, ya está.

En la calle, las lágrimas de Angelica se secaron bajo la luz de junio, mientras masticaba los caramelos con sabor a lavanda que Constance le había comprado para hacerse perdonar. La niña lo valía todo. Era la prueba viviente, sus ojos brillantes por el placer de los dulces, de que Constance no había cometido ningún error aquel día en Pendleton's, fuera quien fuese aquel hombre de rostro afeitado que ahora había sustituido al barbudo.

~ · ~

Capítulo 7

¿No tenías miedo en absoluto durante todos aque-llos años de la guerra? Te condecoraron por *courage*.

Estaban tumbados uno junto al otro la primera mañana de su viaje de bodas. Ella estaba sorprendida por todas sus gentiles amabilidades, las lentas revelaciones de su vida.

—Yo me habría sentido demasiado asustada para disparar el fusil.

—Como debe ser. La mujer británica tiene demasiado valor como madre y protectora del hogar para mandarla a la conquista de tierras extranjeras.

Ella disfrutaba, después de una vida de sufrimientos y pobreza, de una insólita, casi inconcebible calma, saboreaba a pequeños sorbos la primera muestra de su nueva, inimaginable riqueza. Él la había elevado a otro mundo, en el cual uno paseaba por pueblos italianos, luego holgazaneaba en la cama mucho después de que el sol hubiera salido, mientras, fuera, más allá de la ventana, se alzaban las montañas cubiertas de nieve bajo las nubes.

—¿Sabes?, sin embargo, hay algunas naciones donde las mujeres son los guerreros y los hombres los defensores de la paz. Existe un reino en el África negra —reino femenino, debería decir— donde todo está patas arriba. La reina gobierna, no como nuestra bondadosa Victoria, sino con mano de hierro. Su ejército está compuesto sólo de mujeres. Y son unos fieros diablos, también.

—Estás contándole cuentos a tu mujercita.

—En absoluto. Es tan verdad como esta cama. Lo he sabido directamente por hombres que lo han visto con sus propios ojos. Las mujeres lo gobiernan todo, toman todas las decisiones, mientras los hombres cocinan y cuidan de los niños cuando éstos son pequeños. Pero cuando las niñas llegan a cierta edad, las madres las toman a su cargo, se las quitan a sus hermanos, compañeros de juegos, y a sus amables papás, que lloran ante la pérdida de sus valientes y belicosas hijas. Las madres envían a las niñas a escuelas donde, siempre de otras mujeres, aprenden los números y las letras, la historia de su extraño pueblo, así como a luchar, a la manera de ese ejército de Venus.

»No puedo recordar el nombre, algo así como Torrorarina. Y las mujeres cortejan a los hombres, ya ves, persiguen a los tímidos varones, hacen promesas de matrimonio. Y las mujeres vagan por los caminos después del crepúsculo, devoradas por un creciente apetito. Son *lobas* que atraen a *hombres* jóvenes a cometer actos deshonrosos, y si el pecado de la pareja sale a la luz, es el hombre al que se expulsa de la sociedad, en tanto que ella simplemente consigue notoriedad como una buena tunanta. Los hombres deshonrados, y muchos de los hijos de esos pobres a menudo sufren deshonor. Practican un vergonzoso comercio, igual que algunas desgraciadas mujeres hacen en Londres. Estos hombres sobreviven gracias a lo que sacan de sus voraces clientas femeninas.

—¿Hombres que hacen eso, y las mujeres les pagan? No puede ser.

—Es la absoluta verdad —insistió él—. Algunos no caen tan bajo, pero terminan formando parte de su extraño y bárbaro teatro, y al menos son aceptados en algunos círculos.

La historia era ahora indudablemente absurda, si es que no lo había sido siempre, pero buscaba el placer de ella, se esforzaba para que disfrutara.

—No puede ser —repetía Constance—. Los hombres son hombres y las mujeres, mujeres. Son diferentes y tienen deseos diferentes —dijo mientras descansaba su cabeza sobre el regazo de Joseph.

—¿Hasta dónde has viajado por este ancho mundo, novia mía?

—No más lejos de esta cama. Pero en el libro que me diste, ese naturalista, el del *Beagle*... dice lo mismo, y él ha viajado aún más que tú. Somos sólo simios bien educados. Eres tú quien cree eso, y ahora dices lo contrario.

—Lo contrario, no. Sólo señalo sus límites. Del mismo modo que comemos algo más que bananas, en otros sentidos evidentemente *no* somos simios. Y en esta, esta —¿cómo lo llamaría?—, esta *distribución del deseo,* nosotros, los británicos, somos diferentes de los franceses, que tanto se nos parecen exteriormente. Y somos todo lo contrario de esas Casanovas de Madagascar, por lo que podemos llegar a la conclusión de que el *deseo,* como tú dices, es una cuestión de cultura, no de la evolución. Deseos aceptables y alentados en un pueblo son muy poco recomendables en otro, y firmamos al pie de nuestro catálogo de prescripciones y costumbres santificadas por Dios. Nosotros, los británicos, tenemos unos comportamientos aceptables, y rehuimos a aquellos que se desvían de la lista.

—Pero tú eres italiano —bromeó ella.

—Británico, mi niña, tanto como tú. Somos británicos por cómo actuamos, por cómo atemperamos nuestros apetitos simiescos. Si conocieras a un británico que se comportara en todos los aspectos como un salvaje de la jungla, ¿en qué sentido seguiría siendo británico?

Ella recordaba —como algo separado de las palabras que decía— la *sensación* de su presencia; era ligera, gentil y entretenida. Divertirla era importante para él. Tras haber conseguido su mano, se esforzaba en volver a conseguirla, una y otra vez. Pero las palabras —su tranquila charla sobre británicos que se comportaban como animales, la aceptable variación de los apetitos de un país a otro—, esa noche, en su sofá, mientras contemplaba cómo se desvanecía la luz, aquellas palabras ya no se separarían fácilmente de su memoria.

unque las ventanas habían permanecido abiertas todo el día, aquel sofocante olor subsistía. Nora cerró las de abajo y Constance se encargó de la habitación de la niña, preocupada por que el cristal de la ventana no acababa de ajustar bien.

Arriba, se tropezó con Joseph desnudándose. La transformación que había sufrido su humor era exagerada, simplemente por afeitarse. Ella miraba abiertamente aquellos nuevos perfiles, y él también dirigía su mirada al espejo. «Gemelos, parecería», dijo con demasiada vehemencia. Raras veces había visto ella tal entusiasmo en él. Volvió a afirmar cuánto se parecía a su padre. Se colocó detrás de ella, puso las manos sobre sus hombros, deslizó los dedos bajo su camisón para tocarle la piel desnuda y dijo misteriosamente:

—Mi padre no era un hombre malvado. Lo he juzgado demasiado duramente. Si buscara mi perdón, aun ahora, sería grosero negárselo, ¿no te parece? El perdón, Constance... lo sabes todo al respecto. Está en la naturaleza de las mujeres y es una prerrogativa femenina. Sin embargo, es una sensación extraordinaria.

Sus manos estaban sobre ella. Su deseo era palpable. Pero ella no lo había preparado adecuadamente esa mañana. Sus pensamientos habían estado en otra parte. Por detrás, él acercó su suave mejilla a la de su mujer, y ésta dijo sin pensar:

—No puedo recibir tu amor esta noche, querido.

—No se me ocurriría tomarme esa libertad —respondió él, aparentemente demasiado conforme, y se apartó. El estúpido error de Constance era evidente para los dos. En cuestión de días él volvería a intentarlo, y ella estaría indefensa —porque esa mentira requería de un mes para volver a ser eficaz— y eso no tardaría.

Él se durmió. Ella se quedó mirando el techo. Constance no podía acusar a nadie más que a sí misma de su aislamiento. Ella pasaba los días soñando despierta entre cojines. Tenía todo el dinero que podía desear. El estar en la cama la hacía soñar un poco más y sus ojos se cerraron. Habría pagado cualquier cosa por unos momentos de la escandalosa conversación de Mary Deene, pero Mary Deene y las demás chicas se habían dispersado. Se quedó dormida, y en el sueño Joseph la sonreía en Pendleton's, deslizando una dura moneda en su blanda mano. «¿No tiene usted a nadie, entonces, a quien yo pueda acudir para solicitar el honor y el placer de su compañía? ¿No tiene usted ninguna clase de protector? Con el tiempo podrá usted considerarme un amigo.» Una dura moneda tras otra, una inquietante serie de preguntas, y su satisfacción ante la falta de un guardián. «¿No tiene usted ningún protector, entonces?» Una dura moneda tras otra metida en su hinchada, blanda carne, las manos doliéndole por su carga, luego el doctor sosteniendo la suya y recordándole que «no tiene derecho a desobedecer, señora Barton». Otra moneda y luego otra, apretada contra sus doloridas, sangrantes manos. Y Angelica estaba gritando de forma terrible. Constance abrió los ojos. No, no era ninguna pesadilla. La niña estaba gritando. Con unas temblorosas, todavía dolidas manos, Constance corrió escaleras abajo, por el pasillo y entró en tromba en la habitación de Angelica.

—¿Qué pasa? ¿Te has hecho daño?

Cogió a la niña entre sus brazos, la estrechó torpemente contra sí. Le fue difícil de sostener el peso y los miembros extendidos de la pequeña.

—Mamá —murmuró la niña parpadeando—. Mi mano.

—¿Tu mano? —Constance sacó la retorcida mano de la niña de entre sus apretados cuerpos—. ¿Te duele?

La cara de la niña se alteró y sollozó ligeramente, repitiendo su patética súplica: «Mi mano», antes de cerrar los ojos. Constance devolvió la niña a la cama, donde inmediatamente se dio la vuelta, las manos apretadas bajo su mejilla. Sólo con dificultad, pudo Constance liberarlas y examinarlas. Fue a buscar una vela y regresó, levantando la luz para observar las manos de su hija, que estaban ilesas. Quizás era un sueño: le dolían las manos, y despertaban los gritos de la niña, que se quejaba también de dolor en las manos. Era una idea a la vez dulce y horrible: compartían las pesadillas. Duras monedas habían sido apretadas en aquellas suaves manos del sueño, y el dolor de aquel sueño provocaba esos terribles chillidos que despertaban.

Apagó la vela. Cuando sus ojos se hubieron adaptado a la oscuridad, y se hubo formado la gris sombra de una niña dormida, subió por las escaleras. Se acordó de Sarah Close susurrándole en la negrura de una larga noche en el Refugio que los sueños eran inquietos y que a veces se deslizaban de un durmiente a otro que estuviera en estrecha proximidad, o a alguien cuyo corazón hubiera unido Dios al tuyo. Silenciosos zarcillos salían apresuradamente de ella para agarrarse a Angelica incluso durante el sueño.

Se echó en la cama, y Joseph se quejó.

—¿Qué pasa ahora?

Levantó la muñeca para mirar el reloj a la débil luz grisácea de la lamparilla del techo.

—Maldita sea, las tres y media. ¿Qué demonios pasa contigo, Con?

A la luz del día, la idea de que Angelica hubiera padecido el miedo y el dolor de su madre se debilitaba, tanto como fenómeno creíble, como motivo de orgulloso placer. De haber sido Constance menos melancólica de carácter, podría soñar cosas más dulces, y su hija suspiraría —muy abajo, o muy lejos, en la casa de otro hombre— y absorbería del húmedo aire de la noche la satisfacción de su madre. Con todo, la visión de Angelica jugando sola y, observada sin saberlo, frotándose la mano como si le doliera, provocó en Constance un fugaz e intenso sentimiento que la hizo llorar unas lágrimas en silencio, apretando la boca.

Dejó a la niña jugando, con la jovial afirmación de Joseph de que, pese a que aquél era el día de descanso mensual de Nora, él podía pasar una hora a solas con su propia hija. Gracias. Inclinando la cabeza ante la rutinaria burla de su marido sobre sus «supersticiones», y su rutinaria negativa a permitir que Angelica la acompañara, Constance se despidió y se marchó a la iglesia sola.

Esta viuda casada, esta madre sin hija se sentó muy atrás. Llegó la última y fue la primera en irse. Cuando estaba sin marido y sin hija, se sentaba en la parte de delante, era la primera en llegar y la última en marcharse. Había llegado a este compromiso con el absoluto rechazo de la religión de Joseph, y con la visible desaprobación del sacristán y de las mujeres. Se dirigió a su casa rápidamente, huyendo de las burlas que ella creía percibir a sus espaldas.

Y regresó a su hogar. Al caos. Angelica yacía boca abajo en el suelo del salón, y sus chillidos encontraban eco en las inarmónicas notas del piano. El sobrenatural lamento resultante hizo rechinar los dientes de Constance. Al otro lado de la habitación, Joseph, en una cortés actitud de aburrimiento, se apoyaba en el marco de la puerta, al parecer sin sentirse afectado por la aflicción de la niña.

—¿Se ha hecho daño? —gritó Constance por encima del estrépito.

—Ni una pizca —dijo con voz cansina Joseph—. Al parecer, ha perdido el juicio.

La niña daba patadas contra el suelo y luego giró sobre sí, para seguir lanzando coces al aire. Tenía la cara hinchada, roja, húmeda. Su voz era ronca:

—¡No es mi papá! No es mi papá, no es mi papá, no es mi papá, ¡no!

—Lo que he dicho —murmuró él.

Sólo con gran dificultad, consiguió Constance que se recuperara la niña, mientras Joseph aducía esto y lo otro, cuestionando los métodos de Constance, pero, por lo demás, no ayudando en absoluto, y reiniciando el ataque de la niña con sus resoplidos o llamándola un «preocupante espécimen de niña».

—¿Cómo ha empezado esto?

—Pregúntale a esa pequeña y salvaje derviche.

—Él —gimió Angelica, sacudiéndose en los brazos de Constance como un bebé enfebrecido— quiere que me coma un ciervo.

—Oh, es demasiado absurdo —exclamó Joseph, abandonando a Constance con la convulsa niña.

El acontecimiento no habría sido muy perturbador —Angelica de vez en cuando sufría ataques de ira sin razón alguna que comprendiera un adulto, y si él había insistido en que comiera carne de venado (si es que Constance había comprendido bien), no resultaba muy sorprendente que los acontecimientos sobrepasaran la capacidad de Joseph para controlarlos—, pero después, aquella misma tarde del domingo, cuando él se acercó a Angelica ofreciéndose a leerle un libro, ella huyó y se refugió tras las faldas de Constance, llorando. Él se encogió de hombros y se retiró arriba, mientras Constance trataba de mantener una expresión que no diera a entender que pensaba que Angelica estaba mínimamente justificada.

—¿Por qué te estás portando así con tu papá? —susurró.

Angelica se volvía más infantil a cada frase, buscando más amor, y más protección.

—Te prefiero a ti. Prefiero a mamá. Angelica quiere a mamá. Yo amo a mamá.

—Y yo a ti, mi ángel. Pero tenemos que portarnos bien con papá. No debemos molestarlo. Debemos hacer lo que pide. Es nuestro protector. ¿Lo entiendes?

—¿Protege a mamá, también?

—Desde luego, mi niña.

Capítulo 10

Una hostigadora luna en cuarto creciente atisbaba a través de la ventana del salón y observaba a Constance mientras ésta leía. Inactivos los asesinos de Londres, los periódicos inevitablemente anunciaban con toda la trompetería los detalles de la carnicería cometida en tierras lejanas. Aunque el nombre del lugar y de los autores desapareció de la mente de Constance casi tan pronto como hubo leído las palabras, la imagen de los hechos no se había separado de ella desde que se enteró de la noticia. Los cincuenta y seis mujeres y niños británicos habían sido cogidos por sorpresa. Constance percibió este no comunicado e incomunicable hecho en un detalle concreto y muy significativo: las madres se habían quedado paralizadas (convirtiéndose así en víctimas aún más fáciles) al creer, incluso mientras los cuchillos cortaban, que aquel horror no podía estar sucediendo, porque las mujeres no habían visto signo alguno de que se acercara. Nunca hubieran imaginado que aquellos hombres morenos las odiaran tanto. Aquellos británicos habían prosperado bajo algún abrasador sol extranjero y observado a sus niños cuando perseguían animales exóticos sobre la arena. No habían sentido ninguna preocupación cuando sus propios criados aparecieron, demasiado temprano, gritando instrucciones, pidiendo calma. El momento siguiente, horrible por derecho propio, debió de ser peor por su falta de lógica.

¿Quiénes son esos hombres enfurecidos? ¿Son extranjeros o unos hombres en los que no nos hemos fijado, que alegremente nos traían el té justo ayer? No pueden odiarnos tanto que sean capaces de hacerle daño a un niño.

La pura verdad, cuando se hizo evidente, debió de cegarlas como la luz del sol cuando le da a uno directamente. ¿Cuánto tiempo pudieron soportar esa visión las mujeres? Las que no fueron asesinadas inmediatamente, debieron de volverse locas. Eso es lo que los hombres hacen cuando se les da rienda suelta. Nunca estuvimos seguros. Sólo soñamos que lo estábamos. Nunca fuimos amados, ni suficientemente temidos. Le harían daño incluso a mi dulce niña, a mi Meg, a mi adorable Tom.

El periódico anunciaba los castigos que se impondrían, el severo correctivo que el ejército de Su Majestad descargaría sobre aquellos diablos morenos. El general Mackey-Wylde sería implacable. Pero Constance sabía que se castigaría a las personas equivocadas. Y las nuevas almas maltratadas incubarían entonces nuevos agravios, que a su vez acabarían estallando, supurando hasta desencadenar una nueva venganza sobre sus enemigos, y quienes estarían más a mano serían más mujeres y niños. Y un nuevo general tendría que administrar nuevos castigos.

Constance y Joseph estaban sentados ante la chimenea del salón, desapaciblemente fría, aunque faltaban sólo quince días para que fuera pleno verano.

—¿Crees que encontrará a los culpables? —preguntó ella.

—Son todos culpables. Los que lo hicieron, los que los esconden, los que los alentaron, los que silenciosamente lo aprueban. El problema es que hay un exceso de culpables. Es pedirle demasiado a Mackey-Wylde que los aprese a todos.

—¿Pero qué enfureció tanto a esos hombres? ¿Por qué hicieron algo tan inimaginable?

—No hay ninguna razón. Apenas si son hombres. Cobardes, animales, esclavos de fugaces apetitos o agravios.

Cobardes... uno podía preguntarse si todos los cobardes sabían que eran cobardes, como ella sabía que lo era. Quizás esos hombres se consideraban a sí mismos valientes. Quizás lo *eran*, a su manera, porque aunque comprendían que no podían expulsarnos de allí asesinando a unos inocentes, sin embargo los asesinaban, destruyendo a aquellos que en su fuero interno debían de saber que eran merecedores de su bondad. Seguramente comprendían que asesinar a inocentes británicos no haría más que atraer sobre sus cabezas la ira del Imperio, y sin embargo, asesinaban. ¿No era eso un horrible y primitivo valor?

Joseph le había contado muy poco de la guerra en que había luchado, y ella no podía recordar el impronunciable nombre del lugar donde sus heroicidades le habían merecido cartas de elogio y una medalla que no enseñaba a nadie.

—¿Han hecho los soldados británicos alguna vez una cosa así?

—¿Estás loca? —Ella no había querido irritarlo. Sólo se había permitido que un sentimiento siguiera a otro hasta que las palabras salieron de su boca—. ¿Te imaginas que todos los hombres son así de bestias?

—No, sólo que esos hombres de color eran también hombres, y también debían de considerarse soldados.

—Dios mío. El combatiente británico... —Y podía verse su orgullo de que se le considerara uno de ellos, aunque de hecho él era medio británico y medio moreno. Ella se lo imaginó con el uniforme (como solía), pero esta vez no llevaba los tensos tirantes y los relucientes pantalones blancos. Lo vio mojado, asustado y furioso, su cara llena de barro, y, en sus manos, a mujeres y niños que se retorcían.

Ella permaneció junto a las brasas, y sus excusas por su estúpido comentario fueron casi insuficientes para calmar el malhumor de su marido. Sola, en el salón que se iba oscureciendo, oyó los pasos de él arriba. Pensaba subir inmediatamente si le oía acercarse a la habitación de Angelica... Se detuvo a mitad del pensamiento. «¿Qué me está pasando? Tiene razón. No pienso con claridad, y acabaré armándome un lío tremendo si no me controlo. ¿Por qué debería asustarme que él vaya a besar a su hija y a desearle las buenas noches? Más bien debería desconfiar de un hombre que no hiciera eso.»

Cuán poco de él podía descubrirse aquí, en el mobiliario, en los objetos de su pasado. Cuando él la trajo aquí como su esposa, la casa estaba casi vacía. Y ahora, sola, ella la sentía nuevamente vacía, pese a todos sus esfuerzos. Otro detalle que ella había oído durante sus recados: los hombres de color les habían cortado la cabeza a los niños. Los negros, bajo el sol de la mañana, cuando no era concebible ningún horror, les habían cortado las ensangrentadas cabezas a los apaleados cuerpecitos y se las habían mostrado a sus madres.

El suelo crujió a sus espaldas.

—Lo siento —dijo ella sin darse la vuelta; pero ninguna respuesta le llegó desde la oscuridad.

Las brasas chisporrotearon y se hundieron en la ceniza. Ella vio reflejado en el cristal de la ventana el rostro de un hombre detrás, pero, al volverse, no encontró a nadie, sólo la oscura habitación y la puerta que daba a la oscura cocina. Las tablas del suelo volvieron a crujir, pero también oyó los pasos de Joseph arriba. Se mordió la lengua y corrió hacia las escaleras. Tropezó con sus faldas, naturalmente, se golpeó la rodilla con el borde de la escalera y lanzó un grito; pero se puso de pie nuevamente. Alguien la estaba agarrando de la falda, la cogía y le arrancaba una tira de tela, produciendo un sonido como si desgarrara carne. Subió corriendo los dos tramos de escalera y entró en su habitación, y en el tiempo que tardó en subir esos últimos escalones, cerrar la puerta tras ella y gritar el nombre de Joseph, mientras éste estaba alisando sobre la mesa las arrugas de los pantalones del día siguiente, dos pensamientos acudieron a su cabeza al mismo tiempo. Primero, que ella se había imaginado todo eso, y, segundo, que en un momento de miedo y de peligro —por falso que fuera—, había corrido en busca de la ayuda de su marido, más que para ofrecérsela a su hija, y estaba avergonzada de su doble debilidad.

Fue a buscar los brazos de Joseph.

—Soy una mala esposa. Pequeña y estúpida, y me asustan las sombras.

Él insistió en demostrarle que no pasaba nada, la acompañó escaleras abajo, iluminó, para que ella lo viera, el trozo de falda enganchada en una astilla de la escalera y la alfombra que se había levantado, iluminó también el vacío y ahora acogedor salón, mientras le pasaba un brazo alrededor del hombro. De nuevo la acompañó arriba.

—Hemos sido puestos a prueba, los dos —dijo estrechándola entre sus brazos y apretando su cabeza contra su pecho—. Soy consciente de ello, Con. Una prueba muy dura. Cuando nos separamos el uno del otro, nuestros corazones se llenan de oscuros, fríos pensamientos. —La boca de Joseph estaba junto a su oído. La besó en el cuello—. No hay nada de qué tener miedo. Nunca permitiré que sufras daño. —Le besó las mejillas y la oreja, y también el cuello, con labios y dientes—. ¿Te acuerdas alguna vez del día en que nos conocimos, Con?

—Amor mío. Debo ir a ver cómo está Angelica.

Los dientes de Joseph mordieron la blanda y dolorida piel del cuello de su mujer. No parecía haberla oído, pero entonces, de repente, la soltó.

—Naturalmente. —Se dio la vuelta—. Naturalmente.

Cuando ella, de mala gana, regresó, él estaba dormido. Esa quinta noche con Angelica a distancia, bajo ellos, él no le exigió sus derechos, y ella silenciosamente le agradeció su contención o su cansancio. Se echó de costado y lo estuvo observando hasta que distinguió uno o dos rasgos. Vio finalmente el perfil de sus cerrados ojos mientras éstos se movían rápidamente de un lado a otro bajo sus párpados, y los labios se separaban, al tiempo que respiraba con rapidez, jadeando ligeramente.

—Lem, sujétala, maldición —dijo de golpe, muy claramente, entre dientes. Su expresión era de irrefrenable sensualidad—. Sujétala, ¿no puedes?

Capítulo 11

Constance se resistió, pero, con todo, el sueño se apoderó de ella, y cuando sus ojos se abrieron a las tres y cuarto, no podía recordar que hubiera sucumbido a él. Cinco noches así habían emborronado sus marfileños rasgos. Durante cinco noches se había despertado exactamente a esa misma hora, completamente desvelada, los ojos sin una lágrima, atisbando a través de la oscuridad el lejano reloj escondido en las sombras. En el mismo minuto de cada noche, el mismo hábil truco de prestidigitador de su mente adormilada, su cuerpo en estado de alerta, como si estuviera dispuesto a recibir un mensaje de la máxima importancia, pero encontrándose sólo con el caballo sin jinete del mensajero.

Angelica dormía profundamente. Constance se sentaba en la silla azul, sólo por un momento, para descansar los ojos y escuchar los sonidos de su dulce pequeña, pero luego se despertaba a la luz del día, con calambres, sus pies sobre la cama de Angelica y la niña despierta en su regazo.

—¿Cuánto tiempo llevas encima de mí?

—Una semana —replicó Angelica con aire pensativo—. Y unas horas.

Joseph seguía arriba, remoloneando.

—Que papá disfrute de la pereza que tanto deseaba —le susurró a Angelica, y llevó a la niña abajo, a desayunar—. Se merece su descanso —dijo con palabras más amables, cuando llegaban al vestíbulo.

—¿De veras?

Joseph había aparecido al pie de las escaleras.

—Me has dado un susto, amor mío. No te he oído bajar.

—¿Tendremos que establecer un sistema por el cual te avise cuando cambio de piso? ¿Quizás unas campanillas? Tendría que tratar de no moverme tan silenciosamente en mi propia casa, pero cuando he descansado bien soy bastante ágil.

—Agil, ágil, ágil. —A Angelica le gustó el sonido de la palabra y la repetía despreocupadamente mientras Nora la servía y Constance inspeccionaba el fuego de la cocina. Una y otra vez la niña repetía la palabra, deformándola juguetonamente—: ágil, ajul, ajed, jed, jed.

Constance había trabajado en las cocinas del Refugio y aún estaba orgullosa de su capacidad, incluso años más tarde, para encontrar fallos en las tareas de Nora,

—¡He tenido un sueño! —dijo Angelica.

—¿Ah, sí, querida?

La muchacha irlandesa era, cosa natural, proclive al desaseo y le costaba cumplir con sus tareas... una muestra de ingratitud hacia Joseph, su generoso patrón, y hacia Constance (que ahora estaba aplicando un poco de pez a un hornillo), que era responsable ante el mismo patrón del buen trabajo de Nora. Y era ingratitud, también, hacia Dios, que había procurado que Nora tuviera un empleo, y esperaba, a cambio, que agradeciera Su bondad trabajando bien.

—¿Me has oído, mamá? Me muerdieron.

—«Muerdieron», no, querida, «mordieron». ¿Te mordieron? ¿Quién te mordió?

—Lo que he dicho. En el sueño, mamá, ¿qué me quema debajo del cuello?

—No puedo entenderte, Angelica. ¿Qué te mordió?

—Por todo el cuello y las orejas, había conejos y ratones y mariposas.

—Las mariposas no tienen dientes.

—Pero las sentí.

—¿Qué estás diciendo? Vamos, ven aquí, deja que te mire.

Constance le bajó el cuello del camisón y separó su cabello.

—Mamá, me estás haciendo daño. ¡Mamá! ¡Para!

—Chitón, chitón, no pasa nada. —La niña tenía el cuello enrojecido—. ¿Qué es esto? Te has rascado aquí. —Constance tocó la línea roja en la nuca de la niña, ligeramente rasguñada—. ¿Cómo te has hecho esto?

—Ha sido Nora.

—¿De veras? —Constance casi se rió en voz alta—. Nora, ¿cómo es eso?

La muchacha irlandesa sonrió afectuosamente mientras alzaba la mirada, la cara roja porque el horno de la cocina estaba abierto.

—Señora, no sé lo que la niña quiere decir.

—No, Nora fue *buena* mamá. El hombre que vuela y sus mariposas iban a morderme, y Nora lo cortó con su grande y brillante cuchillo de la cocina, pero me cortó en el cuello también. No duele gracias al ungüento mágico.

—Angelica. No debes decir esas mentiras. Las mentiras hacen daño a Jesús. Hacen que sus heridas sangren y sus ángeles lloren.

—Sí, mamá.

Pese a que Angelica tenía realmente un cortecito, sin duda era algo notable, como mínimo, que la niña hubiera soñado que la mordían unos dientes que suavemente se apretaban contra sus orejas y cuello, tal como los labios y dientes de Joseph habían hecho con el cuello de Constance. No, no era notable. Era absurdo. Él tendría una explicación lógica. Lo encontró cuando él bajaba por la escalera.

—Veo que tienes prisa. Lamento retrasarte.

Su irritación se puso instantáneamente de manifiesto.

—¿Qué pasa ahora?

—No puedo decirlo del todo.

—Bueno, entonces quizás no deba retrasarme.

—No, por favor. Angelica tiene un poco, algo de dolor. No exactamente dolor...

—Un poco de dolor no es dolor. Perdóname.

—Molestias. Las ha sentido estas dos últimas noches y mañanas.

—Manda a Nora a buscar al médico.

—No creo que haga falta. Tu paciente guía sería bien recibida.

—¿Por qué no lo crees? ¿Necesita atención o no? Tú eres mejor juez que yo, querida.

Su tono era de burla, quizás se refería a aquellas vacaciones, cuando Angelica cayó enferma por su culpa, y pese a sus afirmaciones sobre su robusta salud.

—Las molestias son muy curiosas.

—Con, ¿no puedes hablar con claridad? ¿Es una cuestión femenina?

—Su molestia es —no sé cómo decirlo— coincidente con... Eso es, *coincidente*. Sus quejas coinciden con las molestias... No sé qué estoy diciendo. Su mano y su cuello. A mí me pasó lo mismo, ya sabes...

—¿Estás del todo bien tú? ¿Tienes fiebre? ¿Necesita atención médica la niña o no? ¿Podéis tú y Nora resolver este asunto en mi ausencia?

—Naturalmente. Perdona.

—Pero no le llenes la cabeza a la niña con tonterías. Ella repite todo lo que tú dices, ya sabes.

Cogió el sombrero de encima de la mesa de media luna de la entrada, y chascó la lengua como si estuviera ante una pieza de su equipo de laboratorio que no acababa de funcionar bien.

—Ven aquí, querida. No hace falta que te excuses. Nos juramos anoche que procuraríamos cerrar esta brecha que tanto nos trastorna. Así que procura el bienestar de la niña, y cuéntamelo esta noche. Y haz que el doctor te dé una píldora para dormir. Te has convertido casi en una lechuza. Démonos un beso. Excelente. Hasta la noche.

—¿Quién es Lem? —le preguntó ella cuando llegaban a la puerta. Él se volvió hacia ella lentamente, sin expresión en su rostro.

—Dilo otra vez.

—Lem. ¿Quién es Lem?

—¿Cómo puedes haber...? ¿Ha venido a molestarnos incluso aquí?

—Soñaste con él y dijiste su nombre —dijo ella, sonriendo y esforzándose por aplacar su creciente enfado.

—No es nadie de interés. Un mendigo que me abordó en la calle. Ve a buscar al doctor. Y no le repitas como un lorito cosas absurdas. La niña debe de tener pesadillas. No dramatices. Se pondrá bien en un momento... Toma nota.

Ella tomó nota de sus palabras, y de su tono, cuando él se marchó. Cuán fácilmente equiparaba las quejas reales con las pesadillas.

Constance no fue a buscar al médico, ya que la niña no se volvió a quejar, y las señales de su cuello realmente no requerían atención. Pero, aquella misma noche, Angelica se resistió a ir a su dormitorio, a su cama, a dormir... fue tal el despliegue emocional de la niña que Constance creyó ver que allí había algo más que las manipulaciones de una niña caprichosa. «Me siento rara», dijo finalmente, sacudiendo la cabeza para mantener los ojos abiertos. Sus piernas lucharon contra la ropa de la cama, demasiado remetida.

—¿No te sientes bien, amor?

—No quiero dormir.

—Pero si estás cansada.

—Por favor, no me hagas dormir.

—¿Y por qué no? Todo el mundo duerme.

—No lo deseo. No deseo dormir. Me siento extraña. Cuando duermo.

—Yo te vigilaré. No me iré de esta silla. ¿Servirá?

—Prométemelo. Tú no te dormirás. Júralo, mamá.

—Lo juro. —Constance se rió ligeramente—. Me mantendré vigilante.

Con esa palabra, dicha con una sonrisa, Angelica se durmió casi al instante. Y casi inmediatamente después, entró Joseph, que venía del salón a buscar a su mujer. Preguntó si la niña no estaba aún dormida.

—Está a punto de dormirse —replicó Constance. Poco rato después, él bajó de su dormitorio a buscarla, y ella dijo—: Me quedaré sólo un momento más. —Y fingió ocuparse en arreglar la ropa de Angelica en el armario.

Él volvió a marcharse.

Una nueva grieta había aparecido en el panel posterior del armario, y ella sintió que la pieza cedía al tocarla.

Ella lo oía pasear por la habitación de arriba, y el armario ropero se sacudía, y ella supo que si él iba a buscarla por tercera vez, lo único que eso podía significar era que sus once meses de paciencia habían llegado a su fin, y que el tiempo que ella había ganado con sus mentiras unas noches antes se había acabado. Él arriesgaría la vida de su mujer por su deseo.

Oyó sus pasos, que descendían, y absurdamente se sintió como una niña a la que fueran a reñir. No se veía capaz de encontrar una excusa: las ropas arregladas, la ventana cerrada, las sábanas ordenadas, los libros guardados, la niña roncando, sus pasos en el pasillo...

—¿Cuándo me harás el favor de regresar al lugar que te corresponde?

Hacía mal en resistirse. No podía decir nada en su defensa, con la cama de la niña entre ellos, más que citar una y otra vez las advertencias de los médicos.

—Se lo he prometido a la niña... —empezó a decir tontamente.

Permaneció sentada en la silla Edwards de seda azul hasta que la amenaza de su marido sobre ella desapareció silenciosamente. Sin conseguir agradar a nadie, trataba de resistirse al sueño. Cuando ya no pudo resistir más, soñó que se resistía al sueño. Estaba en cuclillas en un enorme jardín detrás de una casa. La alta hierba se deslizaba por debajo de la falda de su camisón y le hacía cosquillas en las piernas, produciéndole rojeces en la piel. Ella se prometió permanecer en la hierba y no dormirse nunca, como hacen los adultos y exigen a los niños que hagan. Tenía frío, y lo que quedaba del sol se estaba poniendo. «Yo nunca duermo —se decía a sí misma—, porque me sentiría extraña. Parpadeo a veces, pero sólo eso.» Y entonces llegó aquel sofocante olor.

Angelica se estiró hacia su madre desde el borde de la cama.

—Lo ves —la acusó, su cara hinchada todavía por su viaje nocturno—. ¿Ves? Te has dormido. Me lo prometiste. Una mamá buena no me dejaría sola.

Con la Princesa Elisabeth sujeta en su mano, Angelica pasó corriendo por el lado de su madre para ir a donde estaba Nora y pedirle su leche y su bollo matinales. Su malhumor tardó en desaparecer y Constance tuvo que enfrentarse durante el desayuno a la ira conjunta de la niña y de Joseph.

Capítulo 12

 u marido se marchó mucho más temprano de lo necesario, incapaz de tolerar un solo momento más esa
vida a la que se veía obligado. Ella lo había traicionado la noche
anterior, y esa mañana, con Angelica enfadada con ella, Constance sentía agudamente la pérdida del amor de su hombre.

Enfrentado a una privación antinatural, él había mostrado
una heroica temperancia, y ella le había respondido con miedos.
De haber estado en su lugar, ella nunca hubiera sido tan amable, difícilmente habría tenido en cuenta su salud cuando caía la
noche, sino que simplemente habría satisfecho su placer y ob-
viado los riesgos. En el peor de los casos, se podía simplemente
volver a empezar, o disfrutar de la vida sin la carga y los gastos
de una esposa que no cumplía sus deberes conyugales. Constance no había merecido su generosidad todos estos años; sólo
quería saber por qué esa felicidad no se prolongaba interminablemente a la vez que ella le negaba sus derechos de hombre.

Por lo tanto, dentro de las difíciles limitaciones que le imponía su salud, ella enderezaría las cosas. En esa brillante mañana, comprendió que podía hacerle un regalo que a él le encantaría. Apenas pudo contenerse cuando vio que podía, con
un solo gesto, hacerlo feliz nuevamente, hacer que supiera que
el corazón de su mujer le pertenecía y que los pensamientos de
ella se dirigían de forma natural a satisfacer a su marido, pese a

las circunstancias. Sí, ese regalo casualmente también servía a sus propósitos, pero ése no era el motivo por el que se le había ocurrido.

Fácilmente puedo imaginar cómo se engañó a sí misma con esos desesperados y asustados esfuerzos, y el efímero pero ilógico alivio que ella debió de haber sentido ante su esperpéntica solución, como un adicto al opio o una mujer que sueña: ella le devolvería su laboratorio doméstico, y todo iría bien. Cuán cruel había sido, todos aquellos años, esgrimiendo despiadadamente su vocecita de niña, afinada para satisfacer sus deseos a costa de su marido: «Esta maloliente habitacioncita, naturalmente tendrá que ser el cuarto infantil, ¿no es verdad, papá?» Y él la atrajo hacia sí, la besó y susurró: «Supongo que sí.» Le apretó las manos y al día siguiente empezó a empaquetar sus cosas para llevárselas.

Ella lo sorprendería con su ingenio, y al menos la *comprensión* podría nacer entre ellos. Con un laboratorio en la casa, él podía dar a Angelica, si insistía tanto, alguna lección de su maloliente química. O —si realmente tenía intención de seguir con la idea—, podía venir un profesor un par de horas a darle clases en esa habitación. Aún mejor, Joseph sentiría que él dominaba algún discreto y sacrosanto espacio, y podía, por lo tanto, no sentir esa necesidad en el resto de la casa.

Ella no podía esperar hasta la noche para ofrecerle ese regalo, para ver el brillo de lo satisfecho que estaba con ella. Le daría esa satisfacción inmediatamente, regresaría a casa y haría que Nora volviera a poner en su lugar las cosas de Angelica arriba, aquel mismo día. Dejó a Angelica —malhumorada todavía con ella— al cuidado de Nora, y se marchó a tomar el autobús que él probablemente tomaba, y a pasar por las calles por donde él probablemente pasaba.

Constance tomó nota de lo que él debía ver cada mañana y se imaginó dirigiéndose hacia la ardua tarea diaria de ciencia, con la que ganaba el sustento de la familia. La visión de un caballo bebiendo agua podría hacerle recordar algo y luego algo más y, al final de ese hilo de reflexiones, uno ve con claridad en medio del bosque y crea un remedio para una enfermedad. El olor de la cesta de una florista rápidamente ahogado por el hedor de la basura en pequeños montones, o la pirámide de naranjas en la caja del vendedor que empezaban a pudrirse por el fondo... la ciudad vista con los ojos de Joseph era una trama de enfermedad y salud entrelazadas que debían desenredar científicos inteligentes.

Ella nunca había visto su laboratorio. Estaba preparada para ver cubas al fuego, científicos monásticos que atisbaban en silencio a través de delicados microscopios, un bosque de grandes esferas metálicas y torres de vidrio soplado. En las pinturas, ella había visto laboratorios representados como una especie de atareada herrería, pero en aquella novela de la señora Terrell, el héroe trabajaba solo, en lo más profundo de un castillo alpino, en una habitación subterránea, fría tanto en invierno como en una mañana de julio, desde cuyas heladas profundidades él producía un elixir para salvar al heredero real, vertiendo la azul poción en los labios del niño. Una sola gota de azur en la seca boca escarlata sería suficiente para salvar al niño y a la dinastía.

Durante bastante rato, no pudo encontrar el laboratorio del doctor Rowan, y se vio obligada a pedir varias veces ayuda, que fue contradictoria, primero a un muchacho con delantal que corría entre los edificios con un paquete casi demasiado pesado para él, y luego a un viejo que llevaba bastón, que le respondió con evidente sospecha en los ojos. Pasó por delante de un árbol, el único que se veía en el vasto complejo de edificios, cerca del que tres palomos se alternaban en el acto de cortejar a una hembra, que parecía desinteresada y se limitaba a encogerse de alas formando un corazón. A través de otra puerta, penetró en un laberinto de arcadas y puertas que daban a otras puertas, por donde entró en un edificio, sólo para abandonarlo rápidamente por la parte de atrás, entre un constante fluir de hombres que salían de una construcción para entrar en otra. Finalmente, descubrió su objetivo, refugiado en un pequeño patio, que parecía haber sido tragado enteramente por otro edificio, una simple planta de ladrillo sin ventanas, y, de pie ante él, a la sombra de un tejado entre verde y azul, estaba Joseph, fumando y enfrascado en una tranquila conversación con un hombre más joven. Ella lo estuvo observando unos momentos antes de que él la viera, y Constance notó que su expresión cambiaba al descubrirla. Su colega entró en el edificio.

—¿Qué te ha traído aquí?

Su cara denotaba la confusión de un niño. Quizás veía la tensión de su mujer.

—Tengo una sorpresa para ti. No podía esperar ni un momento para ver tu placer al enterarte.

—Tu presencia ya es una sorpresa.

—¿Puedo ver el interior? ¿El buen trabajo que haces para nosotros cada día?

Los extremos de las cejas de Joseph bajaron más que de costumbre, y su frente se arrugó un poco más.

—A los visitantes generalmente no...

—Pero *tú* eres un jefe, y *yo* tengo un maravilloso regalo para ti. Vamos, enséñame tu trabajo, y yo te hablaré de mi feliz inspiración, de cómo puedes mejorar tu posición entre los médicos a cualquier hora del día o de la noche.

Se adelantó para abrir la puerta exterior.

—Puede que al principio no comprendas que... —Pero Constance puso un dedo sobre sus labios y le susurró con su vocecita de niña, que tanto tiempo llevaba sin poner:

—Estoy tremendamente orgullosa de nuestro papá.

Encontró cerrada la puerta interior. Joseph vacilaba, quizás aún estaba prohibida para él, pero un hombre salió en aquel momento, y Constance cruzó el umbral.

La habitación era oscura, naturalmente, sin ventanas, pero era mayor de lo que sugería su aspecto exterior, y ella notó que su total silencio era una respuesta a su entrada. El olor también la sorprendió, y a medida que sus ojos se adaptaban se sintió desagradablemente consciente de su estómago y otros aspectos íntimos de su persona. Recuperó la visión. Vio a los colegas de Joseph, inmóviles y silenciosos ante sus mesas de trabajo, mirándola fijamente. Se oyó entonces un insoportable ruido que se extendió como un fuego que se afianzara lentamente en algunos lugares, para luego extenderse uniformemente a través de la sala en una extraña y fluida sonoridad. Miles de ruidos, ahora muy próximos, hasta desde el otro lado de la oscura sala. Ella quiso retirarse, pero se sintió impelida a avanzar por un pasillo entre las mesas y los cubículos con barrotes.

—No lo entiendo —dijo ella suavemente. Joseph llevó la mano al brazo de su esposa, pero ella tiró para liberarse—. No lo entiendo —repetía—. ¿Durante todo este tiempo te has callado que hacías esto?

No podía evitarlo. Tan profundo era su deseo de expresar su inocencia ante lo que estaba viendo que alargó la mano para abrir una de las jaulas.

—¿Por qué están...?

Pero él la cogió de la mano.

—No debes tocar nada. Puedes afectar a la exactitud de los resultados.

—Me da lo mismo —dijo ella y nuevamente apartó su mano. Constance sentía los ojos de los colegas de su marido fijos en ella. Todos deseaban que se esfumara, imaginando a sus propias esposas en aquel oscuro, apestoso mundo. Los hombres miraban fijamente a Joseph también, pidiendo en silencio que tapara aquella brecha en su siniestro secreto.

—Volvamos afuera, querida.

Observada por los hombres, la mujer penetró un poco más en la sala, envuelta por los ecos de las súplicas de los animales enjaulados.

—Están sufriendo terriblemente —dijo.

—Lo más probable es que no sea así. No sufren. Y, desde luego, esas cosas no pueden medirse.

—¿Medir? ¿No puedes verlo con tus propios ojos? Quizás por eso mantenéis tan bajas las luces.

—Ya basta. Ya basta.

—Barton ¿quién es tu adorable invitada? —gritó alguien. Ella se zafó de la tímida presa de Joseph y se alejó de la voz y su alegre tono, tan poco natural.

De una pared colgaban unas láminas. Esqueletos de humanos y animales como aquellos del libro de Joseph, que éste tanto había deseado enseñar a Angelica. Las láminas se estremecieron por la brisa que ella produjo al pasar. Los hombres deben mantener en orden sus instrumentos: las cuchillas de metal estaban pulcramente colocadas en unos compartimentos de cuero. Ella se habría lanzado sobre las cerradas puertas y hubiera liberado a todos los animales, pero ¿con qué fin? No tenía el valor de matarlos, y seguramente la muerte era el único deseo que aquellos seres aún sentían.

Él llegó a su lado apretando el paso, y la sujetó por los brazos.

—Te advertí que podría confundirte. No son mascotas domésticas. Hoy en día ya no hay ninguna viruela que amenace a Angelica, gracias a este trabajo.

Ella se quedó sin respiración, sintió que su corsé la ahogaba.

—No menciones su nombre en esta sala. Ni lo pienses.

—Baja la voz. Vamos.

Y, con una presa de acero sobre sus brazos, el soldado acompañó a su mujer por el camino por el que había venido, todos los ojos fijos en ella, mientras un gordo y sucio viejo sostenía la puerta y le decía con una sucia y amenazadora voz:

—Quizás en otras circunstancias, señora, en otras circunstancias...

Fuera, en el luminoso patio, ella respiró profundamente para desprenderse del olor y la sensación. Él seguía agarrándola del brazo. A Constance se le revolvió el estómago. *Sus* manos habían hecho todo aquello... los cuchillos... la sangre.

—No puedo esperar que comprendas, pero me obedecerás y me respetarás.

—Oh, ¿cómo lo soportas? —respondió ella ante esa absurda dureza.

—No es ninguna carga investigar los beneficios de la ciencia.

La noche anterior tan sólo, aquellas manos habían tocado su desnudo cuello y hombros, su rostro.

—Hablas como un predicador callejero. ¡Y ese olor! Lo huelo en ti por las noches, aunque supongo que te frotas hasta hacerte sangre para librarte de él. ¿Sabes?, una vez pensé que era el maldito perfume de otra mujer. Hubiera preferido eso. Lo hubiera preferido. Mejor que...

—¿Por qué has venido? ¿Para interrogarme?

—He estado tan ciega...

—No sé lo que estás diciendo y sospecho que tampoco lo sabes tú. Vuelve a casa, Constance, vuelve a casa.

—¿No se te rompe el corazón? ¿En absoluto?

—Vamos. Vuelve a casa.

Ella se marchó, tambaleándose entre los edificios, del patio al callejón, dentro y fuera, hedor y sangre, y hombres de ciencia y muchachitos que corrían a hacer recados. Las puntas de sus dedos, los dedos de su marido le habían dado de comer en la boca.

Él se lo había guardado en secreto. No era extraño. Pero que lo hubiera hecho tan eficientemente arrojaba un poco de luz sobre su persona, revelaba un carácter deformado por el engaño. Habían hablado sobre su trabajo el mismo día en que él le pidió la mano. El mismo día. La había llevado a Hampstead, y en el Heath le había descrito su trabajo como heroico, diciéndole: «¿De veras no hay nadie a quien deba dirigirme, si fuera a pedir tu mano?», y el corazón de la muchacha se detuvo a fin de reunir fuerzas para latir desbocado, y empezó a llorar. Él provocó aquella alegría, ocultándole instantes después lo que hacía cada día a unos seres vivos. La tomó como esposa con aquel laboratorio en su mente. La tomó y creó aquellos malogrados y deformados niños, todo mientras pensaba en las monstruosidades de aquella sala de agonías.

Ella encontró finalmente la última puerta y salió casi corriendo a la calle. El ómnibus esperaba. Él, Joseph, había pasado por delante de Pendleton's, justo ahí, la había visto a través del cristal, había entrado para depositar monedas en su mano con aquellos dedos ensangrentados. Le había acariciado las mejillas, apretado los pechos, acariciado su vientre... Constance bajó del ómnibus antes de que éste se hubiera detenido y se fue tambaleando hasta la acera, donde se paró y pensó que hasta el olor del estiércol de caballo era agradable. La lluvia cesó.

Unos obreros estaban trabajando en la pavimentación. El sonido de sus martillos resonaba en una plazoleta llena de charcos, barro y aguas residuales. Los ecos de los martillos y luego los ecos de los ecos que rebotaban en los edificios del otro lado producían el ruido de un caballo que galopara impetuosamente pero al mismo tiempo permaneciera quieto, golpeando la tierra con sus enormes cascos, produciendo interminablemente su característico ruido. Sólo entonces oyó los otros cascos, los de un auténtico caballo que avanzaba demasiado deprisa por la calle, sus ojos como tersos globos, el cabriolé del que tiraba se ladeó, moviéndose sobre dos ruedas solamente, y el conductor saltó del pescante. El coche volcó, los arneses se retorcieron y luego el caballo también se cayó, tardando un tiempo extrañamente largo en caer pero, curiosamente, no lo bastante para que una niña que estaba como inconsciente, sin moverse en absoluto, desperdiciando aquel extraño y largo momento manteniéndose allí, de pie, en la fangosa calle, con un pedazo de algo blanco que acababa de recoger del suelo.

El placer de la niña al recuperar aquel trocito de blanco no se desvaneció ni siquiera mientras caía bajo el retorcido, musculoso, embarrado flanco del animal. El pelo le había caído sobre la cara, y Constance tuvo tiempo hasta de dar gracias a Dios por ahorrarle la visión de los redondos ojos de la niña mientras era empujada hacia el suelo, y luego aquella espantosa mole rodaba y caía agitando las patas encima de ella. La niña no pudo gritar, pero otros lo hicieron por ella, aunque al principio los gritos sólo fueron audibles en las escasas pausas que la docena de estruendosos martillos dejaban entre sí, como un caballo más grande galopando sobre la retorcida forma del más pequeño.

El negro ojo del caballo giró en su cuenca, tras las orejeras. Inútilmente movió las patas tratando de levantarse, pero no consiguió más que aplastar sus ijares contra el estiércol, y, bajo aquella reluciente masa de músculos retorcidos, yacía aún la inmóvil niña, boca abajo, su cabecita hundida en los fangosos charcos y agudos bordes del pavimento sin terminar.

Los obreros y el conductor corrieron hacia el caballo, y una mujer al lado de Constance lanzó un grito: «¡Lo ha hecho! ¡Yo lo he visto! ¡La ha empujado!», y apuntó con el dedo a un anciano que se apoyaba en la cerca de madera más próxima a donde la niña había caído. Uno de los obreros oyó las palabras y se lanzó en persecución del viejo, que, ante la acusación, empezó a correr. Constance no pudo soportar más y huyó, y sólo aminoró el paso cuando el accidente y los gritos que lo acompañaban quedaron a varias calles de distancia.

Constance regresó a casa mucho más tarde de lo que había pensado, había necesitado horas para calmarse, y la idea de volver a casa, incluso después de todo lo que había visto, no la tranquilizaba. Llamó a Nora.

—¿Nora, ha cenado Angelica? ¿Nora, dónde estás?

El piano estaba cerrado, y Constance sabía que Nora la había desobedecido y no había obligado a Angelica a dar su lección. ¡Qué pronto la monótona administración de su imperio reemplazaba a los oscuros acontecimientos del día! Tenía que recordar a Nora que no debía convertirse en una ridícula compañera de juegos de la niña, sino que su misión era cumplir la voluntad de la madre

La cocina y el comedor estaban igualmente abandonados. Llegó a las escaleras, y sólo entonces oyó las risas ahogadas de Angelica. Siguió el sonido hasta la puerta del baño. Oyó que Angelica le decía a Nora:

—Tú preparas perfectamente la bañera. Mamá no sabe hacerlo ni la mitad de bien. Me hielo o me quemo.

Otra de las pequeñas dagas que diariamente le lanzaba.

Alargó la mano para coger el pomo de la puerta y entonces oyó lo increíble:

—Bueno, quizás sólo ha sido que he tenido suerte en mi primer intento. —¿Era la voz de Joseph?—. Ahora, enséñame cómo te lavas tú sola.

Constance abrió la puerta y se encontró con un espectáculo que superaba todo lo imaginable: su desnuda Angelica, medio sumergida en la pequeña bañera redonda, y Joseph, arrodillado en el suelo, con las mangas de la camisa subidas, ofreciéndole una pastilla de jabón. El mundo patas arriba.

—Aquí está tu madre —dijo él, nada avergonzado de su osadía.

Enfrentado con la evidente sorpresa de Constance, siguió hablando sin parar, que si había salido temprano del laboratorio, que si había aplazado la cita con Harry Delacorte, y el deseo de ayudar a Constance, para hacer más agradable el nuevo orden de la casa.

—Pensé en hacer que Angelica comprendiera que no está aislada por el nuevo arreglo —dijo—. Y para demostrártelo a ti también, querida.

Era inflexible. Llevaba a cabo esa farsa de deber doméstico, esa burda inversión del mundo de Constance, únicamente para demostrar que él era capaz de prescindir de ella, que ella no hacía nada de valor que no pudiera ser fácilmente realizado por otro, incluso un hombre, que el cuidado de su hija —su única función— no requería de su presencia para nada. Sin duda quería demostrar que Angelica estaba dispuesta a rendirse a sus pies entre arrullos de «¡papá!».

Constance trajo toallas y el camisón de Angelica, y su ayuda fue aceptada con palabras de agradecimiento, pero ese hombre que hoy mismo había estado ocupado en sus macabros, sangrientos rituales, no pidió perdón. Constance apenas podía soportar la visión: Angelica divirtiéndose mientras las sucias manos de su padre le cepillaban el pelo.

—Acabarás haciéndole daño, retorciendo el cepillo así —dijo Constance, arrebatándoselo y cepillando ella misma el cabello de Angelica. Pero entonces fue ésta la que protestó.

—Oh, mamá, lo hace muy bien. Por favor, papá, vuelve a hacerlo.

Cuán fácilmente podía él quitarle todo lo que ella amaba.

Entregó el cepillo plateado para la malintencionada, retorcida diversión de su marido. Se apartó de la poco natural pareja, dando un paso cada vez, confiando en que se recuperara el sentido común, que Angelica pidiera volver a los placeres que las unían. Constance se apoyó en el marco de la puerta, se entretuvo en el pasillo, anduvo hacia las escaleras, esperando todavía que la llamaran, y luego bajó, pero no la reclamó ni una palabra de protesta. Hasta tuvo miedo de que se pusiera a sollozar o gritar si volvía a oír esos arrullos de «¡Papá, cama!» y «¡Papá, libro!» pronunciados como a borbotones por la voz de Angelica, una voz más joven, una deliberada réplica de sí misma más pequeña, más nueva. «¡Papá, beso!» Se puso a tocar el piano con despreocupación. Empezó con *Música de Hielo*, pero al cabo de unos minutos se había pasado a *Los bosques salvajes*, y no podía recordar que hubiera acabado la primera o empezado la segunda. Permaneció sentada en medio del restablecido silencio. Después de todo su sufrimiento, cuatro años y unos meses; ése iba a ser el breve y fugaz lapso de felicidad que iba a tener en su vida. La niña se iría de casa ahora, con los maestros elegidos por él. Y volvería al hogar para hablar de ciencia con su padre.

Joseph la había conducido a ella a ese mismo piano, cuando le pertenecía a él. Constance era su invitada a cenar, y ella confesó que sabía tocar. «Por favor, hazlo», le pidió él, casi con una voz de niño que brotaba del ancho cuerpo del hombre. «Era de mi madre, y ya casi no lo toca nadie.» A Constance no le gustaba tocar para otras personas, y cuando él se sentó detrás de ella, hizo falta bastante rato para que ella se olvidara de su presencia. Finalmente tocó como si estuviera sola, hasta que, mientras aún resonaba la nota final, él le rodeó la cintura y el cuello, atrajo su cara hacia la suya y se dejó llevar repitiendo una y otra vez su nombre.

Esta noche los brazos de Constance estaban caídos, en silencio, y ella tocó las patas del banco del piano. Se pinchó con unas astillas. Se arrodilló en el suelo para examinarlas. Nuevas grietas se habían formado a lo largo de las patas de madera torneada.

Subió arriba y escuchó tras la entornada puerta de Angelica. Se acordó de su propia madre atisbando desde las esquinas para ver a la pequeña Constance, sola o con su padre. Joseph estaba sentado en la cama de Angelica, de espaldas a la puerta, inclinado sobre ella mientras le leía algo referente a un zorro que conspiraba para encontrar una especie de tesoro.

Él le había leído una vez a Constance de esa manera. En los primeros tiempos de su matrimonio, con el mismo tono, susurrándole al oído. Joseph había sido una irresistible mezcla de marido, amante y padre recuperado. Le había recitado un poema de un libro que tenía las tapas de una piel que tenía el color del fuego. Ella recordaba el poema: un demonio se introducía dentro del cuerpo del condenado por su ombligo, y transformaba a su víctima en un lagarto. El diablo invasor deformaba la carne del desgraciado rostro. «El cabello brotaba en uno / a la vez que se desprendía del otro», era todo lo que ella podía recordar ahora del poema italiano, aunque la imagen no se había separado de su mente: un ser penetrando en tu cuerpo y cambiándote, haciéndose con el control de tus órganos, pero sin poner límites a tus pensamientos y miedos, una dominación tanto peor debido a su íntima proximidad, ya que no queda nada tuyo excepto el horror, la repugnancia y la vergüenza. «Pero sería estupendo», dijo ella. «Quizás sintieras cosquillas, supongo, pero uno se sentiría libre de toda preocupación. ¡Que el demonio se preocupara de todas tus decisiones y esfuerzos!» Él se rió con ella, le besó en la frente y en los párpados, y la llamó su hechicera. Esa noche él se inclinaba sobre Angelica, en lugar de hacerlo ella. Angelica probablemente estaba sintiendo su aliento en la cara.

Él dio a entender que había planeado esa noche como un obsequio para ella. Había cancelado sus planes de ver más combates de boxeo con el desagradable Harry Delacorte, considerándolo un regalo, para suavizar la tensión de sus deberes nocturnos, para ayudarla cargando con una parte de sus tareas más llevaderas. Tonterías. Tampoco era para pedirle excusas por lo que ella había visto hoy. No. Esto era una lección. Tenía intención de enseñarle cómo debía comportarse una esposa. Y le daría más lecciones de cómo debía comportarse una esposa. Se acabaron las negativas.

De modo que terminó nerviosamente las cosas de la cocina, regresó al piano y escuchó los crujidos de la casa que se iba oscureciendo, en medio de un incierto silencio. El gris crepúsculo de junio se fue espesando hasta que se convirtió en negrura, y Constance esperó la inevitable llamada de su marido. Éste no se había dormido. La estaba aguardando. Finalmente, había olvidado todo el temor o la simpatía que antaño había refrenado su naturaleza. El miedo de que ella se muriera podía frenar su egoísmo durante once meses; ésta era la medida exacta de su amor. ¿Cuánto la amaba a ella? Lo que valían once meses.

Regresó al lado de Angelica, que estaba dormida y en paz. Arregló la postura de la Princesa Elisabeth, pues Joseph la había colocado incorrectamente. De nada servía dormirse en la silla azul. Él bajaría a buscarla. Quizás, dados sus excesivamente postergados, reprimidos apetitos, no se lo pensaría dos veces antes de reclamar sus derechos allí mismo, en la habitación de la niña, y se apoderaría de su presa en su misma cama.

Constance llegó arriba, puso un pie delante de otro hasta que se encontró delante de la cerrada puerta del dormitorio. No se filtraba luz alguna por debajo. Ella le había dado unas horas para que cayera dormido. Entró a recibir su condena.

No fue mucho lo que oyó de las palabras que dijo el hombre que la esperaba en la oscuridad de la habitación.

—Creo que ya es hora de que superemos nuestros comprensibles temores. Hay soluciones a nuestra difícil situación, otras soluciones —dijo con lascivia.

Con su vida en juego, ella asintió en silencio, sentada en la cama, y se quitó el vestido sin ayuda ni instigación. Sus manos y su voluntad eran de él. Ella no repetiría la advertencia de los médicos. Incluso sonrió tontamente en una actitud de derrotada conformidad. Intentó, aunque no lo consiguió, no pensar en sus manos sobre aquellos pobres animales del laboratorio, sus expresiones de súplica mientras él se cernía sobre ellos con sus cuchillos y explicaciones. La tocó con aquellas húmedas manos, y los ojos de la mujer se pusieron en blanco bajo sus párpados. Su estómago se rebeló.

—Nos han hecho pedazos los médicos y el pernicioso miedo, y ésa no es forma de vivir —susurró el bronceado italiano de hirviente sangre, el hijo de los antiguos romanos, soldados esculpidos en aquella estatua que ella vio en su viaje de novios: tres romanos apoderándose de la doncella que se había resistido a uno de ellos—. No permitiré que te ocurra daño alguno. Hay otras formas en que un hombre y su esposa pueden salvar la brecha que se ha abierto entre ellos.

Le vino a la mente la frase «El temor la paralizó», una frase vacía de sus libros favoritos, donde las mujeres se quedaban sin habla e inmóviles ante babeantes demonios y amables vampiros. La fuente de su hormigueante parálisis no era simplemente el miedo, sino el doble y contradictorio deseo: deseaba huir y también abrazarlo. De manera que no hacía nada.

—Tú eres mi única Con, no hay nada que temer, mi única Con.

Era como el suave murmullo de un hipnotizador. Aquella parte de la mujer que habría corrido hacia la puerta, en busca de la calle, abandonando incluso a Angelica, se estaba ahora quedando dormida, y la susurrante voz del hombre despertaba sus propios, quizás suicidas apetitos, pues las insistentes manos, la perseverancia del varón y sus propios deseos estaban conduciéndola a la autodestrucción.

—Está por ejemplo esto. No hay peligro con esto —dijo el hombre que reinaba sobre aquel infernal laboratorio, y ella aceptó su solución por un momento, y un momento más, más, mientras las manos de él se apretaban sobre su cabeza, agarrándola por los cabellos.

Ella se incorporó de repente.

—¿No oyes? —jadeó. Alargó la mano para coger su bata—. ¿No lo has oído?

—Naturalmente, pero volverá a dormirse, maldita sea.

Sus protestas quedaron ahogadas mientras Constance bajaba corriendo por las escaleras hacia los gritos cada vez más fuertes. Abrazó a Angelica —que estaba sentada, los ojos cerrados, su ronco chillido salía de su boca como si tuviera un nudo en la garganta—, y la niña golpeó a su madre y al aire con sus puños, y luego el grito se quedó cortado por una tos violenta y un jadeo desesperado en busca de aire. Sus ojos se abrieron y de ellos brotaron abundantes lágrimas. Su cuerpo se sacudía contra el de su madre, que se esforzaba por sujetarla.

Y apareció él.

—Estaba *ahogándose* —le escupió ella, incapaz de calmar a la frenética, sollozante niña—. Se estaba *ahogando*. Traté de decírtelo.

—¿Estabas ahogándote? ¿Te estabas ahogando? —le preguntó a Angelica, que se quedó inmediatamente petrificada ante la visión de su desnudo padre. La niña asintió con vergüenza ante el espectáculo sin precedentes, y se apretó contra el hombro de su madre—. ¿Con qué? —exigió saber.

—Estaba ahogándome —murmuró Angelica con una vocecita, y se apretó contra su madre, para luego acercarse a la cama y dormirse otra vez.

—Ponte una bata, ¿quieres? —le susurró ásperamente Constance, meciendo a la niña. Y el hombre se retiró escaleras arriba.

Ella respiró rápidamente y sintió que el pecho iba a estallarle. Su miedo de que Angelica pudiera estar sufriendo alguna enfermedad de los pulmones desapareció rápidamente, porque pronto la niña estuvo de nuevo dormida. Sólo había sido una pesadilla. Se estaba ahogando. Una idea rozó la superficie de la mente de Constance, demasiado fea para analizarla, y se estremeció para quitársela de la mente. Imaginándose que sentía frío, se volvió hacia la ventana, pero la encontró cerrada, y entonces aquella idea diabólica regresó, más fuerte esta vez, como cuando uno adapta los ojos a la oscuridad, y de repente aparecen unas formas claras donde antes habían flotado sólo unas borrosas sombras. Estaba ahogándose. Ahogándose tal como Constance había estado... Angelica se había estado ahogando en el momento en que... Y entonces todo el cuerpo de Constance quedó sobrecogido por un extraño dolor o náusea, como si sus mismos brazos pudieran sentir asco de sí mismos y ella hubiera tratado de pensar en otra cosa, pero el esfuerzo fracasó. Angelica se había estado ahogando, justo entonces, precisamente entonces, ahogándose igual que le había pasado a ella, el terror de la niña palpable aún antes de que Constance abriera la puerta. La mano dolorida, el cuello y las orejas mordidas y ahora... Y Constance huyó de la habitación, dejando a su niña durmiendo, porque necesitaba que alguien le dijera que no estaba loca. Entró en su cuarto.

—Está dormida —dijo—. Pero tengo la sensación de que ocurre una cosa horrible. Tienes que decirme que no estoy...
—Y Constance lo vio allí de pie, todavía desnudo, medio iluminado por el gris de la ventana, y estaba... buscó en vano la palabra, pero no encontró ninguna, sólo imágenes de animales del zoo o bestias míticas, pinturas de diablos o de los condenados ahogándose en sus propios vicios—. Pero me olvidaba, debería asegurarme de que duerme y...

Se retiró bien erguida e ignoró su ronca llamada a la vez que se reprochaba abandonar a su marido. Se culpó por marcharse del lado de Angelica, con la lunática idea de que *él* sería capaz de encontrarle una explicación a ese horror. ¡Él! Estaba como poseído, casi había hecho que ella también perdiera la cabeza mientras su niña había estado... ¿qué?

Cerró de golpe la puerta de Angelica a sus espaldas, y corrió su endeble, infantil pestillo. La vacilante vela que ella sostenía en sus temblorosas manos desprendió un hilillo de humo que escocía a los ojos, y Constance cerró sus párpados. Y allí estaba el Joseph de blanca piel y oscuro cabello, convertido en un demonio de oscura piel y blanco cabello, mostrando sus negros dientes de pasión.

*P*or la mañana los temores nocturnos se desvanecen, cuando las formas se bañan en la luz se revelan, no como diablos, sino como mesas. De lo contrario tendría que aceptar que Angelica sentía el dolor que se infligía al cuerpo de su madre. No existía ni siquiera un término para semejante ilusión. Nora había dejado un cuchillo en el tajo, y Constance —como si tal cosa y sin considerar demasiado las consecuencias— se hizo un corte en el pulgar e inmediatamente soltó el cuchillo y se metió el dedo en la boca. Maldiciéndose a sí misma por su imbecilidad, fue en busca de Angelica. La encontró en lo alto de las escaleras —sin ningún dolor, ni sangre— sirviendo un invisible té a la Princesa Elisabeth.

—Papá dice que tú cuentas mentiras, mamá.

—¿Que dice que yo....?

—Y que Dios no se entera de nada.

—¿Tu papá te ha dicho eso?

—Mamá, ¿qué es «mefasto»?

—No entiendo lo que dices, Angelica.

—«Mefasto.» De lo más mefasto.

Constance se envolvió el pulgar con un pedazo de tela, y Joseph pasó por el pasillo, furioso y en silencio. Su presencia ejercía una negativa influencia en Angelica, le provocaba temerosos susurros de «mamá, quiero falda». La marcha de su padre inspiraba a la niña perturbadoras confidencias. «No es como tú», le ronroneó a su madre, que sentía una mezcla de placer y preocupación. «Es diferente. No le gusta la Princesa Elisabeth.» Esa afirmación —tonterías de niñas— ocultaba algo que Constance se esforzaba por comprender. «*Odia* a la Princesa Elizabeth», insistió Angelica.

Otra preocupación: llegó la noche y, a su regreso, Joseph mostraba un restablecido poder sobre Angelica, pese a los temores de la mañana y las quejas de medianoche. Padre e hija no se habían mostrado durante cuatro años más que indiferencia, pero ahora Angelica reclamaba su compañía, encantada de que le leyera historias, pese a la falta de talento que Joseph demostraba para ello. Ahora la niña buscaba sus textos científicos, llenos de imágenes grotescas. Ahora encontraba que el piano era un tormento, a menos que estuviera preparando un recital para él. La niña se le estaba yendo, y Constance la veía de espaldas como desapareciendo en un follaje cada vez más espeso.

Nora estaba dando cuerda al reloj al pie de las escaleras, Constance se dedicaba a cortar los tallos de las peonias que Joseph le había ofrecido junto con un casto beso en la frente, y Angelica estaba haciendo una reverencia ante el piano, a los aplausos de su padre. ¡Pero qué mal tocaba entonces Angelica! En piezas que podía ejecutar sin problema durante el día, fracasaba al estar cerca de su influencia, y cuando, como resultado, la niña rompía a llorar, él simplemente decía: «Muy bien. Vete a la cama entonces.» Y algo mucho más extraño todavía, la niña detenía su llanto inmediatamente y, sin una palabra de queja, obedecía. «Ves cómo se restaura el orden»; declaraba él. Constance también se iba a la cama siguiendo sus instrucciones, y se le permitía, como premio o incentivo para su futura obediencia, dormir sin ser molestada ni tocada.

Pero veinticuatro horas más tarde los tres roles se alteraron ligeramente, y el humor del marido se mostró tan inestable como el gas que corría bajo las calles

—Toca el piano —pidió después de cenar.

—Se ha estado preparando todo el día. Estará encantada de volver a probar.

—No, maldita sea, no quiero oír sus tintineos. ¡Toca tú, Con, tú! Tal como solías tocar para mí.

Y envió a la asustada niña a la cama.

Ella tocó. Él se sentó detrás de ella, de forma que no lo veía, y cuando ella acabó, la cogió antes de que pudiera darse la vuelta. Le sujetó la cara desde atrás y dijo:

—¿Nunca piensas afectuosamente en mí?

La condujo hacia las escaleras, y cuando ella empezó a decir que iba un momento a ver a Angelica, él le puso un dedo sobre los labios y movió la cabeza negativamente.

—Pero los médicos... —recordó Constance que tenía que decir.

—No hay ningún riesgo —replicó él, exactamente como podría haber dicho que no había ningún suelo bajo sus pies.

Huir era imposible. Él la tocó, y entonces el propio cuerpo de la mujer, también, se convirtió en uno de sus enemigos, un adversario que la superaba. Puso la mente en blanco. Le permitiría hacer todo lo que quisiera, como le corresponde a un hombre, pensando en su bienestar y el de Angelica, y sólo entonces satisfaría sus nada extraordinarios apetitos. Si esto iba a ser el fin, sea y terminemos con todo.

Hablaba entre jadeos, y Constance anhelaba, por encima de todo, que estuviera tranquilo. Tenía un artilugio, estaba diciendo Joseph, que la protegería de los efectos perniciosos. Ella estaría completamente a salvo. Aquél era su regalo. Ella se tapó los ojos para apartar su visión y deseó por encima de todo que él dejara de hablar y acabara de una vez, tranquila y rápidamente, y que la matara si ése era el dictado de su deseo. Los hombres y sus cosas, y sus imposibles promesas de seguridad. «¿La bolsa de un hombre? —se mofaba Mary Deene en su recuerdo—. Es como jugar a cara y cruz, diría yo. Tranquiliza su conciencia, pero no sirve de mucho más.»

Constance se mordió los labios, obligándose a sí misma a

no decir nada mientras él la conducía hacia el inevitable horror, que se produciría unas semanas o meses más tarde. Se entregó a ese tosco soldado, y se aferró a él, como quizás se aferraban los animales a él, como las mujeres y los niños se habían aferrado a los brazos de los diablos negros que empuñaban los cuchillos. No tardó en darse cuenta de lo débil que era: no se habría detenido y dado la vuelta incluso aunque Joseph se lo hubiera permitido. Él había encendido alguna espoleta suicida en ella que no se extinguiría. Constance moriría, y no podía tolerar el placer que su cuerpo le ofrecía ahora como débil recompensa, un truco de serpiente venenosa, un veneno que calienta el cuerpo e infunde en la víctima el deseo de recibir más veneno.

Cuando él cayó vencido, le susurró:

—Mi adorable, mi adorable dependienta de papelería. Estamos bien. Tú estás bien. Todo está bien.

Más promesas de seguridad.

Su cuerpo se sacudió hasta despertarla, y el reloj anunció las tres y cuarto. Quizás todo estaba bien. Quizás su artilugio le había salvado la vida y conservado una madre para Angelica. Aunque, si él la hubiera matado esa noche, no se enterarían antes de unas semanas, no se enterarían de si la flecha había dado en el blanco, y más meses pasarían hasta que ella muriera a causa de las heridas infligidas.

Ella cogió una vela y cerillas, y se deslizó silenciosamente fuera de la habitación. No había sabido nada de Angelica esa noche, de modo que ahora se demostraba que las otras coincidencias sólo habían sido cosa de su sucia imaginación. En el pasillo, las sombras precedían a sus enrojecidas manos y se cerraban tras ella. Se sentía como tragada por la negrura, en su esfera de luz, penetrando a través de las oscuras entrañas de la noche.

Una voz susurraba detrás de la puerta de Angelica, y Constance entró, sintiendo su cuerpo inmediatamente frío y húmedo. Estaba allí. Lo vio claramente: flotando a unos cuantos centímetros por encima de Angelica, su rostro sofocado y retorcido tal como había estado el de Joseph. Estaba descendiendo sobre la durmiente niña, como un ángel de la muerte o un antiguo dios del amor, decidido a lograr que el diminuto cuerpo cediera a su deseo. Pero Constance lo había interrumpido. Se detuvo en seco, la reconoció y se aplacó. Mantuvo su forma masculina, tenía la cara de Joseph, luego se convirtió primero en unas fibras azules, luego en una luz azul y como luz fluyó y desapareció, penetrando en el armario de la niña por la estrecha rendija que había entre las dos puertas.

Angelica dormía plácida y profundamente. Constance —con la respiración entrecortada y sintiendo escozor en los ojos— abrió el armario. En el panel trasero se había extendido una mancha oscura sobre la superficie de la agrietada madera, húmeda al tacto. Durante tres horas, Constance encendió una vela tras otra y, a cada sonido que percibía, levantaba la luz, y el viento y el ruido de la calle, el roce de las ramas de los árboles, los suspiros y crujidos de una vieja casa dormida se burlaban de ella: una aterrorizada madre preparada para luchar contra el cristal de una ventana que no cerraba bien. En ocasiones se sentía peligrosamente cerca de convencerse de que aquello no había sucedido, de que no podía haber sucedido, y que, por lo tanto, ella no había visto absolutamente nada. Pero fracasaba. Su miedo a la verdad no era tan fuerte como su orgullo, y se negaba a escaparse y a atribuirlo a alguna mítica tendencia femenina a fantasear. La luz del día traería consigo dudas, pero si las dudas servían para excusarla a una de tener valor, entonces las dudas no eran más que cobardía disfrazada. Se sentaría y se mantendría despierta toda la noche, cada noche. Sólo descansaría durante el día. ¿Y? ¿Sólo ejercería de madre velando el sueño de su hija?

Las estrellas se debilitaron y se esfumaron. Los ojos de Angelica se abrieron mientras el lucero del alba se desvanecía, y luego se mantuvieron cerrados durante un minuto entero. Cuando volvieron a abrirse, la niña saltó sobre el regazo de su madre.

—¡Mamá, estás aquí! A veces no estás.

—Perdona por esas veces, ángel mío.

—¿Qué vamos a hacer hoy? —preguntó la niña a su madre y a la muñeca al mismo tiempo.

—Eso depende. ¿Te sientes bien?

—¿Podríamos ir al parque? ¿Hará sol?

—Creo que sí. ¿Estás segura de que quieres ir? Al parque, quiero decir. Es una caminata muy larga, si no te sientes bien...

—¡Al parque! Por favor, mamá. Podemos ir corriendo. ¡Te lo mostraré!

—Desde luego, ángel mío, desde luego. A fin de cuentas, no te pasa nada.

—¿Por qué estás llorando? Mamá, no estés triste.

—No estoy triste, mi ángel. Estoy encantada de que vayas a correr al parque hoy.

Se había acabado. Tenía a Angelica en sus brazos, y lo dejaría correr, nunca mencionaría nada de eso, tomaría un preparado y se dormiría tan pronto como Joseph se hubiera ido al laboratorio. Gustosa y obedientemente, se tomaría un trago cada noche y cerraría sus oídos. Había acabado con todo eso, sería una buena madre y esposa.

—Mamá, ¿viste al hombre volador? —preguntó la niña, y Constance tuvo la sensación de que sus piernas ya no soportaban su peso y el de esa niña.

Dejó a Angelica en la cama, se arrodilló ante ella, y se esforzó en calmar el trémolo de su voz.

—Me parece que sí. Háblame de él.

—Viene a menudo. A veces es de color de rosa y a veces azul. ¿Lo viste de verdad? ¿De veras?

—Sí, lo vi. ¿Te hace daño?

—¿Crees que me lo hará?

—No, amor mío. Nunca te hará daño, porque yo te protegeré.

—¡Tú estás arriba! Si me hace daño, yo tendré que correr a buscarte. ¡No me protegerás!

—Sí que lo haré, amor mío. Juro que te protegeré.

—¿Podemos bajar ahora? La princesa no está aquí a gusto.

~ · ~

Capítulo 15

Qué pasa ahora? No hay manera de tener un respiro en esta casa. Pareces decidida a vivir en el caos.

—Lo vi... ¿No has visto nada tú? ¿No hay nada que esté fuera de lo normal?

—No sé qué responder. Sospecho que no vas a apreciar mis palabras o mi tono. Pienso que podrías aprender a dominarte en vez de...

—Lo vi. Anoche. Era algo que se cernía sobre ella. Y ella lo ha visto también.

—¿Cerniéndose? ¿Sobre quién?

—Sobre Angelica. Flotando. Una aparición, una corriente de luz azul. Parecía... tenía intención de hacerle a ella un daño específico, un daño masculino. Claramente.

—Dios mío. —Su marido dirigió la mirada al techo—. Le estás metiendo esas ideas en la cabeza...

—¡No! No he hecho nada de eso —lo interrumpió ella, para sorpresa de ambos—. Yo no dije nada. Fue *ella* la que me lo dijo. Ella vio con toda claridad lo que vio.

—Así que tú confirmaste su fantasía infantil.

—¿Qué fantasía, cuando lo hemos visto las dos? ¿De veras que no lo has visto tú?

—¿Qué? ¿Luces azules? ¿Peligrosos hombres cerniéndose sobre ella o tú? ¿Tan crédula eres? La consientes. Y con ello te excedes. Me cuestionas y no me muestras suficiente respeto. Dices tonterías, y ella te imita, y a ti te parece que su imitación es sensatez. Por el amor de Dios, haz que Willete te dé una pócima para dormir.

Constance ya se esperaba estas dudas. Pero esa ira, ¡como si ella lo estuviera acusando! Él quería su silencioso respeto. Quería que ella durmiera, por la acción de un doctor.

Constance quedó como en suspenso para el resto del día. Las posibilidades se perseguían como un perro que se muerde la cola, dando vueltas arriba y abajo mientras ella trataba en vano de dormir. Ella había desencadenado ese horror sobre su niña. No, ella se lo había imaginado todo, prueba de que su alma era impura, merecedora de la ira de su marido.

El día iba pasando deprisa, y Constance contemplaba cómo se ponía el sol como si fuera una exploradora del Antártico que acababa de naufragar. La noche llegaba deslizándose por el este de la ciudad, y los signos de su aproximación se veían por todas partes: los matices cambiantes de los techos, la neblina que se formaba hasta las cimas de los árboles, visible a través del tragaluz de la entrada, entremezclándose para luego desvanecerse. Constance se sentó, se inclinó hacia delante, en su propia casa, en la pequeña sala del desayuno, al lado de su propia butaca escarlata y negra, y lloró como si fuera todavía una mugrienta niña de once años, sin amigas, sola en la sala de espera de las diligencias sin nadie que viniera a recogerla.

—Siento haberla asustado, señora. No tenía intención. Por favor, ¿necesita un pañuelo?

Constance, humillada, cogió el trapo que Nora le tendía.

—Si pudiera servir de ayuda... Detesto ver que no es feliz, sólo eso. No es cosa mía, lo sé. Debería dejarla en paz.

—No, por favor, todavía no, Nora. Ven a sentarte. Aquí estarás bien, a mi lado.

Nora se sentó junto a su señora, consciente de que aquel compañerismo era pasajero.

—No debes preocuparte, Nora. Estoy triste. Me ha castigado la desgracia.

—Puede que se sienta aliviada si habla de ello, señora. Tiene que saber que, si estuviera en mi mano ayudar, señora... Y no es que quiera presumir.

Nadie le había ofrecido un consuelo así desde hacía mucho tiempo.

—*Algo* le ha hecho daño a Angelica.

—¿Nuestra dulce niñita? —dijo Nora, poniéndose de pie. Se santiguó y luego se arrodilló a los pies de Constance.

—Lo vi anoche, tan claro como te veo a ti ahora. Es atroz lo que quiere. La niña está en peligro cada noche, y cada noche es peor que la anterior... siempre que cierra los ojos.

—¿Qué pasa con Mr. Barton? ¿No lo ha visto? ¿Cómo puede dudar de usted?

Nora sabía que Joseph había dudado de ella, o lo haría. La muchacha sabía muchas cosas, claro, iba todo el día por la casa, silenciosa e invisible.

—Me quedan tan pocas fuerzas... Cada noche me muero de miedo. ¿Dónde está Angelica ahora?

—Arriba. Por favor, señora. Conozco a alguien. Puedo ir a buscarla. Ella comprende todas esas cosas oscuras, pero es valiente como un hombre.

La promesa de ayuda parecía un sueño. Era imposible que pudiera existir alguien capaz de ayudarla, imposible que Nora pudiera conocerlo, imposible que pudiera simplemente ir a buscar a esa persona ahora.

—Ha ayudado en las mejores casas, señora —dijo Nora.

Esperanza. La posibilidad despertó nuevas energías en sus piernas de plomo, y Constance se puso de pie.

—Por favor, sí. Ve inmediatamente y dile que necesito desesperadamente su ayuda. Tráela enseguida. Si Mr. Barton preguntara algo, dile... no sé. Ni una palabra a él. Ve ya, por favor.

Constance se puso el delantal de Nora y ocupó su lugar en la cocina, un lugar cuyas tareas llevaba muchos años sin desempeñar. Sin vacilar, había dado instrucciones a Nora de que no le dijera la verdad a Joseph.

Había hablado su corazón. Al primer ataque de miedo, su fe en él se había apagado. Lo único que temía era que no pudiera confiar en que la irlandesa no se fuera de la lengua; y, lo mismo que un duro y frío varón, sopesó la lealtad de la muchacha.

Estaba preparada para el regreso de su marido. Ante el más leve ruido, respiraba hondo y se preparaba para mentir, pero cuando él llegó a la puerta de la cocina, lo hizo en total silencio, y ella se dio la vuelta, desprevenida, sorprendida ante su figura empapada por la lluvia. Él se puso brazos en jarras.

—Oh, ¿eres *tú* la que está en la cocina? ¿Dónde está Nora?

La mentira de Constance se le atragantó en la boca.

—Tenía... pero la mandé a buscar al médico. Se sintió mal, de repente.

Constance comprobó con satisfacción que, para un hombre, aunque estuviera versado en medicina, la alegación de una indisposición femenina era un potente talismán para provocar repulsión, un misterio que rehuía cualquier posible comprobación, una invitación a que el varón iniciara su retirada conforme.

Él apenas le dirigió la palabra. Se comió sin emitir ninguna queja la comida que ella había preparado tan mal. Angelica, encantada con la novedad de cenar con sus padres, le hacía pregunta tras pregunta a su padre, con esa mezcla suya de tonterías infantiles y curiosos comentarios adultos: «Papá, ¿por qué lloran los cocodrilos?» Él fingía que le agradaba mantener aquella conversación, y a su vez le hacía preguntas, explicando cómo se conservaba el hielo durante el verano, guiando a la niña a través de una serie de ejemplos hasta su tema favorito: cómo los animales se transformaban en otros animales a lo largo de centenares de años.

Joseph no preguntó por «el hombre volador» ni por las preocupaciones de Constance aquella mañana, ni sobre el estado de Angelica. No preguntó si Constance se sentía mal o alterada después del último y terrible error de la noche anterior. Tenía en cuenta sólo lo que le gustaba, y descartaba todo lo demás.

A cada ruido que se producía, ella buscaba a Nora y a su rescatadora, pero éstas no aparecieron durante la cena ni cuando Constance quitó la mesa y echó las sobras al hornillo de la cocina, mientras los últimos resplandores de junio desaparecían del cielo, empujados por unas pálidas nubes y rachas de lluvia que azotaban las ventanas.

Arriba, ella pasó lentamente un cepillo por el cabello de Angelica, y la niña se aferró a su pierna. Los temores nocturnos de la pequeña la estaban obligando a volver a la protección de su madre. Pero entonces entró Joseph.

—¿Quieres que te lea? Así dejaremos que tu madre descanse.

—Debes de estar cansado, amor mío. No hace falta que la entretengas.

—¿Te quedarás conmigo también? —le preguntó Angelica a su madre.

—Eso casi no será necesario —dictaminó él—. Deja que se vaya tu madre.

Angelica saltó de la cama y se puso a cuatro patas, como un gatito. Y giró la cabeza para examinar su pequeña colección de libros.

—Mamá, casi no eres necesaria —canturreó—. Papá me leerá.

Expulsada, Constance esperó en la escalera. Sin embargo, Nora seguía sin regresar.

No podía arriesgarse a ninguna acción que pudiera provocar la presencia maligna esa noche, porque el papel de ella en esto era incuestionable: la debilidad atraía ese mal, se materializaba como expresión de dicha debilidad y atormentaba a la niña en proporción a la culpa de la madre. Constance no podía, ni por un momento, adoptar una postura que pudiera provocar a Joseph.

Unos minutos más tarde oyó la melodía de la vocecita de Angelica quejándose y luego sus encantadoras zalamerías. La respuesta de Joseph fue dicha en voz demasiado baja para que pudiera oírla, y, un rato después, el suave sollozo de Angelica fue seguido de la aparición de Joseph en el umbral. La luz del pasillo le iluminaba medio rostro, y él la apagó.

—Vamos arriba —ordenó a Constance, y pasó por su lado.

—¡Papá! ¡Vuelve! —gritó Angelica.

—¿Qué pasa? —gritó él desde la escalera.

—Tengo miedo —respondió la niña.

Joseph movió negativamente la cabeza y continuó su camino.

—Es por la oscuridad, así tan de repente, Joseph. No puedes criticarla.

—No lo hago. Es una niña. Pero tampoco la alentaré.

Al oír el sonido de los pasos que se alejaban, Angelica empezó a sollozar audiblemente y a llamar a su madre. Joseph habló sin mirar atrás:

—Supongo que quieres consentirla.

—¿Y si los diablos me hacen daño mientras duermo? —gritó Angelica

Joseph resopló, divertido por la idea, y se rió ante la súplica de ayuda de la niña. Los adultos esperan que a los niños no les importe que los abandonen a las pesadillas a las que deben enfrentarse en la vida.

—¡NO QUIERO QUEDARME SOLA! —gritó Angelica.

—Quizás pueda calmarla, sólo unos minutos —dijo Constance.

—Son tonterías. Y tú las has causado.

—Por favor, por favor, por favor, por favor, ven, mamá.

—Sólo será un momento, amor mío —le dijo ella a la espalda de Joseph, que seguía sin volverse.

Su respuesta resonó por toda la escalera a oscuras.

—Esto es todo obra tuya.

Las dos caras —tanto la de Angelica como la de la Princesa Elisabeth— se encogían juntas, apretadas una contra otra bajo la plateada luz que arrojaba una luna cada vez más brillante.

—Por favor, mamá —sollozaba Angelica.

Cuando, un poco más tarde, Joseph bajó para soltar un helado «¿Es que no piensas subir?», ella respondió:

—Me temo que Angelica está un poco excitada, amor mío, por lo que le leíste. ¿Puedo sentarme con ella, sólo un poquito más?

Él cedió, furioso y sin pronunciar una palabra.

—¿Viste al hombre volador, mamá? —preguntó Angelica cuando llegó la mañana.

Constance dijo una media verdad, para tranquilizarlas a ambas.

—No, cariño. Creo que no vendrá si me quedo y te vigilo.

lgún espectro azul, querida? —Joseph se llevó a los labios el té que Constance había tenido que hacer ella misma ante la continuada ausencia de Nora esa mañana. Él no había tocado a Constance, y Angelica, por lo tanto, no había sido molestada. No había más que hablar—. ¿Algún vampiro? ¿Algún motivo para dormir otra noche lejos de donde debes?

—Lo siento —respondió ella—. Tenía intención de estar a tu lado, desde luego, pero la niña estaba terriblemente asustada. Sin motivo, lo sé.

—Estos comportamientos, tanto el tuyo como el de ella, no hacen más que aumentar las preocupaciones que tengo por su educación. —(«Enséñale entonces tu estupendo laboratorio —pensó Constance—. Eso la educaría sobre ti de un modo muy elocuente»)—. Y harás bien en cuidar lo que dices —continuó él—, pues no es cosa tuya decidir en este asunto. Empezará con Mr. Dawson el lunes que viene. Ya me he ocupado de los detalles.

—Por supuesto. Como tú creas conveniente.

—Y tú no vas a andar por ahí vagando otra noche. Eso se ha terminado.

Constance apenas tuvo tiempo de considerar sus amenazas, ocultas o evidentes, porque, al cabo de unos minutos de que se marchara muy digno, Nora apareció finalmente en la puerta, seguida por una mujer de sorprendentes proporciones.

—Señora, ésta es Mrs. Montague, de la que le hablé. Hemos estado esperando a que el señor se marchara.

La visitante entró graciosamente, pese a sus dimensiones, pero se detuvo en el vestíbulo, aunque Nora continuó entrando en la casa y Constance le sostuvo la puerta.

—Y usted es Mrs. Barton. Naturalmente que lo es, pobrecilla, adorable criatura. —La mujer más alta interrumpió el esfuerzo de Constance para pronunciar algunas frases de hospitalidad, diciendo—: No está usted durmiendo bien, querida —como si fuera, no una extraña, sino una amiga de toda la vida, de las que se llaman en las dificultades.

—Lo siento. Debo de tener un aspecto espantoso —dijo Constance, mientras se llevaba las manos al pelo.

—Al contrario. Es usted una belleza, aunque fatigada. Tiene que perdonarme que haga esta observación personal. Me resulta difícil ocultar mis sentimientos con la gente que me gusta.

—¿Ya me conoce usted tan pronto?

—Conozco a la gente muy rápidamente, Mrs. Barton, y me gusta mucho lo que he observado hasta ahora.

No obstante, la sorprendente invitada de Constance permanecía en el vestíbulo, mirando hacia abajo por encima de su ancha y larga nariz, sin ver nada ni a nadie excepto a Constance, ignorando el inquieto ir y venir de Nora, los enmarcados espejos, los paneles de cristal grabados al ácido y los muebles de oscura madera que Constance había colocado con tanto gasto y mimo.

—Tiene usted un magnífico y femenino valor, Mrs. Barton. Vamos, déme usted la mano.

Mrs. Montague alargó la suya hacia Constance, que seguía esperando junto a la puerta interior, arreglándose un pliegue de la falda.

—Por favor, entre usted, Mrs. Montague.

—Vamos, coja mi mano —repitió la mujer— y *condúzcame* dentro, Mrs. Barton. El ser maligno que está perturbando su casa tiene que ver que soy su invitada.

Hablaba de los problemas de Constance como si fueran reales. Era la primera persona en hacerlo, y Constance sintió que la llevaban a la playa tras rescatarla de unas embravecidas olas. Extendió su pequeña, húmeda mano y cogió —o, más bien, fue cogida por— la mano de la otra mujer, más fuerte.

—Me siento muy aliviada de poder contar con su consejo —confesó débilmente.

—¡Exacto! Dos mujeres juntas pueden hacer frente a muchas cosas.

Mrs. Montague pasó un brazo alrededor de los hombros de su anfitriona y caminó con ella hasta el sofá del salón.

—Nora, creo que a tu ama le sentaría bien un poco de té, cargado. En el mío, pon leche, por favor.

Finalmente, Constance se recuperó y logró entablar una pequeña conversación intrascendente. Mostró las fotografías de Joseph que llevaba en el guardapelo del cuello, y Mrs. Montague cortésmente reconoció su atractivo, pero, con el té finalmente servido, la mujer despidió a la curiosa Nora, y con la mano detuvo las cortesías de Constance.

—Mrs. Barton, hablemos, por favor, de cuestiones vitales. A mí no me interesa ninguna otra cosa. Nuestra Nora Keneally me dice que tiene usted necesidad de ayuda. Yo lo sentí en el momento en que toqué el pomo de la puerta de su casa. Sus paredes me hablan de lo invisible. Yo estoy a su servicio, aunque sus necesidades podrían ser menores de lo que piensa, porque usted es obviamente una mujer fuerte.

—Mrs. Montague, no se burle usted de mí, por favor.

—Tenga valor, Mrs. Barton. Lo que sea que está aquí me ha visto entrar por el gentil toque de su blanda mano. Ningún daño vendrá de hablar de sus problemas. ¿Su marido no está? Excelente.

Su marido se había ido, y Constance se sintió como una tonta. Gracias a una poco corriente y desleal sutileza, había metido a esa mujer en la casa. Constance sintió las molestias derivadas del insomnio.

—Quizás he cometido un error, Mrs. Montague. La compensaré por sus molestias, y espero que se quede usted a tomar el té, pero sospecho que yo... no me he explicado bien con Nora, debe de haberme malinterpretado.

—¿Duda usted entonces de lo que ha visto y sentido? ¿He venido a esta casa a mimar a una tontita? Tengo demasiadas ocupaciones para molestarme en eso, Mrs. Barton, y no creo que sea el caso de usted. Escúcheme por un momento. ¿Conoce usted la historia de esta casa?

—Era del padre de mi marido.

—Quiero decir, antes que él, Mrs. Barton. ¿No? Reconocí la casa enseguida, cuando Nora vino a buscarme. Me sorprende que usted no esté al corriente de su larga y ominosa historia. Sospecho que su marido sí está al corriente, pero se lo ha ocultado, probablemente para proteger lo que él equivocadamente considera su debilidad de carácter. Parece usted bastante alarmada, querida, pero no hay nada que temer, ahora que usted y yo nos enfrentamos juntas a sus problemas. —Se puso de pie y, con los ojos cerrados, tocó la pared de encima de la chimenea—. ¿Cuándo llegó aquí la familia de su marido? ¿Le ha hablado él alguna vez de Aliza Laight? ¿De la familia Burnham? ¿De la niña de los Davenport? ¿De la espantosa prisión que se levantaba en esta calle en época medieval? —La mujer abrió los ojos—. ¿Ha oído usted alguna vez hablar de las tragedias que han azotado esta casa una y otra vez? Dejemos esto de lado por ahora, y entremos en asuntos prácticos, de manera que yo pueda comprender mejor sus problemas y prescribir un tratamiento.

Sacó un papel de su agrietado bolso de cuero negro, lo alisó sobre su falda y leyó una larga lista de preguntas escritas en una borrosa caligrafía:

—¿Ha visto usted que se muevan los muebles? ¿No? ¿Que se apaguen las llamas de las velas? ¿Que los cubiertos estén helados al tacto? ¿Que los apagavelas quemen? ¿Que las molduras del techo se deshagan y al poco se petrifiquen? ¿Silbantes vientos o pequeñas nubes? ¿Zonas de pintura desconchada que forman dibujos de caras, o de animales, o de partes del cuerpo? ¿Recipientes de comida volcados? ¿Ropa de cama manchada sin haber sido usada? ¿Sombras que se mueven independientemente de los sujetos que las producen? ¿Alfombras que se deshilachan ante sus ojos? ¿Ha oído el bramido de animales invisibles? ¿Ha visto cortarse la leche demasiado pronto? ¿Estufas incapaces de prender, o que arden sin echarles combustible? ¿Polvo en lugares donde Nora acababa de limpiar? ¿Y, a la inversa, lugares llenos de polvo, donde no debería haberlo, por ejemplo sobre un determinado escalón, o un pilar o un picaporte? ¿Marcos de ventanas que no abren, o no cierran, por más fuerza que se haga?

Anne Montague continuó con su lista de leves horrores y al principio Constance, cada vez más desconcertada, divertida incluso, respondía no una y otra vez a ese catálogo de pequeños sustos. Mrs. Montague dio la vuelta a su hoja de papel, y recitó una lista igual de larga escrita en el dorso.

—¿Ha tenido usted una sensación de malestar general? ¿Ha tenido alteraciones del sueño?

—Sí, sin la menor duda, pero es mucho peor que cualquiera de esas cosas. —Y Constance sintió un pequeño escalofrío al darse cuenta de que el mundo de los espectros la había elegido a ella para algo más infame que sus habituales quebrantos del orden doméstico—. Siento que mi niña está en peligro.

—Es usted su madre. Si lo siente, es que es una realidad.

—Algo ha... No sé como explicarlo. Si yo no fuera débil, a ella no le pasaría nada. He permitido que eso le haga daño, pero tiene usted que creer que yo no lo sabía. Veo que usted piensa que soy muy estúpida.

Mrs. Montague dejó a un lado sus notas para coger las temblorosas manos de su cliente.

—No tema, Mrs. Barton. Creo que es usted la persona menos estúpida que he conocido en mucho tiempo.

—Resulta que estaba deseando precisamente esa clase de comprensión. Mi hija sufre... No puedo decidirme a contarlo.

—Mrs. Barton, he oído toda clase de horrores en los años que llevo ayudando a mujeres como usted. Ya no puedo escandalizarme. No juzgo. Y tampoco —quisiera dejar eso claro para usted, en todos los sentidos— soy un hombre. No pienso como un hombre, y no deseo hacerlo. Quizás esté usted preocupada por tener que informar de algo que —en lo que ellos tan simplemente llaman «a la fría luz de los hechos»— usted creerá que consideraré imposible. Confíe en mí. No me diga lo que usted sabe, o lo que puede demostrar. Dígame sólo lo que usted *siente*. ¡Entonces, nosotras, dos *indefensas* mujeres, veremos lo que podemos hacer!

Era asombroso, cuán rápidamente la había comprendido aquella mujer. Constance sintió que sus palabras acudían a su mente después de haber estado tanto tiempo aprisionadas, y justamente por lo que Mrs. Montague describía: los férreos, incomprensibles e imperativos hábitos y costumbres de los hombres. Ella se había aferrado a falsas normas, siempre tratando de agradar a un varón. Y sin embargo, Mrs. Montague tenía, a primera vista, un aspecto casi demasiado masculino que no concordaba con su filosofía. Constance hubiera preferido una figura maternal más etérea, no toda aquella pesada y perfumada carne de manos tan duras.

Mrs. Montague aplicó el oído a las paredes y cerró los ojos para olfatear el aire.

—Qué extraño. Casi puedo oler algo anormal. —Y abrió los ojos—. Ahora, cuente desde el comienzo, querida.

Pero el comienzo parecía difuminarse rápidamente de la conciencia de Constance. ¿Fue cuando le transmitió su sueño a la mano de la niña? ¿O la velada advertencia de los médicos? ¿El nacimiento de Angelica, el primer hijo muerto, el día en que Joseph apareció en Pendleton's y la eligió? Era un lío indiscernible. Sus esfuerzos por describir la vida en su hogar eran, a medida que ella hablaba, reemplazados por las vidas que se vivían allí. Ella estaba describiendo un tapiz inconcebiblemente intrincado, y, apenas había conseguido señalar alguna parte de éste

—los planes de Joseph de mandar la niña al colegio— cuando el conjunto entero ya se deshacía y se reconstruía, dejando sólo una parte, aunque —por el mismo acto de seleccionarla por su importancia— convertida ya en algo sin importancia. El entendimiento era demasiado lento para captar el significado de las palabras de Joseph y las penas de ella, y el comportamiento de él y los misterios de la noche, y su rostro bajo cierta luz cuando estaba con la niña durmiendo, o en su regazo, acariciando su recién afeitada mejilla y la comparación de su comportamiento en aquel horrible laboratorio y años atrás, en Pendleton's, cuando él practicaba aquella «ciencia» por las mañanas e iba a cortejarla a ella por la tarde.

—Me siento como si estuviera volando por encima de un océano de oscuridad, como si el mundo estuviera sostenido sobre roca fundida. Veo un resquicio de ello y luego se esfuma. Me siento muy estúpida.

—Porque está usted tratando de explicarse tal como lo haría un hombre. Yo no soy ningún magistrado. Ése es *su* estilo. Martillos, microscopios y libros de contabilidad, todas las lentes que utilizan para sentirse mejor, como si pudieran controlar o explicar esa sucesión de hechos que usted tan elocuentemente describe. La verdad no está en los pequeños detalles, Mrs. Barton. Está en el *conjunto,* que es perceptible sólo por un órgano: el corazón, sede de la intuición. El hombre que le dice a usted que sabe por qué sucede algo, desde sus raíces hasta su efecto... Ese hombre está mintiendo, sin duda, y quizás también a su infantil y falso yo. Y el hombre que dice que el sentimiento de una mujer es menos válido que los sacrosantos «hechos reales»... bueno, yo le pregunto a usted: ¿cree usted que, si las mujeres fueran ministros o virreyes, habría guerras? ¿Se imagina usted, Mrs. Barton, las prisiones de Londres rebosando de asesinas? ¿Supone usted que el monstruo tan detalladamente descrito en los periódicos esta mañana, con una cuarta víctima desgarrada y muerta sobre un tejado, supone usted que ese malhechor es una mujer?

—¿Pudiera ser que yo viera cosas, y Joseph no pueda verlas, y estén ahí realmente? ¿O es que me estoy volviendo loca?

—¿O que él está mintiendo cuando dice que no las ve? ¿Habla su hija de ellas? Entonces las posibles combinaciones de percepción se multiplican. ¿Quién está viendo lo que hay ahí? ¿Quién está negando lo que ve? ¿Quién está fingiendo ignorancia o conocimiento? ¿Quién decide interpretar erróneamente? ¿Quién, de todo corazón, desearía que todo significara otra cosa? La única respuesta es tener una fe inquebrantable en las propias percepciones.

Se sentaron, cogiéndose de la mano en silencio.

—De modo que usted tiene miedo —apuntó Mrs. Montague— de que su niña sufra dolores causados por fuerzas inhumanas.

—Hay más cosas. Mi marido no está bien. Parece casi como si hubiera sido reemplazado por otro hombre. O quizás se ha roto algo en él. No sé cuándo. Me temo que esa fractura en su persona siempre ha estado ahí, incluso cuando me decía palabras de amor, al principio. O tal vez sólo recientemente ha liberado sus represiones. Yo no fui lo bastante fuerte, sabe usted, para ser una esposa adecuada, como él se merecía.

—Se lo suplico, deje usted las recriminaciones para los hombres, querida. Si es usted culpable de algo, no se requerirá su testimonio. En este país nos sobran los jueces severos.

—Los deseos de Mr. Barton —volvió a intentar explicarse Constance—, sus apetitos, son demasiado fuertes para contenérselos. Están tomando forma fuera de su cuerpo. —Constance acompañó a su consejera pasando por delante de una serie de muebles deteriorados—. Hay grietas por todas partes, en las patas de los sofás, en estos platos, y la mayor de todas está en el armario de la ropa de mi hija, hacia cuyo interior huyó esa cosa infernal. Puedo sentir que algo se está resquebrajando en él, y entonces veo que los objetos también se resquebrajan, por toda la casa, como por afinidad.

—¿Con usted o con él?

—Y yo soy el puente que esos desbordantes deseos han utilizado para escapar de él. Yo traté de agradarle, cuando él insistió, a un coste que no podré perdonar nunca.

—Por supuesto que perdonará usted. No puede hacer lo contrario. Es usted mujer y esposa, han abusado de usted una y otra vez, y ha perdonado. En algunas lenguas, ésa es la definición misma del término que usan para *mujer:* la que perdona los abusos que se cometen contra ella.

—Es demasiado horrible perdonar, si él lo sabe, o se niega a verlo. Yo —es *ella* la que sufre— debería cerrar la boca, volverme ciega. Casi debería preferir estar muerta. —Estaba casi susurrando, y Anne Montague acercó su oído a la boca de su cliente—. Mi hija sufre dolores, que se localizan precisamente en mis propios lugares de... de sumisión conyugal. Ella sufre esos dolores justo en el instante mismo de mi sumisión a la voluntad de mi marido. ¿Lo ve? Es culpa mía. Tiene usted que librarme de esto. Ella sufre en la misma proporción cuando consiento en someterme a él.

—Dice usted consentimiento. ¿No la obliga?

—No exactamente. Bueno, sí. Él me obliga a obligarme a mí misma, o yo lo obligo a que me obligue, y eso agrada a una parte de mí que está más allá de mi control, que se presenta como algo bueno, pero, cuando finalmente veo su auténtica naturaleza, me siento incapaz de resistirme, y mi hija está gritando.

—El peligro que la acecha es inhumano, pero motivado por el apetito humano. Y usted lo ha visto —consideró Mrs. Montague—. ¿A quién se parecía?

—A Joseph —dijo Constance al punto—. Entre otros muchos.

Ella cerró los ojos, lo vio cerniéndose sobre su niña dormida, y, precisamente como en uno de sus sueños recurrentes en los que recuperaba todo lo que había perdido en su vida, Constance sintió que la mecían, que sus lágrimas eran alentadas y su cabello era acariciado por una oleada de bondad maternal.

—Es usted muy valerosa —dijo la profunda y tranquilizadora voz—. Eliminaremos esos miasmas de su hermoso hogar. Todo irá bien, se lo prometo.

—¡No! —Constance se incorporó rechazando aquella maravillosa promesa—. Quizás me muera.

—Pues parece usted la imagen misma de la belleza y la salud. Una rosa.

—Voy a morir en el parto. Casi pienso que él tiene intención de que sea así. Eso es locura, ¿no?

—Locura o una horrible verdad. ¿Lleva usted realmente un hijo?

—Lo siento en mí.

Mrs. Montague volvió a llenar sus copas.

—Hay muchas cosas que no sabemos. Debemos atemperar las urgencias masculinas para poner fin a la tendencia que tenemos las mujeres a preocuparnos por todo. Es probable que a su marido no se le pueda culpar de este horror.

—Entonces ¿por qué tiene la cara de Joseph?

—Hay cuatro posibilidades. Una, está usted sufriendo por causa de un *espectro*. La presencia de una persona muerta ha decidido atormentarla a usted, disfrazándose de su inocente marido para sembrar confusión y miedo. Hacen eso. O ha visto usted un *fantasma*, la imagen de una persona viva que pronto va a morir, posibilidad que le señalo a regañadientes. Y tercero, un *parásito*, es decir, un espíritu esclavo, al servicio de un amo que está vivo.

Las palabras de Anne Montague se asentaron sobre la gruesa alfombra como polvo.

—No sé si tendré fuerzas para soportar esto —gimió Constance.

—¡Bobadas! No desespere. Nada de lo que usted ha dicho me hace sospechar que él tenga un compromiso con el otro lado. ¿Asiste con frecuencia a sesiones?

Constance se rió abiertamente, pese a las lágrimas y los escalofríos que había sentido sólo unos momentos antes.

—Entonces lo más probable, y lo menos inquietante, es que usted sufre una *manifestación proyectada,* la encarnación física de las emociones desmesuradas de una persona viva. El daño sufrido por el armario y esos objetos presta crédito a esa posibilidad, como usted naturalmente sospechaba, debido a la incómoda y forzada situación de su marido. En consecuencia, cuando la incomodidad de su marido desaparezca, la manifestación desaparecerá de su casa.

Con Angelica todavía en la cocina, a los pies de Nora, Constance llevó a su consejera a la habitación de Angelica. Mrs. Montague impuso sus manos sobre la cama de la niña y el armario de la ropa, y olfateó las zonas que Constance había identificado como las fuentes de los aromas nocturnos.

—Espantoso —admitió.

Luego, sentándose en el lecho de la pequeña, preguntó cómo se habían conocido los Barton, cómo la había cortejado su marido, declarado su amor y cómo se comportaba cuando estaba solo.

—¿Y su profesión? Su hombre es elegante y parece tener una posición envidiable.

—Es un científico. Busca la causa de las enfermedades en los animales.

—¿Es un veterinario?

—No. Quiero decir que mira dentro de los animales para encontrar la causa de las enfermedades. Perros. Les hace eso a los perros.

Mrs. Montague guardó silencio, y por su cara cruzó una expresión de profundísima pena.

—Un vivisector —dijo.

—Tiene sus argumentos. Para defender sus actos, quiero decir. Afirma que es un trabajo noble.

—Los hombres confunden la sangre con la nobleza. Ya he oído esos argumentos. Yo misma los recitaba en otros tiempos. «No hay mayor gloria para un hombre que esto / Que por su rey su sangre ha sido derramada, / al igual que la sangre de los enemigos de su rey. / Y en los ríos escarlata de su enemigo se ha estremecido.» Los hombres no pueden evitar ser como son, Mrs. Barton. No debemos censurarlos.

La sabia mujer esparció polvos y frotó hierbas contra los marcos de las ventanas, en los umbrales y el armario, y ató hebras de diferentes colores a los postes de la cama. Dio instrucciones a Constance de que mantuviera y renovara estas medidas y recitara algunos encantamientos de protección y expulsión. Examinó cada una de las prendas de ropa del armario de Angelica, apartando algunas para aplicarles un tratamiento más detenido.

—Me gustaría poder recuperar mi vida sin haber visto todo esto —dijo Constance.

—Pero ¿no le complace ser la heroína de una aventura, Mrs. Barton?

La pregunta era extraordinaria, y Constance apenas supo qué decir, e incluso empezó a reírse.

—¿La he divertido? Excelente. Desde nuestra temprana infancia, nos enseñan a acudir a los demás para garantizar nuestra felicidad y definir nuestro deber. Pero hasta el niño más pequeño sabe que *él* es el dueño de su propio destino y que no puede confiar en nadie más que en sí mismo, y sólo su corazón y su voluntad serán los héroes de una gran aventura. ¿No desea eso para usted misma, Mrs. Barton?

—¿Y poner en peligro a Angelica? Seguro que no.

—Ya está en peligro, por algo que no es culpa suya. Su aventura ya se ha iniciado pese a sus buenas intenciones.

—¿Qué no es culpa mía? Quisiera poder perdonarme a mí misma con la misma seguridad que usted tiene.

Mrs. Montague cubrió con sus manos las de Constance y se inclinó lo suficiente para que ésta pudiera ver los diversos colores de su rostro, que, a cierta distancia, se combinaban para producir la impresión de un único matiz.

—Mrs. Barton, de una cosa estoy absolutamente segura. Es usted inocente porque no puede, por naturaleza, ser ninguna otra cosa, y si usted se permite dudar de ello en este momento, estará usted poniéndose a sí misma y a su hija en un peligro aún mayor. Prométame que seguirá mis instrucciones. Confíe en mi experiencia, y, por encima de todo, tenga fe en su pura inocencia. Le pido, además, que, hasta que sepamos más cosas, no revele usted sus temores o mis consejos a Mr. Barton. Deje que crea que todo va bien, que usted no ha observado nada. A medida que vayamos enterándonos de nuevas cosas, quizás podamos descubrir que él merece nuestra confianza, pero, hasta entonces, debemos actuar con circunspección.

Instruir a Constance exigió la mañana entera. Después de preparar las habitaciones, Mrs. Montague explicó a su cliente los métodos para contener manifestaciones gracias a palabras, gestos, sutilezas incluso sobre cómo manejar los fogones de la cocina —una tarea compartida por Nora— un detallado consejo sobre cómo evitar cualquier riesgo de servir de conducto al ectoplasma. Durante toda esta introducción a lo que Anne calificó de «ciencia de las mujeres», Constance sintió que su fuerza crecía, no simplemente por el hecho de acumular conocimientos, sino también por la conversación y la solicitud de Anne.

Sin embargo, los remedios a lo mejor no eran inmediata y completamente eficaces. Dado que el progreso del mal se había ido haciendo más severo cada noche, Constance debía prepararse para lo peor aquella misma noche, y sabiendo que aún podía ser peor en el futuro.

—No quiero alarmarla, mi niña —dijo Mrs. Montague mientras volvía a sentarse en el salón, con las nuevas tareas y disposiciones bailando aún en la cabeza de Constance—. Pero las fases de la luna pueden afectar a estos horrores. Se ha demostrado tanto su influencia sobre la actividad espectral como el dominio que ejercen sobre el comportamiento de los hombres de determinada constitución. Si su italiano marido es uno de esos hombres —sus descripciones arrojan pocas dudas—, entonces cabe esperar que sus fuegos internos ardan más intensamente cuando la celestial Diana crezca. ¿Conoce usted, por casualidad, la historia de esa diosa? Es de lo más oportuna, dado sus sufrimientos, de manera que quizás pueda robarle un momento más de su tiempo...

Constance sintió placer ante la modestia de la petición, y le conmovió que Mrs. Montague pudiera pensar que ella preferiría estar con otra persona. Llamó a Nora para que les trajera la cena al salón y mantuviera a Angelica en la cocina.

—Diana, diosa de la luna y de la caza, desdeñando la perpetua y triste discordia que reinaba entre los dioses varones, se burlaba de ellos y descendía a la tierra para retozar con sus damas de honor, sus leales y adorables ninfas, para escuchar su consejo y consolarse con su dulce y pacífica compañía, para recibir juntas el frío baño de su sirviente, la Luna, aisladas, ella y sus damas, dentro de enmarañados bosquecillos que habían crecido obedientemente del suelo para resguardarlas de aquellos ojos que se inflamarían ante la visión de sus diversiones. Pero algunos hombres rechazan la protección que nosotras les ofrecemos y en vez de ello exploran otras posibilidades, en su propio perjuicio, hasta verse sumidos en un peligro mortal. Así vino a suceder aquí. Un cazador, Acteón, un asesino de animales y destructor de la paz, penetró esas frágiles barreras y se metió donde no era bienvenido. Espió lo que no debía: la piel de alabastro levemente plateada por los anchurosos rayos de la Luna, la salpicadura del agua levemente embarrada recogida por manos pequeñas y regada con dulces risas sobre relucientes mechones de negrísimo cabello, alisado y purificado por pacientes y gentiles dedos. ¿Jadeó o tosió? ¿Se puso ese tosco cazador torpemente a cuatro patas, abriéndose camino a través de los secos matorrales y crujientes ramitas para avanzar o retirarse? Por más que las alertó, la lamentable intrusión no les causó ninguna impresión. No se dieron prisa en vestirse. No, solamente cayeron al instante en un espeso silencio, decepcionadas e irritadas, después sintieron compasión por él y los que eran como él, y luego expresaron una protesta más sonora, y Diana, señora de este paraje idílico, volvió su cabeza lentamente para reprender al jadeante vándalo. ¡Él buscó su arma! Habría desgarrado toda esa belleza. Pero, en vez de ello, sintió que su cabeza le ardía como si su cabello fuera el mismísimo fuego del infierno, y una sangre ennegrecida por la luna manó por su frente y lo cegó. ¡Y el sonido! El sonido era lo más horrible de todo: el húmedo crujido de aquella cornamenta de ciervo brotando a través de su carne y cuero cabelludo, rápida como una serpiente que se desliza por las húmedas hojas del suelo de un bosque. Él se secó la sangre que fluía y se coagulaba tapando sus pestañas, cada vez más espesas, pero cuando levantó las manos, vio sus dedos convertidos en inútiles pezuñas. El último grito humano que fue capaz de emitir por su cada vez más atenazada garganta lo dirigió a sus hombres y perros para pedir que lo rescataran. Anduvo tambaleándose por el camino que había venido, forzando sus largos y esbeltos miembros a través de las espinas y los mordiscos de los enmarañados bosques, sólo para encontrarse con sus fieros sabuesos, que gruñían y lanzaban espumarajos esperando al amo, cuya voz acababan de oír, un amo que debía de haber hecho salir, para que ellos lo cazaran, a ese magnífico, carnoso y mugiente venado que cargaba contra ellos a través de las ramas que se rompían y la hierba aplastada, mientras la caliente sangre manaba por su suave piel color siena. Los perros saltaron sobre su presa, y perforaron y rasgaron con sus curvados colmillos blancos y negros, sin reconocer otro olor que el del intoxicante perfume con que Diana aromaba la cálida noche.

»Y en la arboleda se reanudaron las gentiles risas, la suave caída del agua, el remanso nuevamente tranquilo y en calma, de un negro opaco, una perfecta restauración, sin la más leve onda que lo perturbara.

Considerando sus dimensiones, Anne Montague mostró una sorprendente ligereza, levantándose para representar el displicente y airado gesto de la magia de Diana, e incluso dejándose caer al suelo para reproducir el balanceante gateo de Acteón en su asustado retroceso. Constance habló dando sonoros aplausos:

—¡Podría usted actuar en cualquier escenario de Londres! Es usted mucho mejor que los actores que he visto en las representaciones que se dan en Navidad.

—Es usted muy amable. En otra época —casi en otra vida, parece ahora— me abrí camino en los escenarios. ¡Pero qué hora es! Tengo que despedirme, querida.

—¿De veras? Me siento tan aliviada de mi carga en su compañía...

—Valor, mi querida Constance. ¿Puedo llamarla Constance? Mientras usted se enfrenta valientemente a la noche que la aguarda aquí, yo estaré trabajando para usted, estudiando y preparándome. Con el tiempo, eliminaremos todos sus problemas. Esté vigilante, y todo irá bien.

Tras fijar una cita para verse discretamente al día siguiente, Anne Montague se marchó, y Constance se quedó con la mejilla pegada a las cortinas, contemplando desde la ventana cómo un coche de punto se llevaba a su invitada. Constance había sufrido tanto antes del agradable alivio que le había reportado aquella conversación, que su hogar parecía ahora terriblemente desnudo después de la partida de Anne. Le preocupaba que la casa hubiera parecido desagradable y fría a aquella maravillosa mujer. A pesar de cada cortina y alfombra, de cada colgadura y *armoire*, Constance sentía como si no hubiera hecho nada más que arreglar algunas cosillas de una vasta sala. Había tratado de hacer que la casa fuera un espejo de sí misma, pero siempre sería sólo un espejo de su dueño, por más que ella se dedicara a arreglarla.

Se puso a trabajar diligentemente para preparar la casa según las instrucciones de Mrs. Montague. Esparció sal por el umbral de la habitación de Angelica, en la zona de día de la casa, en los alféizares de las ventanas y le dijo a Nora que no la limpiara. Dio instrucciones a la muchacha irlandesa de que preparara cenas y desayunos conforme a las instrucciones de su consejera. Le dijo qué bebidas debía servir y en qué cantidades y combinaciones, así como que cortara trapos viejos exactamente del tamaño de todos los espejos de la casa. Las tareas de Nora incluían ahora el cubrirlos cada noche (después de que Mr. Barton se hubiera retirado) y descubrirlos cada mañana (antes de que él bajara). Además, se aplicarían ciertas íntimas prescripciones a ella misma y a la persona de Angelica. La actividad, las decididas medidas tomadas contra sus problemas, reportó a Constance una buena dosis de tranquilidad, quizás incluso de alegría, y ahora anhelaba ardientemente la compañía de Angelica. Llevó a la niña al piano, y la relajada maestría de Constance ante el teclado elevó con sus suaves alas los torpes intentos de Angelica.

~ · ~

Capítulo 17

*L*a niña se llama Angelica? ¿No Angela? Curioso que sea
en italiano —señaló Mrs. Montague en los primeros
minutos.

Durante mucho tiempo, el nombre de la niña había encantado a Constance, como una prueba del amor por su marido y
la generosa naturaleza de Joseph. Pero ahora, a la dura luz de la
semana anterior y del reciente examen de Anne Montague, ese
nombre sugería algo más.

Constance se había despertado aquella violenta, milagrosa
mañana del nacimiento de Angelica, por décima o undécima
vez, con la sensación de emerger de un espeso y cálido líquido,
sus insensatos sueños indistinguibles de la realidad que veía
cuando estaba consciente. Finalmente, supo que estaba realmente despierta, porque un hilo de plata le rodeaba el cuello.
Un guardapelo se acurrucaba contra su garganta, aunque ella
no podía abrirlo con sus temblorosos dedos de uñas rotas.

—¿Dónde está mi hijo? ¿Está muerto? —preguntó a la vacía habitación, y la vacía habitación respondió—: No, no, tranquila, querida, tranquila.

La comadrona, despedida por Willette y Joseph horas antes, había vuelto a su lado. Cuando le habló tuvo la impresión
de que le hablaba la habitación:

—¿Quiere que le traiga a su Angelica?

¿Angelica? ¿Eso era un niño? ¿Una niña? ¿Una monstruosa

125

tercera cosa? La comadrona regresó y dejó sobre el agitado y húmedo pecho de Constance una criatura, extraña y arrugada. Constance no podía reconocer qué era, pues nunca habían visto a un recién nacido.

—¿No es un regalo de Dios? —preguntó la comadrona—. Angelica. Significa pequeño mensajero de Dios.

E inmediatamente la criatura fue sólo eso, un angelito, su hija.

—¿Y ese nombre? —preguntó tontamente Constance.

—El señor se lo dio, mientras usted dormía.

Él le había puesto el nombre a la niña, cuando, dijo la comadrona, estaban todos rezando por la recuperación de Constance.

—Pero es una niña robusta, desde luego. El señor lo dijo, y ahora todos vemos que tenía razón. Sangró usted bastante, la verdad, pero pronto estuvo usted como una rosa, y Angelica también.

Qué nombre más bonito, un regalo de su marido, un nombre italiano, como él. Aquel nombre la ayudaba a amar a la criatura que tenía contra su pecho. Su hija. Su amor iba más allá del nombre y se centraba en la niña. Constance se imaginó que, si la comadrona le hubiera entregado a aquel retorcido y enfermizo ser sin un nombre, sin ropa, quizás no la hubiera amado.

Nunca habían hablado sobre qué nombre le pondrían mientras ella lo llevaba en su vientre, ni una sola vez. La idea de una probable muerte había estado tan fija en su cabeza, y probablemente también en la de él, que le parecía de mal presagio mencionarlo. La perspectiva de semibautizar a otro niño muerto, o agonizante, era más de lo que ella podía soportar, aunque, cuando Constance se permitía flotar, libremente, siempre se lo imaginaba como Alfred George Joseph Barton. Y ella despertaba ahora de sus imaginaciones con una hija, viva, un mensajero de Dios, el adorable regalo de Joseph y de Dios.

Bien. Ese nombre, ese nombre italiano, ese nombre que él había decidido sin dar ninguna explicación, y luego puesto a la

126

niña mientras Constance yacía inconsciente, casi muerta, ¿qué era? ¿Un recuerdo de otra vida? ¿De una esposa anterior? Sí, Constance sería algún día una esposa anterior. Y una hija llevaría el nombre de Constance. Siempre habría esposas e hijas cada vez más jóvenes, sucediéndose la una a la otra.

—¿Dónde está mi mensajera? —preguntaba él al entrar en la casa, una frase irreverente dicha a la ligera y una revelación de que, al regresar a casa, él buscaba ahora la compañía de la niña antes que la de su esposa. Ahora buscaba a la niña que había detestado. E ignoraba a la mujer que había amado. «No aman como nosotras —había dicho hoy Anne Montague—. No aman a sus esposas como nosotras lo haríamos.»

La voz de Anne persistía en Constance, incluso tras todas esas horas, y ella se enfrentaba a la siguiente noche sin estar sola, porque, fuera cual fuese el peligro, resonaba aún en su oído la sabiduría de Anne Montague. Cuando Joseph se sentaba meditativo y dando cuenta en silencio de su cena, ella se aseguraba de que su vaso estuviera siempre lleno y de que Nora le sirviera más carne de la que ella había preparado siguiendo las instrucciones de Anne, con la correcta proporción de «agentes represivos» y «agentes integradores». Cuando él le preguntó cómo había pasado el día, ella fácilmente inventó un paseo verosímil para justificar sus horas pasadas en compañía de Anne. Constance creyó que su consejera guiaba sus palabras. Él hablaba, y ella lo veía a través de los ojos de su amiga.

La influencia de Anne en la casa se extendió en otras direcciones. Joseph subió por las escaleras pesadamente y entró en la habitación de Angelica, sólo para salir un momento más tarde con las palabras «Ya está dormida», antes de dirigirse, adormilado, a la cama. Pero Constance encontró a la niña completamente despierta.

—¡Lo he engañado! —susurró la niña, consciente de que algo emanaba de su padre por las noches que ella debía resistir.

Constance sintió la protección de su guardiana incluso allí, pues Joseph no regresaba.

Durmió con la niña hasta poco antes del alba, luego se deslizó en su propio lecho unos minutos antes de que Joseph se despertara. Ella fingió despertarse con él, y él la besó. «Esto es estupendo, estupendo», dijo, y no gruñó cuando ella se llevó a Angelica a su secreta cita en el parque, abandonándolo.

—La querida Angelica —dijo Anne, levantándose para aceptar la pequeña reverencia y observar cómo la niña se iba dando saltos hasta el rectángulo verde que se extendía ante el banco, rodeado de un semicírculo de robles—. Es la viva imagen de su nombre.

Resguardadas del sol de la mañana por árboles y parasoles, contemplaban las evoluciones de Angelica, que imitaba a otros niños. Saltaba con cara de tonta, como la de un niño que pasaba por allí, luego se paseaba burlona detrás de un par de damas después de que éstas la hubieran ignorado, ambas con la misma dignidad. A ratos desaparecía de la vista de Constance y Anne, ahora cerca, ahora lejos, entre los árboles y los arbustos recortados y el césped donde jugaban los otros niños.

—Es maravillosa. Un estallido de vida, un hada del bosque.

Constance informaba sobre su noche, pasada sin acceso conyugal, ni, como resultado, ningún daño manifiesto a la niña.

—Me siento de lo más aliviada, especialmente después de conocer a su tesoro —dijo Anne—. Resulta insoportable pensar que pudiera ocurrirle algún daño.

—¿Podría ser que hubiera pasado el peligro? ¿Podría continuar siguiendo su buen consejo? Ni que decir tiene que yo le pagaría sus honorarios por todo lo que ha hecho. Quizás Joseph se ablandase y no enviara a la niña al colegio. Incluso podría escapar al destino con el que me amenazaban los doctores. Me siento muy valerosa a la luz del día. Las noches quedan lejos y creo que las puedo derrotar —se atrevió a decir Constance. Una expresión sombría cruzó por la cara de Anne.

—Desde luego, debemos sentirnos muy satisfechas, naturalmente, del respiro de la noche pasada, pero aún hay muchas cosas que no sabemos, y mucho que yo no le he contado. Es posible que, antes de que nuestra pesada tarea haya terminado, necesitemos limpiar su hogar de... anteriores manifestaciones.

La victoria de la víspera podía ser sólo una afortunada coincidencia, siguió diciendo Anne, como disculpándose. Era demasiado pronto para felicitarse por su ingenio, aunque ella deseaba tan profundamente como Constance un triunfo duradero.

—¿Cuatro años de edad, ha dicho? —dijo pensativamente Anne, mientras Angelica retrocedía para entrar nuevamente en el campo de visión de las dos mujeres—. Quizás eso no carezca de importancia, ya que buscamos la fuente de su preocupación. Ayer me pasé el día haciendo indagaciones para usted, y acudió a mi memoria el horror de los Burnham. ¿Puedo?

—Por favor, adelante —respondió Constance mansamente, sus ojos fijos en su inconsciente niña.

—La familia Burnham vivía en su casa antes que su marido. El padre de Mr. Barton quizás le compró la casa a Mrs. Burnham porque, como usted enseguida comprenderá, pronto estuvo en venta, y es posible —para vergüenza de la gente del barrio— que el único comprador de semejante casa fuera un extranjero mal informado. En cualquier caso, los hechos son conocidos: la niña de los Burnham, una niña de *cuatro* años, sufrió, a partir de la mañana misma de su cuarto cumpleaños, unos accesos de furia tan terribles que sus padres se vieron obligados a llamar a los médicos, y, debido a la falta de eficacia de éstos, al párroco, y luego incluso a un sacerdote papista que prometió expulsar a Satanás de la niña sólo con sus manos. Todas estas consultas fracasaron, y, cada pocos días, la niña caía víctima de ataques de rabia cada vez peores, sin causa discernible. En esos estallidos de violencia, no reconocía a nadie, no hacía caso de nadie, no respetaba ningún límite. Pronto la niña empezó a dañarse a sí misma, cortándose con cualquier objeto afilado que tuviera a su alcance, y hacían falta varios adultos para contenerla. Más tarde, se levantaba de un sueño profundo, enfurecida, entraba en tromba en la habitación de sus padres y los atacaba en la cama. De forma comprensible, los Burnham empezaron a encerrar a la niña en su cuarto por las noches y a atrancar su propia puerta. Contra su propia hija, contra su propia y dulce hija.

Una alfombra de nubes se extendió tapando el sol, y su sombra cruzó a gran velocidad sobre la verde hierba, sorprendiendo a Angelica, que estaba jugando con el aro y el bastón de otra niña, haciendo que se le cayera al suelo. Las niñas se dieron la mano en señal de amistad.

—Ellos adoraban a su hija, por supuesto, pero se sentían indefensos, y pronto su hogar se llenó de desesperación. Los sirvientes se negaban a dormir en la casa —no eran tan valientes como su resuelta Nora— y, después de que la niña hubiera echado agua hirviendo sobre un criado escocés, la familia se encontró repentinamente privada de aliados. Mrs. Burnham casi había enloquecido por la pena y el trabajo extra de atender la casa. No tenía a nadie a quien dirigirse, dado que el barrio los acusaba de ser los padres y cuidadores de «la malvada niña de Hixton Street». Entonces, una noche, la niña, para enorme sorpresa de su madre, se mostró dispuesta, dulce y gustosamente, a ir a la cama. Mrs. Burnham, por desgracia, cerró la puerta de la niña a pesar de todo, y luego se fue a su habitación —ésa en la que usted duerme—, para encontrar a su marido colgando de las vigas del techo. ¿Están cubiertas ahora?

—Sí —la voz de Constance apenas era audible.

—Ella cogió la carta que él había dejado, cerró la puerta tras de sí, y bajó, presa de terror y delirando. Envió a un vecino a buscar a un agente de policía, y luego, esperando, toda temblorosa, leyó la despedida del cobarde individuo, y se enteró de la causa de su muerte así como de los tormentos de su hija durante aquellos largos meses. Se enteró, a través de sus propias palabras escritas, de que Mr. Burnham había hecho, años antes de que conociera a Mrs. Burnham, alguna cosa a una niña. Algo incalificable.

—No entiendo lo que quiere usted decir, Mrs. Montague.

—Tampoco entendía Mrs. Burnham la aborrecible carta, cuyos detalles eran, evidentemente, indescriptibles. Una acción —sostenía el muerto, incluso en el momento de su confesión final— que él no había querido realizar, lo que no quiere decir que hubiera sido un accidente, pues probablemente lo hubiese escrito así. No, sólo algo inexplicable que *él no había querido hacer*. El resultado, sin embargo, había sido la muerte de la niña unos años antes, una muerte que él había ocultado, un horror conocido sólo por él, que atormentó su conciencia durante años, hasta que, después de una década de menguante pavor, imaginó que su culpa había sido expiada, y que el recuerdo de su crimen lo había dejado vivir en paz. Se casó con Mrs. Burnham. Y fueron bendecidos con el nacimiento de una niña. Él se sintió libre de su carga hasta el día en que su hija llegó a la misma edad que había tenido aquella desgraciada pequeña de su pasado. Y aquel mismo día, el día de su cuarto cumpleaños, las violentas rabietas de la niña empezaron. Mr. Burnham se disculpaba en la carta con su esposa. Esos ataques, escribía, no estallaban por las naturales inclinaciones de su hija. Más bien, ésta sufría los tormentos debido a que era un juguete del espíritu de la niña asesinada, para castigar a Mr. Burnham. La vengativa víctima de Mr. Burnham controlaba tanto los miembros como los malos humores de su hija. Él esperaba, al quitarse la vida, acabar con el dolor de su esposa y de la niña. Que Dios tenga piedad de su alma.

Estos hechos habían ocurrido en casa de Constance. En su hogar había colgado un cadáver justo sobre su propia cama de matrimonio.

—¿Qué hizo? Seguramente usted lo sabe.

—Puedo especular, pero la especulación nunca me acercará a la verdad. ¿Ve usted? Esto es esencial, querida. Los hombres, como raza, son capaces de acciones y pensamientos inconcebibles en las mujeres. Ésa es la fuerza de toda nación. Así es como se construyen las naciones y se crean las grandes obras. Pero esta simple verdad a menudo engendra tragedias. Admitamos simplemente que en el corazón de los hombres existen unas urgencias y disposiciones que la hembra nunca sentirá, nunca llevará a cabo, nunca —ésta es nuestra bendición y nuestra maldición, Constance, como mujeres—, nunca llegará a imaginar. Nosotras somos, sencillamente, por constitución, incapaces de concebir esas ideas. Cuando Mr. Burnham escribió que había hecho algo *incalificable*, para nosotras, las mujeres, resulta casi *inconcebible*. Oh, queridísima, no hace falta que se trastorne por esto. Tranquilícese. Ni por un momento quiero dar a entender que estamos indefensas; sólo que tenemos que confiar en nuestra intuición, más que en conspiraciones y oscuras intrigas. Quizás no es extraño que ese horror haya retornado a una casa que ha conocido semejante desgracia y nunca ha sido limpiada de su residuo espectral. No sabemos nada todavía. El respiro de la noche pasada puede significar que estamos en la senda correcta, o puede que no signifique nada. ¡Acabamos de empezar! Vamos, déme su mano. Recóbrese. No querrá usted alarmar a nuestra Angelica. Ella la está viendo. ¡Hágale un gesto con la mano y sonríale! Qué preciosa es, esa miniatura de su buena y adorable madre.

Anne, también, era una buena y adorable madre. Cada vez que Constance suplicaba «¿Qué hay que hacer?», allí estaba Anne, sonriente y tranquila. Le sorprendió a Constance que Anne no tuviera hijos, porque era realmente la esencia de lo *maternal.* Respiraba sabiduría y perdón, explicaba y excusaba a la vez, del mismo modo que Joseph enturbiaba y culpaba. Cuando Constance dijo: «Ha sido inmensamente doloroso para Joseph que yo no pudiera realizar todas las funciones de una esposa», la mujer lanzó un resoplido y se echó a reír.

—¡Las funciones de una esposa! No tuvo usted una madre que le adoctrinara en este crítico aspecto, de manera que, por favor, permítame, querida. Primero, el único propósito de todos esos impropios instintos, como incluso los hombres de ciencia como su marido deben reconocer, es la procreación de hijos.

En este papel, se ha demostrado usted más dedicada que el más fiero soldado de la reina o cualquier sudoroso y vacilante pugilista de los que su marido admira con tanto entusiasmo. Usted le ha dado, con consecuencias casi fatales, una hermosa niña, que cualquier mujer sin hijos envidiaría, como lo hago yo y, por lo que me ha contado, ha estado tres veces más embarazada, lo que demuestra su voluntad de acatar las leyes del comportamiento de la mujer casada, y quizás esté en semejante peligroso estado incluso ahora. Y lo ha hecho aun cuando los hombres de medicina —con más credenciales y sabiduría que las que tiene su marido— le habían advertido que dicho comportamiento implicaba un riesgo mortal. Y sin embargo él estaba tan ansioso que permitió que usted se pusiera en peligro. Segundo, tiene usted, es verdad, una responsabilidad con su marido, pero ésta *no* es —como él procura que usted crea con los jadeantes discursos que le dirige sobre «las funciones de una esposa»— responder a su capricho a cada hora como una pobre esclava del harén de un jeque. No, pese a los manifiestos deseos, y en el mejor interés de su marido, su *función*, Constance, es civilizarlo y atemperarlo. Les pedimos a nuestras mujeres que se casen con un hombre de ardiente juventud y luego, en cuanto sea posible, lo ayuden a apagar esas urgencias, de manera que pueda convertirse cómodamente en un hombre digno de mediana edad. No se espera de los maridos que sean fogosos como jóvenes o que mancillen todo lo que los rodea con sus insaciables deseos, que con cada ruin satisfacción alimenten un renovado apetito de nuevas satisfacciones, y así *ad infinitum*. No, esperamos de nuestros hombres que den rienda suelta, apresuradamente y con toda la modestia y vergüenza de que sean capaces, a esas inclinaciones —algunas veces— para la multiplicación de nuestra raza, y luego las dominen, para no volver a sentirlas. De otro modo, ninguna sociedad puede funcionar. ¿Y todos esos ardientes varones que se golpean, que alborotan, que asesinan? La ciencia de su marido sabe esto: para cualquier hombre, incluso un hombre casado con el beneplácito de su esposa, un excesivo agotamiento del líquido seminal es fatal. Realmente, mira que haberse creído usted ese bulo francés de que la función de una esposa es servir como víctima sumisa de su marido, sobre la cual él puede cometer cualquier salvajada tan a menudo como su ardiente sangre se lo pida... Escandaliza que tales leyendas empozoñen aún las almas de los inocentes.

La mujer había hecho reír a Constance nuevamente, por enésima vez en dos días, después de doscientos días sin reír. Sintiéndose más libre de lo que se había sentido en mucho tiempo, observó que la niña con la que Angelica estaba intercambiando murmullos un momento antes estaba ahora echada sola sobre el césped, dando patadas al aire. Pronto apareció una institutriz parar reprenderla y volver a ponerla de pie.

—La niña, a esta tierna, floreciente edad —estaba diciendo Anne mientras Constance estiraba el cuello para buscar a Angelica—, tiene, por naturaleza, todas las percepciones e intuiciones de una mujer pero aún es incapaz de formular en palabras sencillas toda su sabiduría. Nosotras silenciamos esa naturaleza en nuestro propio perjuicio.

Angelica había desaparecido. Constance se levantó, cubriéndose los ojos del resplandor del sol. La llamó suavemente, vacilando en perturbar el silencio del parque o irritar a su hija, que probablemente estaba allí cerca, pero al no recibir ninguna respuesta, empezó a gritar, cada vez más alarmada. Anne, también, se levantó con expresión preocupada.

Anne gritó con fuerza, e inmediatamente —a causa del magnetismo de la voz de su madre— Angelica surgió del bosque, a su izquierda y, levantándose las faldas, corrió hacia ellas.

—¡El hombre que vuela está en el bosque! ¡Me ha perseguido! —A través de su entrecortada respiración, reía triunfalmente—. ¡Pero se quedó atrapado en las ramas de los árboles! Ahora nos dejará en paz.

—No debes decir mentiras, nunca, mi niña —dijo Constance, agarrando a la pequeña.

—Efectivamente —interrumpió Anne—, pero tampoco has de tener miedo nunca de decir la verdad.

Levantó a Angelica y la colocó en el banco de metal pintado de verde, entre ambas.

—Ahora, cariño, siéntate con nosotras, por favor, y hablemos de esto como tres damas. ¿Qué crees *tú* que deberíamos hacer para echar al hombre que vuela de tu casa?

—¿Nos protegerá usted a mamá y a mí?

—Sin duda que lo haré.

—No me gusta cuando mamá está asustada.

—Ya me lo imagino. Pero ahora es un adorable y cálido domingo. Estamos a la sombra, en este parque, nosotras, tres damas. Resolveremos este problema juntas. ¿Qué sugieres que hagamos?

Constance observó cómo Angelica se concentraba, aceptando el desafío que se le planteaba. Anne hacía salir de la niña los mejores aspectos de su personalidad, la convertía en una mujer con una simple petición de ayuda, y Constance las admiró a las dos.

—Es mejor —dijo Angelica con seriedad— cuando mamá duerme en la silla azul. Eso lo mantiene fuera o hace que se esconda.

Capítulo 18

*L*a luna se iba agrandando, casi era llena, y aquí y allá jirones de nubes dibujaban rostros sobre su superficie, expresiones ceñudas levemente, miradas llenas de significado, ocultas en las sombras.

La cena del domingo empezó temprano y acabó tarde. Tanto el esfuerzo adicional de Nora como el gasto valieron la pena. Cuando estuvieron sentados en el borde de la cama, Joseph alargó la mano con ternura hacia Constance, y ésta, tal como Anne le había enseñado, sonrió cálidamente, le cogió la mano, le levantó las piernas y se las puso sobre la cama, ajustó la almohada, le besó en la frente, le acarició la cara, y esperó —no mucho— a que el sueño se apoderara de él.

—Me está venciendo el sueño —murmuró Joseph finalmente.

Pero Anne la estaba protegiendo. En alguna parte de Londres, aquella mujer estaba velando por la seguridad de Constance, ocupándose de sus cosas. Esa idea debía de complacer a Constance.

Ella yacía a su lado en la cama. Descansaría antes de bajar a sentarse en su silla azul. Parecía que iba a ser una noche tranquila, la segunda de una serie, pero allí, encima de ella, completamente blanco bajo la luz de la luna enmarcada por la ventana, se perfilaba amenazadoramente el techo, y detrás de su lisa superficie de yeso, colocada posteriormente, se ocultaba la viga de la que había colgado la descoyuntada forma de Mr. Burnham. La victoria de esa noche se había logrado bajo su balanceante sombra.

Mr. Burnham había invitado al diablo a que entrara en esa casa, donde ahora aparecía otro fantasma, aparición, espectro, manifestación. Si ese fantasma actuaba según los deseos más ocultos de Joseph, unos deseos que encubrían tan bien sus buenas formas y cortesía que él mismo no las reconocía, ¿qué pasaba entonces? ¿Deseaba que Angelica fuera su novia y reemplazaría a Constance? Él había dicho que Angelica parecía una Constance más joven, más saludable, más feliz. ¿Que sería entonces de la desbancada? No habría sitio para la rival, porque Constance sería exactamente eso. El enemigo debe ser eliminado, desde luego; el negro, el franchute, el irlandés... Eso era lo que los hombres hacían. Identificaban a su enemigo (por unos signos y emanaciones que ninguna mujer podía intuir) y lo eliminaban. Esas dos plácidas noches señalaban, quizás, el paciente triunfo de Joseph. Éste podía quedarse a un lado y permitir que los acontecimientos siguieran su curso, mientras mantenía a su hembra tranquila e ignorante. Tres o cuatro noches antes, ella había cometido su fatal error, de manera que, ¿por qué no podía ceder ante aquella muerta en vida que, durante un breve tiempo todavía, vagaría entre los vivos, más regordeta y más invisible cada día, hasta que con un grito y un soplo desapareciera completamente de la escena?

Ella sentía que había fracasado como esposa, pues su deber era enfriar los apetitos de su marido. No lo había tranquilizado, y ahora estaba pagando sus reticencias, su orgullo por creer que su belleza tenía un poder sobre él, sobre su lujuria. La comida y la bebida, la sal y las hierbas no siempre bastarían. Ofrecían sólo una seguridad temporal, un muro de papel pintado que parecía ladrillo. Una pirámide de ladrillos, esperando a los obreros... Obreros que apestaban a whisky. Un hierro al rojo. Un médico diciendo «Hidropesía» y una niña riéndose ante aquel sonido...

Se despertó. La habitación estaba casi tan iluminada como si fuera de día, sólo que por la luna. Estaba sola. Joseph se había desvanecido en la luz azul. Tenía que bajar inmediatamente, inmediatamente. Cerró los ojos y oyó, en su tenso semisueño, el ahogado latir del armario de la ropa alabeándose y estallando. Luego, en un sueño, apretó la mejilla contra sus vibrantes puertas, la nariz apretada contra la temblorosa madera. Una y otra vez voló por los aires, arrojándose contra el armario, hasta que se magulló la cara y la madera del armario se rompió.

Volvió a despertarse. Las tres y cuarto. La luna se desvanecía, pero aún oía aquellos golpes sordos procedentes de abajo. Joseph había regresado, si es que realmente había llegado a marcharse, y ella se dormía profundamente pese al martilleante sonido. Se puso de pie, la vista borrosa y las piernas inseguras. Sus pasos resonaban demasiado en las escaleras. Cayó contra la puerta de Angelica y ésta se abrió de golpe. El armario estaba abierto, y las ropas de Angelica habían salido disparadas de estanterías y perchas. Su pequeño tocador estaba ladeado; y los objetos que había sobre él esparcidos de cualquier manera, la Princesa Elisabeth tirada en el suelo. Angelica dormía, pero su cuerpo estaba retorcido, exactamente como para imitar el de la muñeca. El armario brilló con una luz azul, que luego se desvaneció.

Bien. Aun cuando Joseph no tocara a Constance, los sueños de ésta ponían en peligro a la niña. Ella había desencadenado ese horror, y ya no hacía falta su consentimiento involuntario para que andara vagando por ahí.

Constance lo puso todo en orden en la oscuridad: la muñeca, la mesa, los cepillos, la ropa en el baqueteado armario. Se sentó en el suelo, y contempló la habitación y la gravísima amenaza que la acechaba desde la altura de Angelica.

Se quedó dormida allí, en el suelo, a los pies de la cama de su hija, y se despertó al oír un sonido susurrante. Se puso de pie en el mismo instante en que se abrían, parpadeando, los ojos de Angelica. Llevó a la niña abajo, a tiempo de asistir a la irritada marcha de Joseph hacia su oscuro día en el laboratorio, enviado por sus superiores a York.

—Ahora que me voy puedes exorcizar la habitación de la niña —le dijo al partir.

—Quiero a papá —declaró Angelica poco después, mientras tomaba su leche.

—Sí, claro, cariño. Y él también te quiere, estoy segura.

—Es verdad. Y algún día nos casaremos.

—¿Ah, sí?

—Yo no te quiero —continuó Angelica alegremente, con despreocupación—. Te tengo *cariño,* mamá, pero amor es lo que siente un hombre por sus esposas, y una esposa por su hombre.

Angelica aceptó con interés, aunque quizás con algunas dudas, las amables explicaciones de su madre, que la corregían, y terminó redefiniendo su punto de vista:

—Muy bien, entonces. También te quiero, pero sólo como una niña quiere a su madre.

—¿Quién te ha enseñado a hablar así?

—No sé si guardar *eso* también como un secreto...

—¿También como qué, Angelica? ¿Qué otro secreto me estás ocultando?

Angelica se rió tontamente, con la boca abierta y lanzando perdigones de saliva.

—¡Es un *secreto*!

Capítulo 19

Como Joseph estaba en York, Anne llegó aquella tarde para realizar su trabajo, pero Constance la sorprendió haciéndole dar la vuelta sólo un momento después de que ella hubiera entrado.

—Vuelva a ponerse el chal o llegaremos tarde. Primero nos divertiremos, y *luego* nos enfrentaremos a nuestros peligros.

Dejando a Angelica al cuidado de Nora, condujo a Anne al teatro, donde había tomado un palco para aquella tarde. Una semana antes ni se hubiera atrevido a soñar que vería una obra con una amiga, sin Joseph, sin ni siquiera decírselo, pero ahora la palabra misma «teatro» tenía un nuevo significado.

Había elegido ese teatro porque Anne había mencionado de pasada que ella había actuado allí, y a su amiga le conmovió el detalle. Pero el espectáculo era bastante ridículo. Comenzaba con un fantasma, un actor que se había pintado el rostro de un grotesco color blanco con círculos negros alrededor de los ojos, un espíritu nada alarmante, aunque su hijo se arrojaba al suelo, presa de un frenesí, al verlo.

—¿Le gustó la representación? —preguntó Constance mientras caminaban a través de la oscuridad y de una multitud cada vez más dispersa, convencida de que había seleccionado un entretenimiento frívolo que había aburrido a Anne.

—Kate Millais paseándose por el escenario como Gertrudis

no puede agradar a nadie. Yo llevaba ese vestido cuando ella hacía de Ofelia, y no ha cambiado excepto que está más gorda y grita más, si ello es posible. ¿Y a usted? ¿Le ha gustado, querida?

—Apenas la he visto. No hacía más que pensar en usted. «Esto fue una vez el hogar de Anne. Ahí están las luces que iluminaban sus idas y venidas. Allí están los elevados palcos desde los que era más caro ver la actuación de nuestra querida Anne.» ¿Se ruboriza usted? Muy bien, discutiremos la obra. Contésteme una cosa: se supone que el fantasma de la obra es un amigo que hace advertencias, que exige venganza. ¿Le parece a usted auténtico? ¿O semejante espíritu es una impostura?

Ambas mujeres pasearon, cogidas del brazo, por el parque. Constance, con su cabeza en otra parte, iba dando golpes a las maderas de la valla. Luego dijo:

—Estoy segura de que él es consciente de lo que está ocurriendo.

—No está usted hablando de la obra. Paciencia —aconsejó Anne—. No lo condene todavía.

Constance se sentía decepcionada de que no la felicitara por su valor y convicción.

—Tiene intención de reemplazarme en su afecto —insistió.

—¿Le ha dicho a usted eso?

—Percibo la influencia de mi marido en sus palabras cuando la niña habla.

—¿Está perturbando sus relaciones con la niña?

—Está intrigando, como dijo usted. No soy capaz de comprender sus planes, pero hay algo raro. Habla de educarla como una compañera, y saborea por anticipado esa separación de mi hija que él desea. Empieza dentro de una semana.

—Siga mis consejos un poco más. Hay muchas cosas que no sabemos aún. Esta noche observaremos y exploraremos sin prisas.

—Bueno, entonces obedeceré, pero, primero, tengo una sorpresa para usted —dijo ilusionada. Sin embargo, se irritó al encontrar a Angelica esperando su regreso, despierta.

La niña se había resistido tanto al sueño como a la disciplina de Nora, y ahora se encontraba, descalza, sobre el sofá.

—No me gusta que me dejen sola —dijo con los ojos hinchados, y Nora se limitó a encogerse de hombros con desesperación.

Antes de que Constance pudiera iniciar sus reproches, Anne replicó cariñosamente a la niña. «Por supuesto que no», y levantó a la pequeña sin que ésta protestara, llevándosela hacia la escalera. La visión de las dos juntas disipó la irritación de Constance.

—Tu dulce mamá subirá ahora —dijo Anne—. Pero primero tengo que contarte un secreto, y para ello debemos hablar en tu habitación.

Recuperado su entusiasmo, Constance se dirigió al comedor. Había dado instrucciones detalladas a Nora sobre el menú, y ella misma había ido a comprar al mercado, yendo a Miriams para comprar el té y a Villiers y Green para el vino. En dos ocasiones aquella tarde había corregido a Nora sobre los arreglos de la mesa, y probado varias posiciones diferentes de las velas y lámparas en diversas mesas. Ahora, con Anne arriba, verificó el trabajo realizado por Nora, echó más sal a la sopa, encendió las velas y bajó la luz de gas.

—Está completamente dormida —informó Anne bajando por la escalera—. Y guardará en secreto mi visita. —Se detuvo, contemplando con admiración la mesa suntuosamente preparada para dos—. ¿Qué estoy viendo? Querida mía, su amabilidad no tiene límites.

—Tenerla aquí, amiga mía, es un consuelo que temía que jamás volvería a disfrutar. —Tomó a Anne de la mano y la acompañó a su lugar—. Ya no estoy sola, y no puedo decir cuánto tiempo ha pasado desde que no me sentía así.

Compartieron una pierna de cordero, puré de nabos, tarta y queso de Ruhemann's, una comida tan cara que Constance había tenido que hacer las compras a crédito, cosa que nunca se había permitido hasta entonces. Por último, Nora les sirvió del oporto de Joseph, y cuando Anne preguntó si él no se daría cuenta, Nora replicó, para delicia de ambas:

—Nunca lo ha notado, señora.

Constance sorbió aquel licor del color del rubí cosechado en unas colinas meridionales tostadas por el sol.

—Si la noche pasara sin incidentes, ¿no demostraría eso su maligno papel?

—Quizás no. Puede que lleve el diablo consigo en contra de su voluntad o sin su conocimiento. Puede que él sea sólo un elemento necesario para su aparición. Está usted demasiado ansiosa por localizar y vencer a su adversario, y la verdad es probablemente más compleja.

Constance, para su propia sorpresa, se mostró vehemente:

—Y *usted* es demasiado generosa, Anne. Yo ya no puedo seguir inventándome explicaciones para excusarlo por haberse convertido en eso, si es que no siempre ha sido así. Podría corromper a la niña. Su verdadera naturaleza es casi siempre visible para mí ahora. Mi visión se ha hecho más aguda gracias a sus explicaciones de usted, o él es menos capaz de ocultarse. Cuando se disfraza e intenta aparecer como antes, resulta grotesco, un monstruo disfrazado de hombre. Odia a la pequeña por no ser un niño, y me aborrece a mí por no ser ya una niña. Habría querido que la pequeña se pareciera a él, que participara de toda esa crueldad que se oculta bajo el nombre de la ciencia. La llevó al parque el otro día para que jugara con un niño, el hijo de su amigo Harry, el cual tuvo en el pasado una conversación de lo más inaceptable conmigo, y Angelica cuenta que el niño no habla más que de matar y mutilar.

—Está usted más furiosa que asustada ahora.

—Él querría que ella fuera un niño, sabe, para ser un «científico» como él. Y que fuera su esposa... Le gustaría convertirla en su esposa. Para reemplazarme. —Constance enrojeció—. Que sea un niño y una esposa... Estoy diciendo tonterías. Debe ser por el oporto y por querer impresionarla a usted con cuestiones que usted comprende mejor que yo, amiga mía.

—Pues sí que me impresiona usted. Cuanto más habla, más impresionada estoy. Usted intuye unas cosas que yo he tardado años de estudio en conocer.

En esta ocasión, iluminándose con velas, Anne condujo a Constance de habitación en habitación, tocó los pequeños armarios que Joseph mantenía cerrados en su vestidor, así como unos cofres que había en el sótano.

—Nunca los ha abierto en mi presencia —dijo Constance—. Cuando le pregunto qué contienen, se niega a responder.

—Bien, pues aquí tenemos algo que ocultarle a él —replicó Anne, mostrando a Constance una caja de parafernalia espiritista. Le explicó las virtudes de las hierbas, los crucifijos, el agua bendita, y el uso de la lamparilla de petróleo.

Constance se sentó a vigilar a Angelica mientras Anne repetía su examen de la casa, buscando en cada cuarto signos de infección. Al cabo de algo más de una hora, regresó y llevó a Constance arriba, a la cama de ésta.

—He limpiado su habitación, como primera providencia. Ahora me quedaré vigilando abajo, mientras usted duerme. Tiene usted una necesidad espantosa de dormir, no cabe duda. Sé qué poco descanso ha tenido usted estas últimas semanas.

Constance aceptó aquella amabilidad y permitió a la mujer que la acompañara a la cama como una niña, dejando a un lado sus objeciones. El placer físico que sintió simplemente cerrando los ojos la dejó asombrada.

No sabía cuánto había dormido cuando Anne la zarandeó para que se despertara.

—Abra los ojos, amiga mía, y dígame ahora, rápidamente, ¿soñaba usted? ¿Estaba soñando ahora?

—En absoluto.

—¡Entonces podemos sentenciar que es usted inocente! No sirve usted de puente de esa cosa, porque ha estado aquí, y no como respuesta a sus sueños. Ahora tenemos una buena baza entre manos. ¡Oh, sí!

—¿Lo ha visto usted? —Constance se incorporó, alerta—. ¿Qué cara tenía?

—Lo debilité —informó con satisfacción la cazafantasmas.

—¿Se retiró al armario? ¿Como una luz azul?

—Justamente.

—¿Y mi niña?

—Durmió profundamente todo el tiempo y todavía duerme. No pudo vencer sus defensas, y creo que yo le herí gravemente mientras huía. El agua bendita chisporroteó al tocar sus formas y emitió aquel desagradable olor. Ah, su corazón debería alegrarse, amiga mía, porque se debilitó, sin lugar a dudas. Pronto lo derrotaremos.

—Pero ¿es cosa de Joseph?

—Hemos hecho progresos. Debe usted continuar sus tareas, humanas y espirituales. Su seguridad depende de ello. No solamente Angelica está en peligro.

—Pero ¿es cosa de Joseph?

Constance siguió a buen paso a Anne hasta la cocina y preparó café, mientras se insinuaba el alba. Pese a toda aquella charla sobre aquellos progresos y la derrota del ser, subsistían muchos puntos oscuros. Anne, demasiado excitada para sentarse, hablaba solamente del trabajo que aún faltaba por hacer, de los peligros y las pruebas que aguardaban. Constance había esperado que todo se hubiera clarificado y resuelto gracias a la aventura de aquella larga noche, y sin embargo ahora Anne se tomó su café, consultó el cielo y apresuradamente dijo que más valía que se marchara antes de que saliera el sol.

—Estamos más cerca de una solución que nunca, querida amiga. Procedamos con cautela. Yo continuaré con mi trabajo. No tengo otra intención que resolver sus problemas.

Tras un cálido abrazo, salió corriendo, dejando sola a Constance.

—Dios la bendiga —le gritó Constance, más cortés que confiada. Ansiaba que Anne prescindiera de aquel tono de melodrama y de las ambigüedades de historias fantasmales, terminar con todo aquello de una vez, o se llevara a otro sitio a Angelica y a ella, como una recompensa por el teatro, el paseo de noche, la comida, la confianza, los pagos.

uando Constance regresó a la cocina oyó cómo Nora trasteaba un poco más allá. Entonces, las náuseas se apoderaron de ella, y, de innumerables maneras, su cuerpo pregonó su nuevo estado. Tuvo arcadas, una y otra vez, y se derrumbó, febril, y vomitó entre las paredes del retrete.

¿Se había disfrazado así un asesino alguna vez? ¡Cuán astuto por parte de una mente demoníaca encubrir el odio con amor y camuflar la muerte como un nacimiento! Él la había asesinado aquella noche con la ayuda de su propio y suspirante consentimiento, con dulces caricias y susurradas promesas, y ahora podía, con la más perfecta coartada, reclinarse en su butacón y jugar pacientemente al amante marido, hasta que simplemente se cambiara de máscara y representase el papel del marido que guarda luto. Y no se encontraría ninguna arma y ningún inspector debería investigar.

Joseph regresó de York a última hora de la tarde, y, según su propia descripción, terriblemente fatigado y «extrañamente debilitado». Apagó la luz inmediatamente al entrar en casa y no miró a su mujer. Dijo con una voz estrangulada que deseaba que lo dejaran solo, para deshacer su equipaje y asearse. Pensaba retirarse enseguida a dormir. «Pero ¿fue bien tu viaje?», le preguntó ella mientras él se escapaba escaleras arriba. Sus respuestas fueron apresuradas, inseguras. Casi huyó de ella corriendo para meterse en el vestidor, ocultando la cara.

La idea era seductora: Anne había «debilitado» al espectro, y Joseph la rehuía pretextando una vaga debilidad.

—¿Qué ha pasado en York? —preguntó desde el otro lado de la puerta—. ¿Te premiarán los médicos?

—Déjame en paz —su voz era peculiar.

Esa noche se aprovecharía de su ventaja. Yacía sobre la cama y lo veía dormir. Era más de la una. Ella se durmió también, soñando con un olor que tenía voluntad y un cuerpo. Ese olor la perseguía, ahogaba su respiración, trataba de hurgar en su apretado puño. Ella se despertó, y las causas de aquel sueño se revelaron: Joseph, completamente despierto, la tenía sujeta por el brazo y la muñeca, que le ardían bajo su presa. Él tenía su boca sobre la mano de ella. Vio que Constance abría los ojos e inmediatamente la soltó.

—Estabas soñando —dijo, y se dio la vuelta—. Tus patadas me despertaron.

Cuando la jadeante respiración de su marido hendió nuevamente el aire, Constance bajó. Esa noche, ella lucharía, aunque sólo fuera para demostrar a Anne que era capaz de ello. Estaba descubriendo nuevas fuerzas. Por primera vez podía controlar su miedo y vería los horrorosos contornos de aquel ser monstruoso, pero no totalmente inmanejable, que ella podía rodear con sus brazos y levantar. Su corazón latía con fuerza, pero no la ensordecía. «La acción engendra el coraje —había dicho Anne—. Es un truco que los hombres usan continuamente.»

En el pasillo, abrió el armario de nogal, y de debajo de unas almohadas y unas baratijas que no podían despertar el menor interés en Joseph, extrajo la caja de las herramientas profesionales de Anne Montague. Bajo la uniforme luz de la lamparilla de petróleo el hombre de la tapa de la caja se parecía a Joseph, cuando éste aún llevaba barba y era él mismo. «Se confía demasiado en los crucifijos —le había explicado Anne confidencialmente, en susurros, como un apuntador de teatro—. Con frecuencia resulta inútil, pero en su caso podrían darse unas circunstancias únicas. Su marido nació papista. Para un hombre así al borde del abismo, su visión podría hacer que la manifestación que él proyecta volviera a él.» Constance se colgó al cuello uno de los baratos crucifijos de latón (prohibidos en aquel hogar irreligioso), y cogió el otro para hacer lo mismo con Angelica.

«El *bouquet* de romero y albahaca —el matrimonio de la devoción y la memoria— no es, lo confieso, mucho más seguro. Se ha demostrado en innumerables casos como un poderoso repelente, porque la memoria misma puede hacer enfermar a un espíritu retorcido y convertirlo en malvado. De vez en cuando, el más pequeño ramillete de esas hierbas bastaba para convertir a un demonio en una fina y pestilente ceniza, que nosotras barríamos —riéndonos tontamente como niñas— y vertíamos a la calle, donde un perro, y luego otro y otro pronto se aliviaban sobre sus sucios restos.»

Con manos más firmes, Constance cogió el húmedo manojo de hojas y agujas.

—Su arma más potente —prosiguió Anne— es, con mucho, la simple plegaria. La maquinal recitación infantil no servirá, sino que provocará a su adversario. Debe usted sentir cada palabra como forjada en un corazón puro.

Constance se desesperó: ¿convertir en puro un corazón como el suyo, cuando el miedo y la ira lo embargaban?

«El fuego —una simple llama de una vieja lamparilla de petróleo— constituye para la materia de un espíritu un escudo impenetrable. Así protegida, necesitará usted unos medios para dispersar, para echar a ese ente de la cama de la niña, luego de su dormitorio y finalmente de su hogar. El agua bendita funcionará sobre la infección como la lejía sobre una rata.» Constance levantó dos frascos de cristal azul. «Tenga esto —el cuchillo de mango de hueso que Anne había añadido a la caja antes de irse—, me sentiré mejor sabiendo que tiene esto, aunque dudo que tenga usted necesidad de usarlo.»

Se puso de pie, e inmediatamente empezó a correr por el pasillo una brisa, asaltándola en oleadas y remolinos, una casi visible racha de aire corriendo entre las paredes y a la altura de los ojos. Su propósito era apagar su lámpara, derrotar su fuego protector. La luz azul se filtraba por debajo de la puerta de Angelica.

Constance entró y levantó en alto su llama, pero sólo encontró a Angelica dormida. Ni luz azul, ni formas espantosas; sólo el diminuto pie blanco de la niña saliendo por debajo de la ropa de cama. Angelica respiraba uniformemente. Estaba intacta y a salvo.

El alivio de Constance no estaba exento de cierta incomodidad. Le dolían las piernas y la mandíbula, y entonces vio los brillantes ojos atisbando desde el rincón oscuro al lado del armario, y oyó su susurrante voz: «Niña.» Constance arrojó un frasco de agua bendita donde estaban los ojos. El fantasma, como hecho de fibras de vello, intentó deslizarse hacia el lecho de Angelica, pasando al lado de Constance. Blandiendo su crucifijo, ésta se situó en su trayectoria, y luego sacó el tubo de cristal del quinqué. Arrodillándose, abrió el recipiente de combustible de la lámpara y dejó gotear una línea de petróleo alrededor de la cama. Lo encendió, e inmediatamente la bestia retrocedió, tal como Anne había prometido, tanteando el perímetro del fuego, husmeando en busca de una brecha en la danzante defensa.

Angelica no se despertó. Constance, sintiendo en la mano el dolor de alguna herida, pasó por encima de la llama, dejó el segundo crucifijo sobre el pecho de Angelica y luego se dio la vuelta, sosteniendo las hierbas y la lámpara ante ella.

—Padre nuestro, padre nuestro...

Al espectro no se lo veía por ninguna parte, ni a aquella luz azul ni a aquellos ojos resplandecientes. La ventana del otro lado estaba abierta. Cruzó la habitación y se asomó, pero no vio nada fuera. A sus espaldas un anillo de llamas chisporroteaba sobre el suelo de madera, alrededor de la cama, y Constance se sintió avergonzada al ver cuán ineficaz parecía su idea ahora: el demonio podía abrir una brecha fácilmente. Alargó la mano hacia el armario de Angelica, preparada para arrojar las hierbas contra cualquier cosa que saliera de allí. Tiró de la anilla con un dedo y abrió la puerta. Nada.

—¿Mamá?

Angelica se estaba incorporando. La débil llama, empujada por la brisa que entraba por la ventana abierta, se había acercado furtivamente y, como un gatito, lamía el volante de muselina que colgaba de la cama. Angelica se puso de pie torpemente junto a la almohada cuando algunas llamas empezaron a recorrer los pies de la cama.

—¿Mamá?

Constance cogió a la niña en brazos.

—Lo hemos asustado para que se marche, amor mío.

Tratando de sofocar la pequeña llama, dejó a la niña en el suelo, cerca de la puerta, que inmediatamente se abrió de par en par, revelando a un Joseph furioso y con los ojos desorbitados, a medio vestir, mientras unos hilillos de negra sangre le corrían por el rostro, exactamente en el mismo lugar donde el agua bendita de Constance había golpeado a la demoníaca cara sólo unos momentos antes. Los músculos de su mandíbula palpitaban como un corazón, y Constance vio la furia en sus hombros y en los cerrados puños que se le crispaban en los flancos de su cuerpo. Ella se miró a sus propios pies: la calma y una inocente inmovilidad podían desactivar la enloquecida ira que albergaba en aquel instante el hombre. Anne le había enseñado a comportarse así cuando se enfrentara a una situación como ésa. Con una maldición, Joseph empujó a Constance a un lado, levantó a Angelica y la dejó en el otro lado de la habitación. La niña empezó a chillar. Él la ignoró y se dedicó a la labor de apagar el menguante fuego, lanzando órdenes militares, haciendo un alarde pese a lo insignificante de su labor.

Cuando esta representación de virilidad hubo acabado, los gritos de Angelica eran más desesperados. Daba alaridos y se retorcía y sangraba, porque Joseph la había dejado encima de los cristales rotos del frasco de agua bendita, esparcidos bajo el espejo, por el cual el fantasma había probablemente llegado y escapado.

Joseph quería arrancar a la niña de los brazos de su esposa. «Necesita a su madre», trató de decir Constance, pero el hombre le arrebató a Angelica y ordenó a la mujer que encendiera la luz y fuera a buscar agua y vendas. La reluciente luna le iluminaba el rostro y el desnudo torso de un blanco innatural, así como sus brillantes regueros de sangre.

—Haz lo que te he dicho, maldita sea. —Y el valor que con tanto trabajo había reunido Constance desapareció.

Le había fallado a Angelica. No había destruido al espíritu; sólo lo había alejado, temporalmente y a un coste terrible, porque si bien se demostraba ahora que Joseph era su enemigo (su cara ensangrentada, porque la proyección había funcionado en dirección contraria), él ahora era también probablemente consciente de que ella lo sabía todo. Ella se apresuró a esconder sus armas de nuevo en la caja de arenques de McMichael, en el cajón, bajo el camuflaje de la ropa blanca femenina. Farfulló tratando de inventar una mentira que pudiera distraer su atención, y convertir en algo normal los vidrios rotos, los chillidos, las incendiadas ropas de cama, las chamuscadas tablas del suelo y lo que Angelica pudiera estar revelándole ahora.

Regresó con las cosas que él había pedido. Joseph había dejado a Angelica sobre la despejada cama, el camisón revelando su suave pierna. Los sollozos de la niña se alternaban ya con risas, mientras estampaba sus sangrientas huellas en el desnudo pecho y las mejillas de su padre, a la vez que la sangre de la herida de su rostro se mezclaba con la de su hija.

—Espérame arriba. Ya te curaré la herida a su debido tiempo —dijo sin mirar a su mujer—. Y cierra la puerta.

Ella no podía dejarlo solo con Angelica, de modo que se sentó en el último escalón. No había conseguido nada. No supo cuánto tiempo transcurrió, aún estaba buscando una explicación para sus actos, cuando él salió, dejando tras de sí la habitación a oscuras y en silencio.

—Tiene la idea de que, cuando se duerma, el fuego puede brotar del suelo y atacarla —dijo con un deje de sarcasmo que revestía la dureza de su enojo—. Ahora vamos a curarte a ti. Vamos. —Ella lo siguió de cerca.

Arriba, bajo una luz más brillante, él se lavó y se quitó las manchas que la niña le había dejado en el torso y la cara. Sólo entonces examinó el corte de la mano de Constance. Lo hizo con rudeza, y no se excusó por el escozor que le produjo a Constance el agua. Practicaba cada día sobre sus animales mudos y no la trató de manera diferente. Le apretó la muñeca hasta que la piel se tornó blanquecina y ella quiso gritar. Él le ofreció un poquito de ron, pero Constance lo rechazó con un movimiento de cabeza, fingiendo un coraje que hacía rato que la había abandonado. Su marido le vendó los cortes que ella se había infligido accidentalmente con la navaja de Mrs. Montague.

—¿Qué es esto? —Joseph sacó una esquirla de cristal azul—. Estaba en el pie de Angelica.

La verdad le hizo enrojecer, y le temblaron los labios.

—Probablemente algo de Nora —consiguió decir—. Es una palurda.

—¿Por qué andas furtivamente por la casa en la oscuridad de la noche?

—No ha sido nada, amor mío. Me desperté sin motivo alguno, mi vieja costumbre. Pensé en ir a echar una ojeada a la niña. Encontré la habitación un poco cargada, así que se me ocurrió levantar la ventana. Estaba atascada. Debería haber dejado la lámpara en el suelo. Hice fuerza para abrir la ventana y ésta de repente se abrió. Me tambaleé, la lámpara cayó y el tubo de cristal se rompió en pedazos. La espita se aflojó, me corté la mano, y, a causa del dolor, la solté, y se esparció petróleo por el suelo. Estaba empezando a darme cuenta del peligro cuando, afortunadamente, apareciste tú.

Anne habría quedado impresionada por su actuación. Constance recordó, antes de terminar de hablar, a su otro modelo de actriz. Su madre solía contar historias para ganar tiempo a fin de que sus hijas se escondieran cuando el padre de Constance llegaba a casa excitado por la ginebra. ¿Cuándo había empezado Joseph a parecerse tanto a Giles Douglas? ¿Cuánto tiempo le había llevado a ella verlo con claridad? Daba testimonio del poderío de los encantos de Joseph el que éste pudiera desviar su atención de tan indelebles recuerdos. «Todos los hombres se parecen —había dicho Anne—, en cuanto rascas bajo su máscara. Pero en algunos momentos reveladores no logran disfrazarse y acaban pareciéndose, encima de una mujer o contra un enemigo, cuando el odio o el deseo hacen desaparecer sus trabas, cuando matan o simplemente juegan a hacerlo en los rings de boxeo o las salas de esgrima.»

—Esas cosas que tanto te preocupan me están preocupando a mí. —Joseph estaba de pie detrás de ella—. Apenas te reconozco últimamente. —Suspiró como un actor de teatro—. ¿Adónde vamos a llegar? —preguntó, deslizando sus dedos sobre sus hombros—. Tú has imaginado algo. Te has permitido caer en la confusión. No hay nada que temer.

No era ningún estúpido. Tampoco ella era una actriz, ni siquiera una madre astuta y llena de recursos. Él lo sabía todo. Le puso las manos sobre las mejillas, le alzó la cara, y le dijo falsas palabras para volver a despertar en ella la fe de un niño, o de una recién casada. Tenía intención de conseguir su placer, incluso mientras ella y su hija aún sangraban, o porque seguían sangrando.

—Eres muy comprensivo e indulgente —dijo ella—. Tienes razón. He estado como en una nube últimamente. Y dejar caer esa lámpara... Bueno, no me extrañaría que me prohibieras tocar nada de la casa. Pero nos salvaste, bendito seas.

Los labios de su marido se deslizaron por su frente.

—Deberías tener más cuidado —le susurró a su cabello—. Tú y la niña sois muy valiosas.

—¿Puedo ir a besarla y darle las buenas noches?

Joseph la acompañó, dos pasos detrás de ella. Se quedó apoyado en el marco de la puerta, y Constance besó los ojos de la niña, que parpadearon como los de un gatito. La niña suspiró.

—He visto al hombre que vuela, mamá. Iba montado en una bestia azul de dientes terribles.

—Yo lo he echado, mi amor —respondió Constance, oculta a la vista de Joseph—. Duérmete, duérmete.

Su guardián llevó a Constance otra vez a la cama, acunando con un cuidado excesivo, extraño, su vendada mano. Era una amenaza de violencia disfrazada de un acto de ternura, y los nuevos papeles en aquella casa quedaron terriblemente claros.

Capítulo 21

$\mathcal{S}$e despertó de repente al oír aquella voz que susurraba «Niña», y sus ojos se encontraron con otro dantesco espectáculo. Él estaba sentado en el otro extremo de la habitación, vestido ya, sus mejillas recién afeitadas nuevamente, el cabello alisado y brillante, una tirita en la cara, y con Angelica en su regazo, con los pies sobresaliendo del camisón, una parodia de las pinturas de la madre con su hijo. Se rieron disimuladamente al ver cómo parpadeaba por la confusión. Ella se había despertado demasiado tarde, lo cual era peligroso, y tenía que ir a buscar a Nora antes de que él lo hiciera.

—¿Habéis ido abajo? ¿Ha preparado el desayuno Nora? Deberías haberme despertado. Angelica, ven conmigo y deja tranquilo a tu papá.

—No —replicó él con una helada sonrisa—. Hoy me siento atraído por los encantos de Angelica.

Ella oía su insinuante voz mientras bajaba rápidamente a la cocina, sintiendo cómo le latían las venas del cuello.

—Tu madre, Angelica, sabes, es...

—Su mano, señora... —empezó a decir Nora, pero Constance la interrumpió con urgentes instrucciones: que fingiera alegría ante el descubrimiento de la botella azul, manifestara pena por su destrucción y vergüenza por haber causado al señor algún problema y haber dañado a la niña.

—No puedo, señora —dijo Nora vacilante, pero Joseph estaba ya bajando por las escaleras entre las risas de Angelica.

—¡Ridiculis! —exclamaba Angelica—. ¡Completamente ridiculoso!

Nora besó a Angelica mientras Joseph se quedaba mirando, con una expresión indescifrable en su rostro.

—Tu madre me lo ha contado. ¿Estás herida, niña?

—¡No! —dijo Angelica—. ¡Pero un tigre rosa me mordió los dedos de los pies!

—Angelica, vale ya —dijo Constance—. Nora, se hizo daño con alguna cosa tuya.

—¿Señora?

—Deberías prestar más atención a tu trabajo si es que te interesa conservarlo.

—Sí, señora.

—Nora —dijo Joseph lentamente, en tono triunfal—. La señora no se encuentra bien. Necesita descansar. Procurarás que tenga paz y soledad hoy. Nada de visitas, por favor, y mantén a Angelica ocupada para que no moleste a su madre. ¿Queda claro lo que digo?

—Sí, señor.

—Confío en que mis instrucciones sean fielmente seguidas.

—Desde luego, señor —replicó la sirviente con los ojos bajos.

Joseph se puso de pie.

—Vamos, dame un beso, Angelica —dijo.

Era una nueva manera de despedirse por la mañana. Todo había cambiado. La niña posó sus pequeños y húmedos labios sobre la mejilla de su padre. Las comisuras de sus bocas se tocaron.

—Adiós, Constance.

Se marchó, y ni la niña ni la doncella miraron a los ojos de Constance.

—Nora —empezó a decir Constance—, no vamos a obedecerle muy literalmente. Se preocupa demasiado...

—Señora, yo nunca contradiría las órdenes de Mr. Barton. Usted no querrá que lo desobedezca.

—¿Qué estás diciendo?

—No puedo ser un problema para él, señora. Y usted también debería...

—¿Debería qué, desgraciada? ¿Quieres darme consejos? ¿Tú?

—Por favor, señora, yo debería dedicarme a mi trabajo, y usted debería dormir, descansar, como aconsejó el señor. Le traeré algo que la ayude. Angelica, ve a tocar el piano como le gustaría a tu madre.

«¿Como le gustaría a tu madre?» ¿Acaso ella no estaba allí, ante ellas?

Su encarcelamiento se veía reforzado por la actitud de Nora y acompañado de una ejecución de insólita calidad de la niña al piano. Constance se retiró a su habitación a considerar su situación, pero al punto acudió Nora con un vaso de agua en cuyo centro flotaba una brillante nube.

—Por favor, señora, esto es para calmarle los nervios, tal como pidió el señor.

—¿Se me permite salir de casa, queridísima Nora?

—El señor fue claro sobre lo que usted necesita hoy, paz y descanso, señora.

—¿Puedes ir tú a buscar a Mrs. Montague en mi lugar?

—Por favor, no me pida lo que no puedo hacer.

—Yo puedo hacer tu trabajo mientras tú la traes. No hace falta que él se entere.

—Por favor, señora.

—Ya veo. Puedes irte, Nora.

Vació en el retrete el plateado opiáceo de Joseph. Se dedicó a pasar las páginas del libro que tenía en su mesilla de noche, pero sin ver las palabras. Cerró los ojos pero no durmió, acechada por la sombra de su marido. No le habían cerrado la puerta. Pero ella no la abrió. Estaba atenta a si venía Anne, pero no sonó ningún timbre. A última hora de la tarde la puerta se abrió silenciosamente, y Angelica apartó las colgaduras de la cama y se subió a la cama, hasta quedar junto a su madre.

—Mamá, quiero ir al parque.

—Hoy no puedo, gatito mío.

—¿No le vas a pedir perdón?

—¿A quién? ¿A tu padre?

—¡Pide perdón! —Angelica estaba irritada—. ¡Quiero ir al parque, no al colegio!

Más tarde, él apareció en la puerta.

—¿Te sientes mejor, amor mío? —preguntó animadamente. Ella se encontraba apoyada en la ventana, todo lo lejos que podía estar de él—. Es lo que tú querías. Que me tomara un pequeño descanso hoy.

—Sí, esta prisión es encantadoramente relajante.

El rostro de él se oscureció.

—Ya veo.

—No soy tan estúpida como tú me consideras —dijo ella.

—Hasta ahora, nunca te he tomado por una estúpida.

—Quizás me muera, pero aun así no permitiré que a Angelica le ocurra ningún daño.

—No seas niña.

—No podría imaginar nada peor que ser una niña en esta casa.

—¿Qué estás diciendo?

—Te vi —susurró ella—. Eras tú.

—Y, exactamente, ¿qué viste? —preguntó desdeñosamente Joseph.

—No lo permitiré. No me quedaré sentada como espectadora, no la abandonaré. Mi suerte está decidida, pero la suya, no. ¿Me oyes?

—Perfectamente, ya que estás gritando. Un día de descanso y te encuentro más trastornada de lo que te dejé. —Avanzó un paso hacia ella, y Constance se agarró al alféizar—. Vamos. Cenemos. Probablemente estás aburrida después de tu convalecencia. Luego iremos a tomar juntos un poco el aire.

Comieron en silencio. Nora trajo a Angelica del cuarto de los niños para desear a sus padres las buenas noches.

—No te preocupes, mamá —dijo Angelica volviendo la cabeza cuando Nora se la llevaba—. Papá lo ha arreglado todo. ¡Es muy listo!

Joseph cedió a las peticiones de Constance con un par de asentimientos de cabeza. Se le permitió salir en su compañía. Se le permitió contemplar a la niña dormida mientras él observaba. Se le permitió desnudarse y lavarse bajo la ardiente mirada de sus ojos. Se le permitió acostarse en la cama, y beber un poco de agua con unos polvos que él administró. Se le permitió llorar breve y silenciosamente antes de que él ordenara «Ya basta». Se le permitió cerrar los ojos cuando él la besó en los labios y cuando prometió que todo volvería a ir bien. Se le permitió saber que a él le dolía tenerla encerrada. Y, precisamente, cuando él ponía sus manos sobre ella, Angelica llamó a gritos a su madre de un modo sumamente lastimoso, una, dos veces, y en cada ocasión más fuerte. Se le prohibió a Constance en un tono frío que acudiera a las «manipulaciones de la niña». Se le permitió, en vez de ello, fingir que dormía a su lado y periódicamente abrir un ojo, sólo para ver, a la luz de la entrometida luna llena, que él la observaba en silencio. Al final se le permitió, sin la interferencia de Joseph, que soñara con toda la felicidad que pudiera.

Las tres y cuarto, y las palabras «Se te espera» la despertaron en medio de la quieta y silenciosa noche. La mujer atisbó a través de las pestañas. Él dormía. Constance deseó poder confiar, obedecer, cerrar los ojos, dejar de saber lo que sabía, del mismo modo que su madre había dado siempre la impresión de que no sabía.

Abrió el cajón del cofre de nogal, pero sus cosas habían desaparecido. De acuerdo. En la habitación de Angelica la bestia la esperaba, arriba, en las sombras del techo, como una araña, hasta que sus ojos lo traicionaron, y cuando vio que ella lo reconocía, ya no se ocultó más sino que se situó cerca del rostro de Constance, desprendiendo aquel olor preñado de promesas sobre ella en el aire cargado de la habitación.

Esta noche, consciente de la derrota de la mujer a manos de

Joseph, su enemigo mostraba su naturaleza y sus urgencias sin freno. El ruido que producía era nuevo, peor que las risas, más húmedo que el aliento. No huyó al armario ni se deslizó a través de los huecos de la ventana, y cuando Constance se quedó firme en su sitio y sostuvo su espantosa mirada, su rostro adoptó todo un repertorio de máscaras. Mostraba todos los rasgos de Joseph: el ángulo de sus cejas, la pesadez de los párpados en las comisuras de sus ojos, aunque éstos ardían en tonos amarillos y rojos. El demonio flotaba sobre el suelo —deforme y húmedo, desprendiendo una misteriosa luz azul—, y de él brotaban los sólidos miembros de Joseph, sobre los que crecía un espeso vello.

Se transformó por un momento en una mariposa y después en un hombre sumamente espantoso, y, con esa forma, con unos toscos nudillos, le acarició la mejilla, le puso una mano sobre la boca con un tacto que no parecía el de la carne sino más caliente y más duro. Ella sabía que si lloraba, acabaría con la nariz tupida y le resultaría imposible respirar, pero el olor que la bestia despedía era aún más obsceno que el de antes. Ella acabaría por sofocarse, con el carnoso borde de su mano apretando cada vez más y más contra su nariz, el silbante viento de su respiración abriéndose camino a la fuerza a través de una brecha que se iba cerrando. Sentía su voz en el oído... No era una voz, era menos que eso, un flujo de aliento, una ristra de mordaces juramentos y tiernas frases: «¿Quién es mi querida niña?» Se enrolló en torno a su cintura.

La cosa se desvaneció y se transformó en Harry Delacorte, y, tal como Harry había hecho en una ocasión, la miraba de arriba abajo, con lentitud y gesto procaz. Con una sucia caricia, le apartó el cabello de la cara. Ella se esforzaba por emitir alguna clase de ruido, pero no le salía ninguno. Esa bestia que ella había conjurado la levantó y la dejó caer en la silla azul. Tras acomodar a su público, la bestia voló a su escenario. Acarició el cabello de Angelica, separó unos mechones de sus ojos, sin dejar de mirar todo el rato a Constance. Y permitió que ésta, como una mariposa clavada en su silla, oyera sus pensamientos.

Apartó la ropa de cama de Angelica. El cuerpo de la niña estaba hecho un ovillo, formando una apretada bola. Todavía dormida, la pequeña murmuró: «No me gusta que me hagan cosquillas, papá.» En respuesta, la bestia volvió a adoptar el rostro de Joseph, pero con una piel negra, como un asesino nativo que agarrara a un niño con sus manos manchadas de sangre. Bajó hasta quedar encima de Angelica, torturándola con lenta deliberación, hasta que flotó horizontalmente sobre ella dejando sólo un estrechísimo margen. Su largo cabello ondeaba tras él, y su boca se abrió. «No», gimió Constance, o le pareció que lo hacía, y el rostro de la bestia se acercó un poco más a la niña, con mirada lasciva, y lamió la mejilla de la pequeña. El diablo adoptó ahora la forma del doctor Willette, el cual, después del nacimiento de Angelica, había seguido examinando a Constance durante mucho tiempo, pese a que ésta sólo deseaba que la dejaran en paz. Hablaba de los riesgos mortales de tener incluso los más breves contactos conyugales, e insistía en un tratamiento de manipulación y relajamiento pélvicos. La bestia se convirtió en el doctor hasta el último detalle, se tiró del bigote, trataba de consolar desde demasiado cerca, y retomó su reprobador discurso, pero ahora con la pequeña.

—¿Y yo? —refunfuñó Constance—. ¿No soy de tu agrado?

En respuesta, el monstruo dejó a Angelica, se extendió sobre Constance, por delante y por detrás, las yemas de sus dedos deslizándose sobre la nuca de la mujer hasta llegar a la primera vértebra de su columna cubierta de vello.

—Venga —dijo ella, en un tono que podría resultar seductor, una vocecita de niña—. Seguramente yo soy tu verdadero amorcito.

Constance captó la imagen de su cara en el espejo, e inmediatamente se sintió como una idiota, una parodia de prostituta, una mala y vieja parodia —sobre todo— de la niña durmiente.

Sin embargo, el ser aceptó su oferta, a cambio de la niña.

Ella no podía decir cuánto tiempo duró ese feroz ataque.

No se resistió, pero deseaba morirse. Cuando supo que no iba a morir, su desesperación se disipó. Se ordenó a sí misma guardar silencio. Eso no podía ser peor que tener un hombre sobre ella. Pero lo fue. El dolor era más violento y menos localizado, y no le veía final, ninguna promesa de liberación, ninguna calidez. Más bien, el salvajismo se acentuaba, cada vez más insistente y más rápido. No le veía su fin. Sus palabras de amor, de trastocado significado, llegaban con las voces de Joseph, Harry y Pendleton, de los médicos, de los comerciantes del barrio, de sus propios hermanos, de los hombres que le hablaban en el parque pese a sus esfuerzos por rechazarlos.

El dolor se extendió por toda ella. Rompió a llorar, y la reseca lengua de la bestia recorrió su mejilla, se tragó sus lágrimas como en una ocasión le habían prometido que un amante le haría. «Se beberá tus lágrimas y te protegerá para siempre», susurró el demonio en voz baja, imitando a las niñas del Refugio que soñaban con el hombre prometido.

—Un príncipe para ti, Con —murmuró—. Aquí estoy, un príncipe para la dulce Con. Por fin.

Sus uñas le rasgaron la piel, y la mujer sangró. El monstruo deslizó sus dedos por la sangre y se los lamió.

—Tú eres nuestra chica, ¿verdad? —Tenía ahora un nuevo rostro, aunque éste era borroso, y su olor la sofocaba—. Tienes el diablo en ti, ¿verdad?

Y la irresistible idea acudió a su mente: «Vamos. Coge a Angelica en vez de a mí... Puedes tenerla.» Pero Constance no habló, y el ser demoníaco no oyó nada, y aquello no terminó hasta que, colgada en el aire, dio vueltas brutalmente, y sintió que el espectro se fundía, escapando de ella, lejos de ella, y la dejó caer al suelo. Constance se golpeó la cabeza con el travesaño de la cama. Abrió los ojos con dificultad y vio que el diablo había abandonado la habitación. La sangre le corría por el labio, y tenía un ojo hinchado, pero Angelica seguía inmóvil, hecha un ovillo, intacta.

Cogió a la durmiente niña en sus brazos, y la llevó escaleras abajo, apoyándose contra la pared cuando le temblaban las piernas. La dejó sobre el sofá del salón y cruzó hasta la cocina, abrió la puerta del cuarto de Nora, gritó entrecortadamente su nombre en la oscuridad, pero la criada no se movió. Constance se sentó en la cama de Nora y la zarandeó por los hombros. Le suplicó que le diera la dirección de Anne Montague, pidiéndole que no revelara adónde iba a su marido.

—¿Qué ha pasado? ¡Su cara, señora!

La señora de Nora, con dedos temblorosos y apresuradas promesas de devolución, tomó dinero del bolso de Nora. En el vestíbulo se vio en el espejo, pero no se limpió la sangre ni la suciedad, porque la vanidad, también, atraía al demonio. Salió a la fría lluvia y a los charcos negros que reflejaban en sus ondas la luz de las farolas.

Corrió torpemente con la niña en sus brazos, luego anduvo lentamente varias tranquilas calles más, incapaz, a esa hora de borrachos y desesperados, de encontrar un coche. En algunos momentos creía que la criatura aún la acosaba. Podía oír su voz, y sus insinuaciones resonaban aún en sus oídos, mientras sentía su lengua en el cuello. Se acercó un hombre, y ella casi se dejó caer de rodillas para suplicar su ayuda. Cuando pasaba, el olor de la bestia se esfumó en la niebla. El maligno no podía existir a la vista de los otros... Anne lo había dicho así: «Los ojos de la multitud nos protegen. El peso de unos ojos vivos es demasiado para que los muertos lo soporten.» La voz de Anne, sólo la de Anne.

No podía caminar mucho más llevando a la niña. Por dos veces pensó que la dejaría caer. Deseaba soltarla para poder escapar, y sintió vergüenza por su cobardía. La lluvia cesó. Ya no podía dar un paso más. Pero la lluvia se había dado sólo un breve descanso, y ahora la azotaba otra vez.

Un caballo negro arrastrando un cabriolé vino desde el otro extremo de la calle y se detuvo junto a ella. Constance estaba empapada, sollozando, temblorosa, incapaz de caminar, cubriendo torpemente a su hija bajo su capa. Las negras botas del encapuchado cochero golpearon el negro pavimento y un guante negro abrió la puerta. Constance sintió el frío y la humedad aún más agudamente cuando, ya a cubierto, se recostó contra la rígida y agrietada piel del asiento.

Cuando la dejaron en medio de una oscuridad y una lluvia aún más intensas, golpeó el aldabón de hierro en forma de cardo contra la puerta y gritó el nombre de Anne, pero nadie respondió. Deseaba despertar en los brazos de Anne. Le dio un débil puntapié a la puerta y gimoteó hasta que finalmente Anne, lámpara en mano, apareció, cogió a Angelica de los brazos de su madre, encabezó la marcha por el oscuro pasillo y subieron hacia arriba, hacia arriba, hasta seis tramos de escaleras, con la niña en sus incansables brazos durante todo el camino, mientras detrás de ella Constance avanzaba lentamente sobre sus doloridas piernas y llagados pies. No se oyó una palabra hasta que Angelica murmuró, una vez en la cama de Anne y bajo una gran manta de lana: «Los animales se están comiendo a la princesa. Sus fuerzas se llevan la brisa. El olor huele que apesta.» La pequeña abrió los ojos en la nueva habitación, y vio a su madre y a Anne en la penumbra. «Él quiere terminar este asunto inmediatamente», dijo y volvió a echarse.

Anne extendió el biombo de madera que separaba su cama del resto de la habitación. Le dio a beber una copa de jerez a Constance. Pese a su agotamiento, Constance no podía dejar de moverse, paseaba por toda la habitación, se dejaba caer en la silla o el sofá, sólo para levantarse de nuevo en enfebrecida agitación.

—Estoy derrotada. Para esta empresa ya no tengo fuerzas. Dígame qué debo hacer. Si me mato, ¿terminará todo? Él volverá, por más que ceda a su voluntad. Moriré. Llevo un hijo. ¿No es eso un motivo de alegría en los hogares felices? Es mi sentencia de muerte, y sin embargo esa cosa viene a buscar a Angelica. ¿No soy...? ¿No hay nada que...? ¿No puede decirme nada?

Cayó de rodillas ante su amiga, que estaba sentada, y no consiguió seguir hablando, no hacía más que toser y llorar, dejando escapar un «no» que más parecía un alarido, y Anne, con manos temblorosas, acogió la cabeza de Constance en su regazo.

—Esto tiene que terminar —Constance se atragantó al expresar su única certeza—. Esto ha de terminar.

—Sí, mi dulce amiga, sí.

—Estoy agotada. Me ha vencido. Deje que me quede aquí. Viviremos aquí, con usted, y él nunca nos encontrará.

—Yo acabaré con esto. Tranquila, querida, yo acabaré con esto. Será usted libre, y Angelica también.

Anne se inclinó y besó la coronilla de la sollozante mujer, así como sus húmedas manos y manchadas mejillas, apretó su cabeza contra su pecho, y la acunó hasta que Constance se dejó vencer por el sueño.

~ • ~

Capítulo 22

onstance se despertó mientras su amiga le limpiaba la sangre de su hinchada cara. Por encima de los tejados, un jirón de claridad veteaba el negro cielo.

—Disponemos sólo de unos minutos. Un coche nos está esperando abajo —dijo Anne.

—¿Adónde vamos? No... Usted no es... Por favor. ¿Cómo puede usted pedirme eso?

—Sabe que tiene que hacerlo. ¿Qué otra cosa propone usted? ¿Volver a ser una dependienta de papelería?

—No siga.

—Constance, escúcheme. Le prometo que esto pasará. Será usted liberada. Pero si él se despierta y descubre que usted ha huido, ¿cree que eso será el final?

—Pare usted, por favor.

—El demonio no se impresiona por la distancia que hay desde su casa a ésta. Este truco no lo disuadirá. ¿Y su marido? ¿Se imagina que él le permitirá marcharse, instalarse en cualquier otra parte?

—Por favor, no siga.

—¿Cree que le enviará el dinero para sus gastos a su nuevo alojamiento? ¿O prefiere usted presentarse cada mañana al dueño de una mercería para que éste le entregue la tarea de bordado asignada para el día y pagada a tanto la pieza?

—Anne, se lo suplico. ¿Quiere usted más dinero? Puedo conseguirlo.

Avergonzaría a su amiga si era necesario.

—¡Al cuerno con su dinero! Si la solución fuera huir, ¿no cree usted que yo ya se lo habría sugerido hace tiempo? ¿Se imagina que no estoy constantemente pensando en lo que más le conviene?

—Entonces, ¿qué remedio me queda, dígamelo, por favor, si no puedo huir con ella? ¿No hay ninguna ley que me permita conservar a la niña? ¿Yo estoy atada a él? Si es así, estoy sola.

—No lo está.

—¿Cómo puedo evitar rendirme? ¿Cómo puedo regresar a aquella época en que yo no *sabía* nada de esto?

—Cuando el diablo rasga la protección que Dios ha extendido sobre nosotros, es deber nuestro recoserla. Y coser es un trabajo de mujeres. Aunque fuera usted la única víctima, sería un pecado dejar de recoser, pero lo cierto es que no está usted sola, ¿verdad?

Constance preguntó, sin esperanza alguna de obtener una respuesta:

—¿No hay nada que pueda acabar con esto?

Pero Anne acudió en su rescate.

—Yo acabaré con esto. Esta noche. Es la última noche de luna llena. Debe usted regresar y representar su papel valientemente. Atraiga a su enemigo y mójelo con agua bendita. —Anne metió en los bolsillos de Constance unos frascos de agua bendita y otro cuchillo—. Haga que se acerque a usted, de manera que no pueda escapar—. Yo haré mi papel en otra parte, pero usted no estará sola.

Su amiga se sentó a su lado cuando el coche arrancó, atravesando la noche.

—Le juro que acabaré con esto. ¿Confía en mí?

—Sí, confío.

—¿Y desea usted que yo acabe con ello, cueste lo que cueste?

—Sí.

—Entonces yo debilitaré primero a su enemigo con mis actos, y usted se enfrentará a él en un estado muy disminuido. Y lo derrotará.

~ · ~

Capítulo 23

*H*as vuelto a agotarte. Durmiendo en una silla.

—Angelica me llamó durante la noche. Debería haber vuelto contigo arriba, lo sé.

—En efecto, deberías haberlo hecho. Pero, como tú dices, la niña te necesitaba.

—Así fue, amor mío.

—De modo que fue aquí donde la consolaste y donde te quedaste dormida...

—Sí.

—Toda la noche en esta silla azul.

—Sí.

—Aquí.

—¡Sí, sí, sí! ¿Dónde está ella?

—Está tomando su leche, con Nora. Ha tenido unos sueños muy raros. Se adaptará con el tiempo, como tú dices. Tú necesitas otro día de descanso, al menos. Daré instrucciones a Nora de que te cuide.

Ella aceptó su encarcelamiento, porque Anne había hecho su promesa. Ingirió los polvos prescritos por él y se despertó siete horas más tarde, mucho después del mediodía, no sólo descansada y contenta, sino también presa de una creciente excitación. Anne se lo había prometido. Se lavó lenta, voluptuosamente, se aplicó perfumes a su desnuda carne, se cepilló y arregló el cabello, se pintó la cara, que lucía un moratón en el ojo, se vistió con cuidado y una inusual elegancia. Anne se lo había prometido.

Bajó por las escaleras con la sensación de llegar de un largo y arduo viaje. En la casa flotaba olor a limpio. El trabajo de Anne estaba ya haciendo su efecto. Nora estaba arreglando unas flores recién cortadas sobre la consola de nogal del salón.

—Señora, me ha sobresaltado... Tiene un aspecto adorable. ¿Tenemos invitados esta noche?

—¡Mamá! —gritó Angelica, que se encontraba a los pies de Nora, su muñeca boca abajo sobre uno de los libros de Joseph, encima de una lámina de un hombre despellejado. La niña corrió hacia su madre y se envolvió en pliegues de sus faldas.

—Cariño, ¿te has portado como una damita mientras yo descansaba?

Compartieron el té con la Princesa Elisabeth y luego se acercaron al piano. «Quiero tocar las teclas de hombre, las de papá», insistió Angelica, subiéndose a la banqueta, a la izquierda de su madre. Tocaron una pieza lenta para entrenar la mano en negras y corcheas, *Cuatro doncellitas van a pasear por el bosque*. Sus cuatro manos, las mayores y las pequeñas, se movían lentamente en paralelo, la pequeña mano izquierda saltando para ocupar el espacio que acababa de dejar la mano izquierda grande. Angelica dejó de tocar para preguntar:

—¿Cuántas manos mías tienes tú?

Agarró la mano izquierda de su madre, y levantó su propia mano derecha para aplicarla contra ella, palma contra palma. Los dedos de Constance se doblaron y se situaron sobre las puntas de los dedos de Angelica.

—Quiero decir, ¿cuántas manos, cuántas de mis manos... cuántas de mis manos caben en tus manos? —Constance se rió—. En las grandes —puntualizó la niña en vano, y Constance la estrechó contra su pecho.

En aquel momento de eterna felicidad, ella vio que Joseph pasaba rápidamente ante la ventana de delante, acercándose a la puerta, en conversación con otra persona a la que no se veía. Constance envió a la niña a su habitación.

—Quiero que toquemos un poco más —protestó la pequeña. Pero obedeció, y se retiró arriba, cantando una indecisa variación de la reciente melodía con palabras compuestas por ella misma—: Dos doncellas paseando, paseando por el bosque. / Una se queda dormida, demasiado dormida, y luego estaba una, / una doncella llorando, llorando en el bosque...

El reloj, de madera de cerezo, indicaba que eran solamente las tres y media... Joseph llegaba a casa muy temprano, y ahora estaba sosteniendo la puerta a un extraño, un anciano de elegante ropa y finos modales, pero con una cara de facciones caídas, gruesas carnes que le colgaban de unos viejos y fatigados huesos.

—Constance, éste es un colega que hace mucho tiempo que deseo que conozcas.

Pero mientras Joseph hablaba, se estaba examinando su propia cara en el espejo del vestíbulo, y Constance supo, como si se le hubiera encendido una luz, que estaba mintiendo y que todo lo que iba a venir sería también mentira.

—El doctor Douglas Miles —repitió ella, con su mano extendida bajo los labios del viejo. Constance expresó su satisfacción por conocer aquel invitado infiltrado con falsas excusas, deliberadamente disfrazado con las transparentes mentiras de su marido. Se ganaría la confianza de ese nuevo conspirador. Anne había prometido que el final sería esa noche, pero sólo si Constance se mostraba audaz—. Y bienvenido, cariño, me alegra que vengas a casa tan temprano. —Besó la mejilla que Joseph bajaba hacia ella sin mirarla.

El doctor Miles ofreció una representación teatral, elogió la adorable casa de Mrs. Barton y el té y las pastas que rápidamente sacó ésta (enviando a Nora arriba, con Angelica). El doctor dio vueltas a su alrededor, observándola desde todos los ángulos, como un felino. Deseaba algo de ella, se mostraba impaciente de que Joseph hiciera alguna señal, aunque los dos hombres no se miraban ni se hablaban, y Joseph se paseaba mudo en los rincones, o tocaba, sin producir sonido, las teclas del piano.

El rostro del viejo doctor se dejó caer contra su taza de té como si el vapor que subía de ésta estuviera fundiendo sus mejillas.

—Debo felicitarla, Mrs. Barton. —Su papada no dejaba de balancearse—. Por su sentido de la decoración. Su casa es como un permanente anuncio de ese tal Peter Vicks. Conozco a algunas mujeres que admiran sus diseños.

Constance no tuvo necesidad de fingir su placer ante el comentario. Resultaba alarmante cuán exacta y fácilmente el agente de Joseph había recurrido a su orgullo. De hecho, ella, cuando se dedicó a transformar el escasamente equipado palacio de soltero de Joseph en un hogar familiar, había confiado en las Galerías de Peter Vicks y su *Revista del Hogar Inglés*.

—Joseph tenía una absoluta necesidad de un toque femenino. Al hogar del viejo soldado le faltaba —él sería el primero en reconocerlo— cierta dulzura.

Constance se volvió hacia Joseph, que estaba apoyado en la puerta, todo lo lejos de ella que la habitación le permitía.

—¿No vas a unirte a nosotros, querido? —preguntó, y su voz vaciló ante esa leve falsedad (que ella deseaba su compañía, que era un encuentro social), pero el anciano doctor pareció no darse cuenta de sus nervios, y simplemente agitó un tenedor, con el que había pinchado un pastelillo de limón, que sostenía bajo la rosada punta llena de protuberancias de su irregular nariz.

—Un excelente trabajo —dijo, y sus secos y desiguales labios formaron una desagradable, retorcida sonrisa—. Una tierna miga y un sutil sabor. —Se tocó ligeramente la boca con una servilleta—. Es usted la reina de las artes domésticas, Mrs. Barton.

Cuando se frotaba la cara o las manos, y durante un largo momento, su piel mantenía la posición en que él la había dejado, se le grababan valles y riscos en la suave y moteada carne. Cuando levantaba su taza de té, Constance descubrió, bajo el puño de la camisa, que tenía un bulto en la muñeca, una suave protuberancia de piel, tensa por el gesto, a la vez magnética y repelente a la vista.

Al parecer, Joseph había finalmente recuperado la voz.

—Constance, por favor, haz que el doctor Miles se sienta cómodo. Yo, por desgracia, he olvidado...

El resto de su mentira escapó a la atención de Constance, porque en aquellas primeras palabras ella ya había percibido la suave cadencia de la falsedad. Sabía que, desde que llegaron, él había tenido intención de dejarla a solas con el doctor Miles, y hasta ahora no había madurado una excusa. Tanto ésta como su petición (y su sonriente pesar, el beso y el amable perdón) pasaron en un instante, todo ello ejecutado bajo el vigilante ojo de Miles. Ella se fue hasta la ventana azotada por la lluvia, para observar la marcha de su marido bajo el viento y el agua.

—Qué pena, mi pobre maridito, tener que salir con este tiempo...

Dando la espalda a la habitación, examinó la imagen reflejada del médico en el cristal, donde lo descubrió examinándola a su vez.

—Tiene usted una hija, ¿verdad? Mr. Barton me habla de ella con mucho orgullo y afecto.

Así comenzó, inmediatamente, antes incluso de que ella se hubiera dado la vuelta. Constance componía sus facciones a medida que las preguntas salían como serpientes de su madriguera. ¿Es una niña bien educada? ¿Tiene la belleza de su madre, el porte de su padre? La niña, sin duda, debe ser del agrado de su madre. La madre *está* contenta, ¿no es verdad? ¿O...? ¿Queda, quizás, un poco más de bizcocho de limón? ¿Hay alguna cosa que la esté perturbando, Constance? ¿De veras? ¿La vida es así de fácil para usted? Tendrá que excusar la curiosidad de un viejo, una curiosidad de *amigo*, porque él esperaba que ella pudiera considerarlo un amigo. ¿Es así? Excelente. ¿Tenía ella, en tal caso, para el oído de este discreto amigo, alguna sincera queja que hacer, como la mayor parte de las esposas hacen bastante lícitamente? Éste es un estupendo barrio para criar a la niña. ¿Toman el aire juntas con frecuencia? ¿Y quién toca el piano? ¿Quiere usted tocar para mí?

Nada menos que esa noche, cuando la prometida conclusión de Anne se perfilaba para sólo unas horas después, este hombre había sido enviado para analizar sus sospechas y descubrir sus planes. Joseph había contratado a un espía para engañar a Constance de una manera que él ya no podía hacer de forma creíble, y averiguar qué idea tenía de lo que estaba sucediendo en la casa. Estaba siendo sondeada por otro doctor, seleccionado y discretamente pagado por su marido. Su paga, un brillante soberano, le estaría esperando al salir. Y este doctor, fingiendo bondad, investigaría y husmearía hasta que fuera capaz de informar para satisfacción de Joseph de que ella era plácida e ignorante, su torpe víctima todavía.

Constance estudió el falso rostro de su invitado y se acordó del versito de la niña sobre los conspiradores católicos contra la reina Isabel, una pizca de recuerdo le llegó como un rayo del Refugio: «Los pactos fueron hechos, los papeles se representaron. / Los malvados dejaron desolados a los buenos, pero la buena reina Bess no se asustó nunca.»

Una amante esposa respondería a todas las preguntas sin ninguna preocupación. Una amante esposa se mostraría contenta si estaba embarazada, y esperanzada en caso contrario; podría incluso ruborizarse de vez en cuando, llamar al viejo «atrevido» con un brillo en los ojos y ofrecerle más bizcocho. Esta noche todo esto llegaría a su fin. Anne lo había prometido.

—¿No quiere usted tocar alguna cosa? —insistió el doctor Miles.

Ella eligió la música más ligera que se le ocurrió, una gavota, que las viejas manos aplaudieron con entusiasmo.

—Mr. Barton me ha contado que usted vio su trabajo —dijo, antes de que acabase de resonar el acorde final—. ¿Le resultó desconcertante? La repentina visión en carne y hueso de lo que sólo ha sido conversación intelectual, bueno, puede desorientar a cualquiera.

Cuán inteligentemente lo había expresado con todos sus

ocultos significados, porque ése era precisamente el tema: la realidad en carne y hueso de un concepto intelectual.

—¿Me ve usted desorientada, doctor Miles? —bromeó ella—. El trabajo de Joseph es de vital importancia, pero no puede usted pedirme que lo explique bien. Sólo sé lo orgullosa que estoy de sus esfuerzos.

Migajas de bizcocho se adherían a las arrugadas comisuras de la boca del anciano.

—Mrs. Barton, es usted una mujer adorable y una esposa muy afortunada. Tiene usted un marido que se preocupa de su salud de una manera que muy pocos hombres hacen. —Ella se mostró de acuerdo—. ¿Tiene usted alguna preocupación, algún miedo de él?

—¡Qué pregunta más divertida! ¿Por qué habría de tener miedo de...? Bueno, sí, miedo, ya que usted lo pregunta, le seré sincera y atrevida: la triste verdad es que Joseph trabaja demasiado. Es, me *temo,* más bien demasiado solícito con el bienestar de su familia, cuando de hecho tiene muchas otras, y más importantes, preocupaciones.

Constance sintió los ojos del médico fijos en ella. No lo estaba convenciendo. Se sirvió un poco más de té.

—Quiero decir, Mrs. Barton —gracias—, quiero decir que a menudo las esposas de los hombres de ciencia, o de los hombres que van a la guerra, sienten que sus maridos son bastante más fríos que los jóvenes con los que se casaron de blanco en la iglesia.

—Oh, entonces es que no conoce usted muy bien a Mr. Barton, doctor. ¿Frío? Es *italiano* ¡Un meridional de sangre caliente!

—¡Maravilloso! —El anciano rió entre dientes con indulgencia—. ¡De sangre caliente! Hum. ¿Podría tomar un bocado más de este tierno bizcocho?

—Para un hombre de semejante apetito, yo tendría un bizcocho a punto noche y día.

Él la había enviado a la cocina con una intención, y ahora ella regresó para enfrentarse a un nuevo ataque.

—Fue usted educada en una institución benéfica, me contó Mr. Barton. Fue una dolorosa adaptación, me imagino.

—La ilimitada generosidad de mi marido —respondió ella sin dejar entrever su asombro de que Joseph hubiera revelado sus orígenes— no tiene igual.

No tenía intención de expresar ninguna queja, ya que ése era el evidente objetivo del doctor Miles: provocarla para que expresara sus quejas y luego, intoxicada con el licor de su falsa simpatía, revelara lo que sabía y su debilidad.

—El lunes, su hija empieza en el colegio. ¿La enoja eso?

—¿Enojarme? Le confieso, doctor Miles, que resulta difícil para una madre ver cómo su hija crece, la prueba diaria de que pasa el tiempo, de que se acerca el final de la tarea de mi vida. Pero ¿enojarme? Ciertamente, no. Espero que la niña aprenda tan rápidamente como su padre desea.

Aquel lascivo extraño estaba familiarizado con cada detalle de su vida: el Refugio, su visita al laboratorio, la escolarización de Angelica dentro de cuatro días. No podía negar nada, sólo podía fingir que no se había dado cuenta del verdadero significado de todo.

—Hay veces —continuó él, y se inició un tic en su párpado amarillento— en que uno está justificado para pedir un descanso. Soy totalmente consciente —al igual que su devoto marido— de que nuestras mujeres trabajan duramente para nosotros, soportando cargas emocionales que los hombres desconocemos. En un dos por tres podría arreglarse una estancia fuera de Londres, para reconfortar su espíritu a pedir de boca.

Una separación de su casa y de su hija «para descansar» sólo podría evitarse aparentando una estupidez absoluta.

—¿Qué mujer inglesa aceptaría semejante e inmerecida bondad, cuando nuestros maridos han tolerado unos sufrimientos que nosotras, las débiles mujeres, jamás hemos soportado? El trabajo de una mujer es un tributo a nuestros hombres. ¡Reclamar un descanso! Lo consideraría lamentable, si puedo hablarle claramente, como un amigo, doctor Miles.

Éste la miró por encima del borde de su taza.

—¿Puedo conocer a su hija?

No había ninguna seguridad de lo que la niña podía decir, y si él exigía hablar con la pequeña sin la presencia de su madre, se podía echar todo a perder.

—Es usted muy amable de pedirlo. Será un honor mostrarle la conversación que tiene, señor. —Se levantó para subir a la habitación de la niña. Allí, Nora estaba sentada en la silla azul, un periódico coronaba su cabeza y Angelica fingía estar atada de pies y manos a un poste de la cama—. Vamos, ángel mío. Nora, baja para darle su baño dentro de dos minutos, ni un segundo más tarde.

Abajo, Angelica hizo una reverencia y dijo que estaba encantada de conocer al doctor Miles. La mirada de éste sobre la niña era singularmente desconcertante por su intensidad. Una contradicción, o una revelación, y el futuro de Constance sería de lo más negro.

—Angelica Barton —dijo él—. Angelica Barton. Miss Barton, es usted el perfecto duplicado de su preciosa madre.

—Gracias, señor. Mamá es muy preciosa.

—Lo es, desde luego. Pienso —continuó el médico, e, inclinándose a su izquierda, buscó con sus arrugados dedos en el bolsillo derecho de su chaleco—. Aquí lo tengo. Una sabrosa regaliz —levantó la palma de la mano mostrándole el dulce a Angelica— para la niña que pueda decirme —sus ojos se desviaron ligeramente hacia el dulce, cuyo aroma alcanzaba la nariz de la pequeña— cómo se pudo producir en tu habitación ese —Angelica se mordió el labio— fuego.

Todo. Lo sabía todo, y con esa última palabra se lo quitaría todo —la niña, su limitada libertad— y la mandaría a ella a *descansar*. Miró a Angelica, de cuyo buen juicio todo dependía ahora.

—Cuando se provoca un accidente, se ha de confesar enseguida. —Y alargó la mano hacia la abierta y reseca palma que sostenía el dulce, y el doctor Miles empezó a reír—. Mamá tropezó con mi muñeca, y yo lo siento de veras, señor.

—¡Una niña juiciosa! Y usted, Mrs. Barton —se volvió hacia ella—, es usted una anfitriona deliciosa. Y ya le he robado demasiado tiempo.

—He disfrutado mucho de nuestra conversación, doctor. Pero no logro imaginar qué está reteniendo a Joseph. Se sentirá terriblemente decepcionado.

—No importa. Dígale, si le parece, que hablaré con él otro día. Dígale que yo dije que la bondad le recompensará. Y, si se me permite la osadía, ¿puedo decirle a usted, Mrs. Barton, que su marido, de forma comprensible, la valora a usted tanto que quizás es culpable de sentir una preocupación innecesaria por usted? Ése no es un crimen espantoso, ¿verdad Mrs. Barton? Espero que se lo perdone usted.

—Es usted un excelente amigo para ambos, doctor Miles.

Lo saludó con la mano cuando el médico subía al carruaje que estaba aguardando, y se unía a los dos hombres que se encontraban sentados en su interior y que aparentemente habían estado esperándolo durante toda aquella absurda entrevista.

«Perdone.» Ella cerró la puerta. La promesa de Anne Montague libraba una batalla con la petición de ese doctor Miles: «Cierre los ojos, Mrs Barton, cierre los ojos, no hay nada que deba alarmarla aquí. Sólo un marido demasiado solícito con usted. Perdónelo.»

Capítulo 24

Las idas y venidas de Joseph en los últimos días se habían vuelto tan oscuras que resultaban siniestras. Esa noche ni siquiera se molestó en tratar de explicar su ausencia. No se presentó para la cena, ni cuando Angelica se fue a la cama, ni cuando Nora bajó el gas y se retiró, dejando a la prisionera sin guardiana. Constance se quedó sola en el oscuro salón. Joseph no apareció. La noche avanzaba. Anne había hecho una promesa para la última luna llena, y ésta había llegado. Anne había prometido que sería el final del ser malvado, que el enemigo, debilitado, estaría listo para recibir el golpe mortal. Esta noche Constance estaría preparada. Anne lo había prometido.

A las tres y cuarto allí estaba la madre de Angelica, preciosa e inmóvil, bajo la luz de la luna llena, en el salón. Y él no había regresado. Constance no tenía la menor duda de que la manifestación aparecería pese a la ausencia de Joseph. Quizás él se mantendría apartado para que *ella* pudiera *rescatarlo,* como él la había rescatado a ella, y él regresaría sólo cuando ella hubiera acabado con esto, cuando hubiera alejado sus tormentos.

Constance subió por las escaleras graciosamente. Veía aproximarse los acontecimientos. Empezaban incluso a desarrollarse según sus necesidades. Ella necesitaba sólo obrar con tranquilidad, concentrándose en su profundo conocimiento, no influido por el pensamiento masculino, porque detenerse a pensar sería arriesgarse a que se rompiera el hielo bajo sus pies. Consciente de todo, no tenía miedo. Incluso sintió —por un lapso tan breve como un acorde que flotara del piano— la ausencia tan breve, el vacío que el miedo había dejado al marcharse, un distinto y definido frescor, como cuando el alcohol se evapora de la piel.

Desde fuera de la habitación de Angelica, Constance sabía, podía casi verlo, dónde estaría él esperando, descendiendo para hacer presa en la carne de su hija. Entró, lo miró a los ojos, y sin una palabra lo invitó a que se fuera. Cuán simple fue crear una apariencia para aquello —más exactamente para él— y mirarlo con aquella expresión de deseo que ella sabía que el ser anhelaba. Constance contempló sus cambiantes formas y rostros, sus débiles amenazas, como si fuera un niño esforzándose por impresionarla, del mismo modo que Angelica alentaba a aquel marinerito que hacía cabriolas en el parque. Ella sonrió como las mujeres de Finnery Square sonreían a los hombres que las abrazaban en la oscuridad del coche de punto. Constance encontraba entretenido ese juego, porque ella podía cambiar de aspecto tan fácilmente como él, podía modificar su forma y su rostro, como si estuviera girando un caleidoscopio para él, demasiado rápido para su aturdido adversario. Parecía ceder sólo cuando le convenía, en tanto que todo el tiempo, por debajo, seguía siendo ella misma.

Sabía que el ser dejaría a Angelica intacta en su cama, sabía que ella era más atractiva que la tierna niña. Y, sin darse la vuelta para confirmarlo, subió por la escalera hacia su habitación. Notó por el olor que el ser la seguía.

Se desnudó para él. Se echó en la cama para él. El ser era ridículo. Graznaba palabras en una grotesca imitación de seducción. Ella se reía de él, pero modulaba su risa, de manera que su verdadero significado sólo lo conocía ella. ¿Eso era todo lo que la bestia requería? ¿Por eso había temblado tanto? El ser era sólo una molestia doméstica que podía solucionarse en el momento que conviniera. Ningún gato tiembla ante los ratones.

Ella se había pasado buena parte de su vida presa de un miedo injustificado. Una madre manejaba estas cuestiones sin armar escándalo.

Él se acercó ante la invitación de la mujer, se cernió sobre ella irradiando su luz azul. Ella se llevó las manos detrás de la cabeza, bajo la almohada, hacia lo que tenía preparado. El ser decidió mostrar ternura para obtener su recompensa.

La simultaneidad de lo que iba a ocurrir era lo que más la agradaba. Ella lo había previsto mientras dormía aquella tarde. Sería bello. Sería de igual a igual. Se penetraron mutuamente en el mismo instante. Ella encontró su congelada máscara casi patética, cuando él —la cosa— comprendió lo que ella había hecho, el cuchillo mojado de agua bendita penetrando en él cuando él entraba en ella. La criatura perdió su facultad de cambiar de forma, y ella examinó sus paralizados rasgos con un interés ligeramente científico, pero como una mujer, ni fría ni distante, sino sólo compasiva con el dolor del sujeto. Con su mano libre tocó la luz de aquella mejilla que se desvanecía mientras él profería sonidos que ella reconoció, aunque ahora tenían otro significado.

Ella esperó y observó. A la luz de la redonda luna, su muñeca era tan negra como las de los asesinos nativos. No se trataba de que ella estuviera observando desde lejos o que viera su propio cuerpo como si estuviera flotando encima de él... No, ése es el lenguaje de los sueños o el de las novelas que tenía en su mesita de noche. Más bien, se observaba a sí misma desde el pasado, y desde el futuro. Era su propia madre muchos años atrás, y era su hija en algún lejano futuro. Era Esther Douglas comportándose finalmente como debía haberse comportado: era su propia Angelica enterándose por fin de todo lo que Constance había hecho por ella.

Desvaneciéndose, el ser recurría ahora a todo su repertorio de máscaras, una cara tras otra de dolorida expresión: Joseph, el doctor Willette, el doctor Douglas Miles, el doctor Harry Delacorte, Pendleton, Giles Douglas. Ella sostenía su mano derecha con firmeza, hundiendo la navaja una y otra vez, dentro y fuera de él, con un suave ritmo, hasta que él —ello— se disolvió en volutas de humo, parpadeantes luces, jirones de bruma que ardían sin llama.

En cualquier momento regresaría Joseph, su amor, calmado, más viejo, liberado de urgencias y de aquel violento fuego, recuperado como el marido y el padre que ellas anhelaban.

Se durmió profundamente, y no tuvo sueños.

~·~

Segunda parte

Anne Montague

~ · ~

Capítulo 1

No consigo imaginar que Anne Montague pudiera haber sido alguna vez una belleza, en ningún sentido. Había actuado en el escenario, cierto, pero nunca en papeles que exigieran ser agraciada: la confidente, la mujer desdeñada, la hermana menos favorecida... No sobrevive ninguna prueba gráfica de su juventud, o al menos ninguna que ella me haya mostrado nunca, pero en alguna ocasión debió de haber, en alguna parte, dibujos, al menos, si no cuadros o una fotografía, encargada por *algún* admirador, algún hombre de escasos recursos, supongo, que no pudiera permitirse mantener a una actriz y, por tanto, en vez de ello, tras una rápida y franca negociación a la salida del escenario, armado con pequeños *bouquets* y mesas en restaurantes del montón, consiguiera a Anne Montague, de aspecto caballuno, vulgar, una imposible sirena de no se sabe qué aguas, pero, con todo, una actriz. Estaba, pues, manteniendo a una actriz, y por tanto él podía presumir ante un chuletón. «Me llevará a la ruina, seguro, pero vale cada penique que me gasto», e inclinaría la cabeza y brindaría a la salud del picarón que estaba hecho.

Anne era un sabor especial, de los que se aprecian con el tiempo, y tenía que tratarse de un caballero realmente poco corriente para que quedara tan prendado de ella que Anne incluso se despertó durante algunos días, quizás fueran semanas, en un piso, rodeada de moderados lujos. Fueron pocos y breves esos interludios fuera de las tablas, porque el espíritu que acosaba a tan selectos hombres era débil y fácilmente exorcizable (por la propia Anne, sin darse cuenta).

Pero, finalmente, su carrera en las tablas llegó a su proyectada y feliz conclusión. El acaudalado James Montague pidió su mano, y, con ésta en la suya, la sacó de los escenarios. Anne se mostró excesivamente orgullosa en su despedida, ofendiendo a muchos que un año después recordarían su desaire y gustosamente le negarían papeles o incluso su ayuda. Ese mismo año, más tarde, frustrada su carrera en la escena, su manirroto (y nada acaudalado) marido se murió, y al verse rodeada de turbias aguas financieras, procuró salir a flote utilizando las habilidades que había adquirido en su anterior profesión.

Su subsiguiente historial de éxitos como espiritista, como ocurría con todos aquellos compasivos oyentes que atendían a invisibles problemas y quejas, escapaba a toda cuantificación objetiva. Ciertamente ella tuvo inequívocos triunfos, donde claras visiones espectrales eran despachadas solamente por su intercesión y sus métodos (raíces, símbolos sagrados, conjuros de expulsión, etcétera). Y también ocurría a la inversa, muchas damas deseaban saber de aquellos a los que habían perdido. De hecho, Anne apenas conocía a una mujer que no lo deseara, especialmente aquellas cuyo matrimonio había naufragado, particularmente si éste había requerido sacar a una muchacha de un pueblo o una familia irlandesa para llevarla a un nuevo hogar en el lejano Londres. ¿Quién no deseaba entrar en contacto con un padre, un hermano, un hijo, un amigo o un animal muertos? Y de este modo, ella invocaba al añorado ausente, hacía salir su rostro de dentro de un espejo y entre nubes de humo. Prestaba su boca a sus voces, su mano derecha tomaba su dictado y sus supervivientes lloraban y pagaban con satisfacción.

Había también fracasos, de nada sirve negarlo. A veces se mostraba torpe y la echaban de unos hogares donde su trabajo no era apreciado. Y era perseguida —una vez, quizás dos, no estoy segura— por enfurecidos maridos que habrían reclamado el dinero entregado para sus gastos a sus esposas, y desembolsado a esa «bruja», «charlatana», «ladrona», actriz. ¿Cómo podía haber sabido Mrs. Montague que una dama recibía tan poca asignación que tenía que pagarle sus honorarios con dinero birlado del bolsillo de su dormido marido, echando la culpa de ese dinero desaparecido (cuando era brutalmente interrogada) a *su* descuido (el del marido), o al estafador mozo que le traía el hielo, o a sus hijos, de largos dedos, y, finalmente, a Anne Montague?

Ella aprendió que los maridos eran capaces de engañarse a sí mismos, ignorando los pequeños detalles, negando fantasmas que ellos sin duda habían visto, describiendo un mundo que encajara más con su filosofía, en vez de rectificar ésta prefiriendo tratar cualquier prueba como supersticiones «de viejas», una expresión de la que Mrs. Montague, viuda y sin hijos, llegó a sentirse terriblemente cansada en todos los años en que sirvió a sus clientas. Ella, por tanto, siempre procuraba que sus damas no compartieran sus investigaciones con los caballeros, a menos que éstos estuvieran muy interesados en el espiritismo. De lo contrario, negociar con maridos enfurecidos provocaba demasiadas tensiones sobre la vital obra que Anne y las esposas estaban emprendiendo.

Ella admitía, también, en algunos trágicos casos, cuando estaba aprendiendo los entresijos de su segunda profesión, que su ciencia simplemente fallaba contra el poder superior de unas fuerzas oscuras. La vieja que llevaba viviendo durante demasiado tiempo sola bajo los aleros de una antigua mansión en Wallis Road, por ejemplo, se ahorcó, pero no antes de haber escrito una larga, muy larga carta. Ésta no fue leída enseguida, porque, como la mujer no tenía a nadie que la llamara o notara su ausencia, había estado colgando de la viga del techo durante gran parte del frío invierno antes de que un cambio de tiempo provocara quejas por las filtraciones en el techo de abajo, lo cual fue la causa de que tuvieran que entrar por la fuerza en el piso. La carta, dejada a sus pies para que fuera encontrada fácilmente, se había vuelto ilegible en muchos lugares por la natural efusión de vida que tantas molestias había causado a sus vecinos de abajo. Lo que podía leerse, no obstante, eran unas amargas quejas por los fracasos de Anne Montague... como amiga, como protectora, como... ilegible. La fallecida escribía también con el mismo tono crítico sobre los burlones niños del barrio, sobre la conspiración de perros y gatos, sobre las hadas y los duendecillos, y sobre las arañas de largos dientes de sus paredes y oídos. A todos éstos, ella los acusaba más que a Anne Montague por darle «una vida que nadie podía soportar, como Dios puede dar testimonio». Pero lanzaba maldiciones contra la cabeza de Anne, porque Anne no «los había devuelto al otro mundo como había prometido, y por lo que le había pagado». Los demonios parecían estarla acosando incluso mientras escribía aquella carta: «No, no os haréis con mi pluma, diablos. Contaré la verdad antes de que acabéis conmigo. Marchaos, hediondos bichos. ¡Fuera de mí!»

Al igual que todos aquellos que hablan a profesionales de trastornos emocionales o de ansiedad relacionados con acontecimientos que aún han de ocurrir o que sucedieron hace mucho, los clientes de Anne, o bien no le contaban la verdad, o sea, relataban unas falsedades contadas ingenuamente, o le decían mentiras a sabiendas. Ella prescribía el tratamiento en consecuencia, aunque era bastante difícil establecer cuál era el problema que tenía entre manos. Y si a veces sus damas veían cosas que ella no podía ver, Anne era lo bastante amplia de miras para admitir que ella podía haber estado ciega y ellas acertadas.

Generalmente, o quizás sólo con cierta frecuencia, sus clientas contaban la oculta y llana verdad, del mismo modo que un hombre que se queja de que lo siguen quizás no sea un «paranoico», señor, sino sólo un perseguido, y el saber de Anne se enriquecía con la experiencia. Dirigía sesiones y exorcismos, despachaba a los muertos inoportunos o enseñaba a los vivos a coexistir con ellos cuando era necesario.

Pero ella no habría sido capaz de sobrevivir (por no decir *prosperar*, porque nunca prosperó hasta que conoció a Constance Barton), no podría haber sobrevivido solamente liberando hogares de trastornos sobrenaturales o invocando, para establecer conversación, a locuaces difuntos.

Por ejemplo, a veces la gente deseaba intensamente ver fantasmas, pero los fantasmas no aparecían cuando se les pedía. En una situación así, era sin duda mejor proporcionar a los desconsolados la simulación y el arte escénico que colmara sus necesidades, que negarles esa sencilla consideración, sólo porque los huraños residentes del más allá no aceptaban ser molestados para satisfacer los deseos de aquellos que habían dejado atrás.

Y, en algunos casos, muchos, Anne descubrió que podía triunfar simplemente escuchando con atención a los vivos, a la esposa que finalmente hablaba con libertad a Mrs. Montague de su soledad, de su desagrado por los modales de su marido, o de su dolor por los hijos perdidos en la guerra o por el trabajo en la fábrica. Al cabo de algunas de estas sinceras charlas ante una taza de té, el aire de la casa dejaba de calentarse y enfriarse sucesivamente, el agua fluía sin que se oyeran gemidos ni saliera sangre por el grifo, los platos ya no saltaban de las manos para estrellarse contra las paredes, las camas dejaban de intimidar con sus temblores, y Mrs. Montague recibía efusivos agradecimientos, su pequeño, discreto pago e invitaciones a presentarse de visita de vez en cuando, como una apreciada amiga.

Ella explicaba a cierto tipo de clienta preocupada —jóvenes, solitarias, madres y novias que deseaban ardientemente la tranquilidad en el tercer o cuarto amargo año de matrimonio— la naturaleza del mundo, enseñándoles cómo adaptarse a unas condiciones a las que no podían escapar. Les enseñaba, a partir de su propia experiencia, cómo podrían manejar más cómodamente sus problemas, las exigencias de sus maridos, su soledad. Si esta conversación transcurría como una charla sobre cómo hacer frente a unos fantasmas, entonces que fuera así. Puedo ver su sonrisa desde mi escritorio. No, eso no quiere decir que los fantasmas no existieran. Significaba sencillamente que no eran el único problema con que podría enfrentarse una joven cuando compartía cotidianamente la intimidad con un hombre, envilecido por sus apetitos y corrompido por su nueva posición como desenfrenado tirano.

Las condenadas a semejante clase de vida a menudo preferían acusar a los muertos de su sufrimiento —porque ¿quién defendería a esos acusados?— y más valía que fuera así, porque Anne aprendió muy pronto que el auténtico conocimiento no siempre era saludable. Una curación demasiado completa podía provocar tanto dolor como el que había causado la queja original. ¿De qué podía servir abrir los ojos a una dama atormentada si ésta no era capaz de manejar la incontrolable situación que entonces descubría? ¿Había traído Anne a esa paciente alguna clase de beneficio? Al comienzo de su segunda carrera ella conseguía que los horrores de una pobre mujer descendieran de lo espiritual a lo humano... Ningún fantasma era el causante de aquellas magulladuras, admitía finalmente la muchacha. Pero las contusiones no cesaban. A los médicos de su calaña les encantaría «curar» a tantos como curaba Anne, pero ¿con qué fin? No había ningún lugar a donde una mujer curada pudiera dirigirse para su posterior asistencia. En aquellos casos en que los fantasmas le hacían el favor de ponerle un ojo morado a una dama y le aflojaban los dientes, Anne a veces recomendaba una charla con un compasivo hermano, o un policía de confianza, o un párroco liberal, pero entonces raras veces le pagaban sus servicios.

Exceptuando aquellas ocasiones en que ella dirigía sesiones y requería de manos adicionales para cuidar los detalles de la reunión que ella no podía atender, pues estaba sirviendo como exaltada y gimiente médium, Anne Montague no utilizaba ayudantes. No obstante, cultivaba a las doncellas de las señoras, criadas, mozos e incluso a algunos criados, ofreciéndoles generosas comisiones, interrogándolos astuta y sutilmente, sin olvidarse de preguntarles por sus propios hijos, cuyos nombres nunca olvidaba tras haberlos oído una sola vez, antes de sonsacarlos sobre si los hogares de sus señores estaban limpios de fantasmas. Pese a todo este esfuerzo, sin embargo, la información que la llevaba a trabajar en beneficio de unos clientes opulentos era escasa, y ella raras veces entraba en una casa que le produjera gran impresión. El dinero era una presa huidiza, más huidiza que los fantasmas.

~ · ~

Capítulo 2

*L*a puerta crujió abajo, a última hora de la noche. Hubo unos fragmentos de conversación, dichos en un tono agudo. Siguieron unos pesados pasos en la escalera, unos golpes desaprobadores contra la puerta de Anne y el exagerado resoplido de una nariz, todo ello concebido para poner de manifiesto que la habían despertado.

—¡Mrs. Montague! —gimoteó Mrs. Crellagh—. Ésta no es una hora adecuada para visitas, y usted lo sabe bien.

La patrona de Anne, sin duda, se quejaría de la molestia nuevamente por la mañana, y de una manera más ácida.

Mientras tanto, la visita de Anne, que por una vez no era quien abría la puerta, no tenía el más mínimo interés en imitar las cortesías de la casa donde trabajaba, por lo que se abrió camino apartando no sólo a la encorvada patrona («Mándela abajo a dormir, ¿vale? Yo he subido los seis tramos sola, no es que ella me haya subido») sino también a la propia Anne. Ésta se vio obligada a excusarse, ya que estaba a merced de la diabólica Crellagh: las habitaciones que le tenía alquiladas eran muy baratas.

—Nunca más, Mrs. Montague. Es la última vez, créame.

Su invitada estaba ya junto al fuego.

—Annie, ¿recuerda usted sus tratos con Michael Callaghan? Porque tengo un buen asunto para usted, si sigue pagando por fantasmas.

Se había quitado el chal, y estaba sentándose en el sofá de Anne, desabrochándose las botas, todo antes de que Anne hubiera recordado que era una criada procedente del mismo pueblo irlandés que el de el tal Callaghan, un mozo que en una ocasión le había procurado un trabajillo para exorcizar el fantasma de un caballo muerto en un tenebroso establo.

—Alguna cosilla para beber no estaría mal, Anne, querida.

Anne pensó que el nombre de la muchacha podía ser Moira o Brenda. Pero no, Brenda era aquella desgraciada institutriz que había sido despedida cuando fue descubierta ahogando a una de sus pupilas en un ataque de resentimiento. ¿Moira? ¿Charlotte? ¿Alice?

Al terminar su segundo jerez, con los sabañones de sus pies humeando ante el fuego, la muchacha se mostró de acuerdo con una versión ligeramente mejorada de las condiciones usuales de Anne (una moneda ahora y un porcentaje de los honorarios de Anne más tarde, si se llegaba a un arreglo con la sufriente señora). Describió a la víctima como alguien que disponía de mucho dinero para sus gastos y que era muy generosa con él.

—Me dio demasiado para el coche, y he pasado una buena tarde, la verdad. Envió fuera a su querida Nora temprano, y por tanto, naturalmente, me he tomado bastante tiempo libre antes de venir a verla a usted, de manera que mañana tendrá que decir usted que estaba fuera cuando llegué, y tuve que esperar. ¿Está claro? Aún me queda la noche por delante, así que ¿la recojo a las siete, mañana por la mañana?

La doncella, como casi todo el personal doméstico, y las irlandesas en particular, sentía un inconmensurable y risueño orgullo de saber todo lo que había que saber sobre su señora, viendo más cosas de las que su señora quería que viera, comprendiendo la manera de funcionar de la señora mejor que ella misma, llevando a la señora, como si nada, hacia donde quería cuando le convenía. Aunque estos informes solían ser fiables, se decían verdades y mentiras con el mismo tono, y el monólogo necesitaba ser filtrado de sórdidas bravatas, envidia, falta de matices, o falsos cumplidos manipuladores, así como de un excesivo orgullo por las confidencias de la dama a su doncella. Anne sentía compasión por Nora, que obtenía un gran placer de su implacable descripción, de decir lo que le venía en gana contra la dueña de su existencia diaria. Porque incluso allí (a distancia, aflojada por el jerez y hablando por dinero) la irlandesa era víctima de los mismos inextirpables reflejos de la cautela diaria: miraba a su alrededor cuando hablaba, como si su señora pudiera estar allí, o acurrucada junto a la chimenea, como si todos los hogares de Londres estuvieran interconectados para espiar a los criados. Al menos Anne nunca había caído tan bajo como una criada. Fuera cual fuese el salario, los sirvientes desarrollaban una turbia alma de esclavo.

Por costumbre, la señora lloraba a mares, incluso los días buenos, pero aquella pasada noche había sido peor. Era la hora de los niños, la hora en que Nora estaba ocupada en la cocina.

—Yo no trataba de escaquearme, la verdad, tal como lo digo, la señora tenía pensado estar con la niña.

Pero anoche la señora se había escondido. Nora tropezó con ella en un oscuro rincón, sin fuego, ni gas, ni lámpara, sentada en las sombras, dando alaridos. Hablaba de un horror, de que había un ser malvado en la casa, fantasmas que merodeaban arriba, por la noche. La irlandesa no había visto nada así, pero, mirándolo bien, tampoco estaba nunca arriba por la noche, de modo que no podía decirlo. Sin embargo, comentó:

—La señora tiene historias de fantasmas en su mesilla de noche, montones. Creo que está viendo cosas que probablemente... Bueno, eso es asunto de usted.

La dama en cuestión llevaba seis años casada con un hombre frío y duro, unos quince o veinte años mayor que ella. Nora había entrado en la casa inmediatamente después del viaje de novios, y no tenían ningún otro sirviente, aunque, en opinión de Nora, tenían recursos para ello. El señor era un doctor de algún tipo, pero no tenía consulta en la casa. El señor era sumamente generoso con el dinero, y la señora era generosa también, y de la buena especie; de hecho, siempre estaba dando dinero a los mozos de reparto, y a Nora también, por Navidad y por el aniversario de la fecha en que entró a su servicio; le concedían un día al mes para ella, y nunca se le ocurría a la señora desdecirse de eso, y le había regalado vestidos; no es que ella pudiera llevarlos, desde luego, era más alta que la señora, «Mayor que ella, como lo es usted conmigo, Annie», pero las telas eran buenas. La mujer podía excederse, a veces, en su generosidad, y Nora había oído que el señor la reprendía por gastar tanto.

—¿Y cómo se toma ella esas reprimendas?

Mansa como un cordero, nunca le respondía, pero la verdad es que tampoco cambiaba su comportamiento, al menos no durante mucho tiempo. Le gustaba gastar en sí misma y en su niñita, y si le sobraba algo lo daba en limosnas. Él era muy frío y duro, ahora que lo mencionaban.

—No me gustaría acudir a él con historias de fantasmas, que si la oscuridad me da miedo, etc. No serviría de nada.

No decía muchas cosas a la niñita, o a Nora, o en presencia de Nora. Era un tipo de lentos movimientos, hasta cierto punto como una tortuga. Grandes, caídas cejas, ojos semicerrados, jamás una sonrisa, de piernas arqueadas y achaparrado. «Nunca habría conquistado a una dama así, una verdadera belleza, de no ser por su dinero, y...» Nora sabía por otras doncellas del barrio que él la había elevado de posición social. Se casó con ella por amor, un amor de cuento de hadas; «Pero mi señora no es más que usted o yo» (una igualación que hizo sonreír débilmente a Anne). Era un ratoncito de campo y no quería que nadie lo supiera, de manera que siempre hablaba con mucha prosopopeya: «No permitiré que me hables en ese tono. No pienso darle otra oportunidad», y cosas así. Era una trepa, eso se veía en cuanto estabas al corriente. Se delataba de continuo, pero era tan mala como snob que haciendo de duquesa. Nora la había visto gritar a la niña de los recados de su modista de una forma que apenas se podía creer, «Ladronzuela, puerca ladrona», pero eso nunca duraba. Tan pronto como la niña aceptaba ir a la tienda a cambiar el vestido sin cobrar, la señora volvía a ser la misma, con su niña al piano, o salía a regalar comida a un extraño o a una dama que una vez había sido amable con ella.

—¿Nunca se pone cariñosa con su marido?

—Le cambio la ropa de cama cada tres días, pero no puedo decir que haya motivo. La deja tranquila, ¿quién se sorprendería? Al cabo de tantos años, ella sigue siendo una dependienta, no está a la altura de su conversación, no puede entretenerse con nadie porque los desconocidos la ponen nerviosa, eso está claro, difícilmente él la puede sacar a la calle porque no le gusta dejar a su hija, o cree que las personas se burlan de ella.

—¿La pega?

—Debería —cacareó Nora—. Dios, su excelente jerez me está sentando la mar de bien. Mire, ella nunca habla a los tenderos como a sus chicas. Siempre es atrevida con los hombres, y cuando ellos le dan conversación, de vez en cuando, ella habla con los caballeros de una manera que una chica se merecería una buena lección en mi país, siempre está riendo y venga caídas de ojos, incluso a los colegas de su marido. Pero éste no se da cuenta.

Probablemente se trataba de un trabajo poco importante, pero quizás no. En todo caso, Anne tenía intención de fijar exactamente lo que la señora podía pagar antes de encontrarse con ella, y los conocimientos de Nora al respecto bien valían su comisión, ya que la doncella podía contarle a Anne con detalle todo lo referente a la dieta, limpieza y economía de la familia. ¿Cuánto vino se consume en la casa? ¿Vino bueno? ¿Tienen caballos? ¿Cómo conservan su ropa blanca y ropa interior? ¿Cuán a menudo se bañan? ¿Reemplazan las cosas cuando se las ve usadas? ¿Quién hace la costura? ¿Tú o ella? ¿Usa agua de lavanda o perfumes franceses?

—¿Y de qué le sirve todo eso a usted? Si ella tiene espírituss malignos, usted moverá su perejil por todas partes, y eso será todo, ¿no?

—¿A cuánto asciende exactamente su dinero para gastos?

—No es mucho. No es como el de algunas damas. Mary Kennedy ha sido doncella de una dama desde hace diez años, y dice que, sólo para sus vestidos, nada más, comprende usted, la señora recibe de su señor...

Nora escondía las lagunas de sus conocimientos con un exceso de detalles, y Anne no tenía otra elección que escuchar hasta que la irlandesa parara para respirar o para tomar un trago. ¿Era aquél un hogar temeroso de Dios? El señor no creía en nada de eso. Es médico, ¿sabe usted? Todo eran cuentos de viejas para él, y la señora bajaba la cabeza cuando él empezaba con esas historias.

—¿Te ha mirado el marido alguna vez con intención? ¿Te ha insinuado algo de esa naturaleza?

—Pero, ¡qué dice!

—Bueno, Nora, tú eres una jovencita atractiva.

—Ahora es usted la que está viendo espíritus.

—¿Lo ha hecho? ¿Te ha mirado así alguna vez? ¿De esa manera?

—¡Ja! No debería asustar a una chica así. No, no me mira en absoluto. Probablemente ni siquiera sabe mi nombre. Pienso que me gustaría más si me mirara como usted acaba de hacer. No, tiene unos ojos fríos como los de un pez.

El hombre había sido soldado, y Nora había oído esto y aquello, desde luego. Un tipo que Nora conocía de su país había estado con él allí, con Mr. Barton, en la guerra, y ganó medallas, honores, «pero nunca lo menciona. Las guarda en el fondo de un cajón, el cajón del medio de su escritorio, en la pequeña habitación que hay al lado del salón. Las he visto allí, cierto. Pero mi amigo dice que Joseph Barton era un tipo asqueroso, un bruto diablo, de negro corazón, que hizo muchas cosas allí».

—¿Qué significa eso?

—No podría decirlo, ¿sabe? ¿Té, es todo lo que usted tiene ahora para beber? ¿Dónde está ese estupendo jerez español con que empezamos nuestra charla?

~ · ~

Capítulo 3

*N*ora regresó a la mañana siguiente contando historias de la noche que le había escamoteado a su señora y, hablando sin parar, condujo lentamente a Anne hasta un ómnibus, el cual dejó claro que debía pagar Anne, y luego a otro y después a un tercero. Finalmente se instalaron en una placita frente a Hixton Street, una al lado de otra, en un banco parcialmente tapado por unos setos, desde donde podían observar una elegante y estrecha casa de tres plantas de ladrillo pintado, con un hermoso jardín rodeado por una valla de hierro negro recientemente limpiado. Postigos y ventanas estaban abiertos a la luz del día.

—Allí. Ése es él —dijo Nora, ocultándose.

Anne, deseosa de examinar de incógnito al marido, cruzó la calle para ver lo que pudiera del sujeto, su modo de andar, cómo movía los ojos, la reveladora primera impresión. Había algo desagradable, concretamente en su boca y los ojos de pesados párpados. Así como en el movimiento de sus rígidos miembros. Sus piernas eran gruesas; más que piernas, eran unas columnas o troncos. Era de pesada complexión y bajo (mucho más que Anne), y se inclinaba ligeramente hacia delante, como si estuviera buscando comida o pelea. Anne vio en él como una violencia a punto de estallar, y su corpachón debía ir parejo con cierta lentitud mental, quizás incluso debilidad. Seguramente era un caballero educado, un médico, pero anodino, sin chispa. Era el tipo que te mira de reojo, como si quisiera penetrar con su mirada, pero en realidad está disimulando su incapacidad para ver.

La esposa, sin embargo, era de un mundo diferente. Muy turbada, como siempre estaban las clientas de Anne, se mostró adorable. Agraciada y elegantemente vestida, llevaba su lacio cabello castaño suelto sobre los hombros, enmarcando una fina cara ovalada con apenas una arruga o un defecto que marcara su suave y pálido cutis. Unos ojos azul marino hundidos y tímidos bajo unas largas pestañas, unas mejillas ideales para un escultor... Anne casi podía ver la forma del cráneo bajo la hermosa piel. Su inteligencia y voluntad debían de haber quedado enterradas bajo sus penas, pero no escapaban a los penetrantes sentidos de Anne. La dama se movía con gracia, aunque, de forma nada sorprendente, aparecía como sumida en tristeza, y como en un sopor; pero debajo, la alegría y la vivacidad infantil se esforzaban por emerger a través de su dolor, como una atenuada iluminación desde el interior. A Anne le recordaba las heroínas de Shakespeare: no la hábil Porcia, ni la traviesa Viola, sino una de las heroínas más sencillas, Julieta, quizás, o Cordelia. Unas finas cejas, y la pequeña boca que se transformaba débilmente en una levísima sonrisa trágica, sin conciencia de la tragedia que se avecinaba. Sí, sería toda una actriz el día que quisiera serlo. De haber sabido hablar adecuadamente, hubiera sido una estupenda Eugénie y haberlos hecho llorar, incluso en una *matinée*, con cada uno de sus jadeos en busca de aire, allá abajo, en el calabozo de Dumont. La bondad y la generosidad eran evidentemente piedras angulares de su carácter; pero también era obvio que la mujer estaba en peligro. Aquel bárbaro individuo que acababa de pasar junto a Anne estaba exprimiendo con demasiada fuerza su belleza con sus garras, y ella se estaba apagando.

Constance Barton vio a Anne más como una niña que como una mujer en aquellos primeros minutos. Se esforzaba por estar a la altura de su papel de anfitriona en tanto que bailaban toda clase de dudas sobre su rostro. Anne le cogía sus pequeñas manos, y examinaba los augurios y promesas de sus palmas. Los esfuerzos de Mrs. Barton por mantener una conversación, desbaratados por la temblorosa amenaza de las lágrimas y una vacilante voz, encantaron a Anne, y ésta se lanzó a ayudar a la necesitada anfitriona, porque incluso la débil cortesía de Constance revelaba la delicadeza del hogar. ¿Con qué frecuencia las verduleras que solían ser las clientas de Anne se molestaban en ofrecerle un poco de té antes de endilgarle sus insignificantes quejas? Procediendo según sus métodos usuales, Anne se dirigió al dormitorio de arriba, observando el lujo de la casa mientras subía. Interpretó para su nueva clienta el habitual número de esparcir sal y harina, sin dejar de notar la calidad de los suelos a medida que lo hacía.

Pidió ver de cerca el guardapelo que Mrs. Barton llevaba alrededor de su marfileño cuello. En su interior estaba el marido en un daguerrotipo, repelente en su marco de plata, apretado contra la suave piel de la garganta de su prisionera, colgando en su diminuta forma, proclamando que era de su propiedad. Los pelos de sus patillas debían arañar aquella piel más pálida cuando él se solazaba allí, como su doble en miniatura hacía ahora.

Anne se sintió encantada al ver cuán rápidamente la dama se recuperaba, cobraba fuerza y confianza, e incluso empezaba a hablar claramente a partir del apoyo de Anne y de las preguntas que ésta siempre hacía para estimular a una nueva clienta a que dejara atrás las torpes explicaciones y vacilaciones. La mujer empezó su historia con un predecible embarazo, pretendiendo que había sido un error, insistiendo cortésmente en que lo que había visto «no podía ser» (como su marido sin duda le había sermoneado). Pero Anne fácilmente la corrigió, desvió los esfuerzos de Mrs. Barton por ocultar su desconcertante situación, y pronto la mujer se volvió más pensativa, dejando entrever su infelicidad, y Anne supo que estaban ahora cerca, hasta que todo lo que hizo falta fue cogerle la pequeña mano, quitar el mechón de pelo castaño de aquella suave mejilla y susurrar: «Hable.»

Durante las primeras frases de Constance, Anne sospechó que la joven esposa necesitaba sobre todo un oído comprensivo, incluso más que otra cosa. Mientras hablaba, Constance Barton se abría ante la menor muestra de simpatía, o el más pequeño toque o aliento, como si lo hubiera necesitado desesperadamente durante años, como si no fuera la encantadora esposa de un médico, sino una marginada, o la apaleada mujer de un herrero borracho. De modo que tal vez no cabía esperar unos grandes honorarios.

Constance habló luego, no de encantamientos, sino sólo de su barrio, su hija, su marido, su noviazgo y su boda, así como de la vida que había llevado desde entonces, de sus sufrimientos con los partos, de las prescripciones de los médicos. Tenía un deseo desesperado de hablar, eso estaba claro. No tenía a nadie con quien hacerlo (hasta lo dijo ella misma, dándose cuenta al cabo de unos minutos de hablar sin pausa), no tenía a nadie que le prestara atención, que separara el grano de la paja, y Anne comenzó a sospechar que podría haber un largo trabajo aquí, hablando de problemas prosaicos.

Los horrores de la dama, cuando finalmente empezó a contarlos con detalle, eran difíciles de interpretar, quizás por su modestia, o inseguridad en cuanto a lo que se esperaba que ella dijera. En conflicto consigo misma, Constance Barton era incapaz de expresarse con claridad sobre casi *cualquier* aspecto, y de lo que estaba menos segura era de lo relativo a la aparición. Apenas había tratado de describir la visión cuando ya ésta le parecía imposible, debía de haberlo soñado, o, si había algo cierto, eso demostraba *su* culpabilidad; de alguna manera, ella debía de haber invocado ese horror.

Se interrumpía en su relato y se quedaba mirando sus manos, o el suelo, a medida que se esforzaba por explicar el caos de su casa. Cuando su narración se atascó, Anne la animó contándole la historia de la casa, los anteriores encantamientos ocurridos allí. Que esas cosas hubieran sucedido o no no eran un proceder fraudulento exactamente, ni relevante, para el buen hacer de Anne, porque la pobre mujer volvió a encontrar su voz, liberada para abrirse camino hacia su verdad. Usted confía en métodos similares, ¿no? Y con mucha menos eficacia, debería añadir.

Los traspiés y vacilaciones de Constance no sorprendieron a Anne. Sus clientas a menudo empezaban presas de una confusión que les impedía hablar con claridad y al cabo de un rato de estar en su compañía eran capaces de relatar con cada vez más elocuencia y detalle los sustos espectrales que sólo unos minutos antes eran imposibles de describir, pues estaban «más allá de las palabras». Fiel a este procedimiento, Constance Barton echaba mano de una expresión —«Su espíritu inquieto», por ejemplo— e, intuyendo que eso podía explicar *algo*, era capaz de mirar a Anne a los ojos y disertar sobre el tema: «Su inquieto, indomable espíritu. Es italiano, ya sabe. Sus deseos son más fuertes que... Confío en que no me considere usted vulgar. Ya ve, los médicos han dictado estrictas...»

¡El marido era extranjero! Nora no lo había mencionado. Eso explicaba muchas cosas: extranjero y soldado. En la vida y en la escena, ella había conocido a soldados que eran tan tímidos que parecían invisibles, u hombres que sentían tal placer en matar que su naturaleza, antaño recompensada por expresarse plenamente, no podía controlarse en la vida civil y, héroes en tiempo de paz, se transformaban en unos tiranos domésticos.

Fueran cuales fueran los problemas que perturbaban a ese elegante y bien amueblado hogar, Anne se conmovió hasta llegar a sentir una compasión poco usual y sorprendente en ella. Allí estaba aquella esbelta, desfalleciente belleza, escondida entre los mullidos almohadones del enorme sofá, esa muchacha que aspiraba a ascender en la escala social, y que había descubierto que aquellas alturas no eran más acogedoras que los bajíos que había dejado atrás. Huérfana de madre, seguía siendo huérfana por los cuatro costados, pero ahora muchísimo más necesitada. Sin embargo, Anne ponía cuidado en sus palabras, porque la dama en cuestión probablemente tenía temperamento y podía transformarse en un instante en la snob que durante

tanto tiempo se había esforzado en ser. El descenso de consejera de confianza a servil mujer de los recados, y el fulminante
despido, podía producirse rápidamente con una clienta tan sensible a su nueva condición social.

Concedido el tiempo y la paciencia para contar su enreve-
sada y repetitiva historia, la joven Mrs. Barton finalmente dio
un informe, cada vez con más detalles, y Anne se sintió conmovida. Como ocurría con muchas otras mujeres solitarias, la historia sólo había salido a la luz gracias a su aliento y sólo después
de un catálogo completo de quejas más prosaicas: aislamiento,
aburrimiento, preocupaciones médicas, miedo de las impetuo-
sas exigencias de su esporádicamente atento marido. Pero su
oculta queja era diferente de todo lo que Anne había oído nunca. Ciertamente no eran fragmentos de novelas o de piezas de
teatro que la clienta había ensamblado fantasiosamente, como
tan a menudo sucedía. A medida que Constance añadía nuevas
facetas a su historia, Anne le tenía más simpatía. La dama entregaba en susurros su extraño informe: el tacto de su marido
sobre su carne se transmitía a la carne de su hija. Fuera cual fuese la verdad, ¡qué actriz podría haber imaginado eso! «Si me re-
sisto a él, ella está a salvo, pero soy demasiado débil para resistir. Yo he provocado esto. Yo le abrí la puerta. ¿Qué clase de madre permitiría una cosa así?» Constance empezó a ir de aquí
para allá, incapaz de sentarse o de permanecer de pie, descargando su rabia contra sí misma. «No tengo perdón, soy la más
perversa de las mujeres.»

—Tranquilícese, querida. No debe pensar esas cosas.

Y, tan rápidamente como lo había perdido, Constance recuperaba el control de sí misma, y retornaba a su patético papel
de matrona:

—¿Le apetecería un poco más de té?

Algunas mujeres, deseosas de recibir atención, inventaban
cosas. Algunas habían visto realmente una actividad espectral.
En todos estos casos, sin embargo, en cuanto había hablado, la
clienta se aferraba a la presencia de Anne y a los términos rígi-

dos de su propia historia. Pero Constance Barton empezó a titubear tan pronto como hubo descrito su maldición, como si creyera que debía distraer a su invitada del astuto y hediondo ser maligno que ahora palpitaba entre ellas. Su convicción del papel que desempeñaba su marido en aquello vacilaba también, y ella se arrastraba a través de una turbia incertidumbre, reservas y repeticiones, luego se precipitaba a afirmar su culpa, para terminar cerrándose en banda y volviendo a donde había empezado.

—Creo que eso no es él, a menos que sea su voluntad oculta. Puede que lo sepa, incluso lo quiera, o quizás no pueda resistirlo, porque... es él, su acción, su culpa, *tiene* que serlo, lo sé, aunque no creo que lo que he dicho sea posible. Me equivoque o no, sin duda Joseph es totalmente inconsciente de ello. Resulta inconcebible que él sea consciente. Quizás si le digo a él lo que yo sé, tan claramente como se lo he dicho a usted, él me ayudará.

Constance abandonó esos esfuerzos para contemplar su té. Las vacilantes columnas de algodonoso vapor que salían de él eran como apéndices que surgieran de la espejeante superficie, donde se insinuaban unos desconocidos rostros lascivos. La dama estaba deseando que sus problemas desaparecieran aun antes de que Anne hubiera podido determinar qué eran esos problemas y de dónde venían.

Y fue peor aún, Mrs. Barton entonces cargó contra su marido, lo acusó del trastorno, y finalmente identificó su rostro como el de la grotesca, perversa manifestación que había visto. Esto tampoco llevaba a ninguna parte, y Anne intentó desviar a su clienta de conclusiones precipitadas. Nada bueno podía venir de semejante confusión. Primero, los honorarios de Anne se perderían. Segundo, una acusación así no haría más que provocar un conflicto que la esposa no podía ganar. Y, lo más importante, Mrs. Barton estaba, con toda probabilidad, equivocada, confundiendo el problema espectral con su desagrado (no injustificado) por el romano de su señor y el encarcelamiento que era el destino de toda esposa inglesa. Pero de nada servía llamar pescado a la carne cuando durante los años venideros la esposa no tendría otra elección que apechugar con esa carne. Acusar al hombre de prácticas satánicas no era el camino hacia una tregua marital, el invariable objetivo de Anne. Él no era un brujo o un hechicero. Era sólo un hombre, bastante malvado desde luego, y probablemente cruel con ella de innumerables maneras tanto pequeñas como extremas (con su afición a la violencia, al boxeo, a la guerra y a los malos tratos sexuales). Anne, por lo tanto, ofreció rápidamente varias explicaciones para el hecho de que Constance viera su rostro en el espíritu. Aclarado esto, no perjudicaría en nada conocer la naturaleza del marido:

—¿Le ha puesto alguna vez la mano encima?

—¿Quién? —Una pregunta absurda, una excusa para encubrir un bonito rubor y fraguar una mentira—. Desde luego que no. Joseph es muy dulce.

—Un dulce soldado.

—Sirvió casi por entero en el cuerpo médico.

—Citado por su valor, creo que dijo usted. Y la medicina que practica ahora, ¿es dulce también?

Una buena pregunta, y Anne vio sus efectos inmediatamente. La pose de Mrs. Barton se esfumó, dejándola desnuda y avergonzada. «Lo que hace es indescriptible.» Lentamente contó lo suficiente del trabajo de su marido para que Anne comprendiera de qué tipo de hombre se trataba. No era para nada, pese a su apariencia, un doctor en medicina, sino más bien un sádico, un carnicero; y el trato físico que le daba a su esposa encajaba perfectamente. El marido se había cansado de ella, continuó Constance, y tenía intención incluso de reemplazarla. Por ella, especificó, añadiendo: «Tiene intención de reemplazarme como madre de la niña.»

¿Qué quería decir? ¿Sustituir a la madre en su cometido o reemplazar a la esposa por la niña? Su marido pensaba mandar a la niña a un colegio, obligar a la pequeña a pasar menos tiempo (o ninguno) en compañía de Constance. Había traído extraños regalos, comenzando a leer a la niña, tratando curiosamente de introducir a la pequeña en su cruel ciencia, todo ello en un arranque espontáneo y poco corriente. Insistía en reemplazar a la madre.

Pero la descripción de Mrs. Barton del trastorno daba a entender una sustitución de la esposa por la hija. Señaló los platos enmarcados, las grietas que aparecían en ellos y en la pared de detrás: «Es como si él estuviera tratando de no hacer daño, y su esfuerzo se manifiesta en la casa. La tensión se nota en todas partes. Se refleja en los platos y en el gas. El suministro es irregular y de repente ruge con una llama azul que Nora tiene problemas para controlar.»

—Si usted es realmente un puente hacia la carne de la niña —dijo Anne—, entonces cabe suponer que si no se somete a las exigencias de su marido, su hija quedará protegida, ¿no es así?

El alivio de Constance al oír esa solución era evidente, pero luego su cara, que había brillado por un momento, volvió a oscurecerse.

—¿Cómo puedo resistirme a él? —preguntó débilmente, y Anne, con la repentina sensación de rubor que siempre indicaba que su intuición había acertado de lleno, comprendió la naturaleza de los problemas de ese bonito pero crispado hogar.

Allí había una mujer para la que las atenciones conyugales de su marido resultarían probablemente fatales. Si es que ya no lo habían sido (porque Constance sospechaba que llevaba ya un niño en su seno). Ese marido —un soldado y un científico de los horrores, que la pegaba, incluso sin tener en cuenta su posible estado— no era propenso a excusarla de sus obligaciones maritales. (El que no se avergonzara —a su avanzada edad— de poner en peligro la vida de su esposa por sus impulsos, confirmaba todo lo que Anne sospechaba de su carácter.) Peor aún, él —como casi todo marido sinceramente retratado por una quebrantada y atormentada esposa— obligaba a la esposa con violencia a que hiciera lo que él deseaba. («Me obliga a que yo me obligue a mí misma, o yo lo obligo a que me obligue», murmuró Constance cuando Anne le preguntó directamente, y Anne inmediatamente pudo ver los terrores nocturnos, las inútiles lágrimas, la fuerza, el dolor, la sangre, los cabellos apretados contra su cabeza.) Por añadidura, la víctima era evidentemente del tipo sacrificado y no era capaz de negarle a su señor algo tan insignificante, tan despreciable, como su propia vida, tal era su generosidad femenina y su comprensión de lo que era el amor.

Ahora bien, dada esta situación, la aparición se materializaba precisa y únicamente cuando la esposa accedía a la grosera carnalidad de su marido, y esa aparición amenazaba, *no* a la esposa, sino sólo a la niña. («Ella sufre en forma proporcional mi voluntad de someterme a sus inclinaciones.») Aunque no era en absoluto imposible que hubiera un auténtico fantasma, lo que Anne veía en esa historia era una súplica de ayuda más práctica. Esa adorable dama, huérfana de madre, creía que era deber suyo permitirle a su amo sus salvajadas, aunque eso la matara, pero su corazón le ofrecía, en forma de esa manifestación de color azul, una huida con honor: como la *niña* debía estar protegida, Mrs. Barton ya no podía *permitirse* que la tocara su marido. Podía, según su propio concepto del deber, insistir en que la dejara tranquila, no salvarse a sí misma (como debía hacer) sino salvar a su hija (un «egoísmo» tolerable incluso para su exagerado sentido del deber hacia su bruto señor).

Por lo tanto, ¿qué consejo experto deseaba Constance Barton de Anne Montague? El mismo servicio que Anne había proporcionado a tantas otras desgraciadas esposas: unas lecciones sobre cómo contener a la bestia que vivía con ella. «¿Cómo puedo resistirme a él?», preguntaba ella débilmente, y ahí estaba la tarea de Anne. Este caso era más urgente que de costumbre, debido a la salud de Constance, y las lecciones tendrían que ser impartidas en el lenguaje de lo oculto; de otro modo, la pobrecita rehusaría toda ayuda, pues había decidido que no valía la pena proteger su propia vida de un hombre, sino sólo la de la niña.

No se trataba de que Constance estuviera mintiendo o haciendo teatro. Más bien, ella veía sólo lo que necesitaba ver para salvar su vida, un autoengaño absolutamente sincero y justificable, pero que tendría que ser mantenido a toda costa. A Anne le tocaba crear ese hechizo, y raras veces, quizás nunca, se había sentido tan deseosa de ofrecer su mejor representación.

Entre las normales prescripciones de Anne, que ofrecían a las mentes de las infelices una sensación de progreso —la harina esparcida, los conjuros y las citas, los espejos tapados—, ella hizo algunas sugerencias bastantes precisas a Constance. Cuando Anne recomendaba mantener a raya a los espectros eliminando perfumes, evitando excesivas demostraciones del cuerpo desnudo, y aplicando a la piel del cuello y de los brazos ajo crudo hasta que despidiera un olor bastante fétido, estaba protegiendo a Constance por partida doble, tanto de peligros inhumanos como humanos.

—Mi pobrecita niña —empezó diciendo con escogidas palabras destinadas a educar a esta huérfana—, se enfrenta usted a una de las fuerzas más oscuras de la naturaleza, incontenible, en su propio hogar, que se abalanza sobre usted y su querida hija. Hay en este mundo un exceso de este tipo de tóxico, ¿sabe? Es exactamente como un chorro de chispas que un científico podría aprovechar. Este rayo rodea nuestra tierra, la recorre toda con más fuerza de la que puede ser contenida. Los deseos masculinos superan con mucho la capacidad de la sociedad para inhibirlos, y por tanto nos enfrentamos con grandes y horribles estallidos de ese tipo... la guerra, como ejemplo más evidente. La guerra es un fenómeno muy simple, arropado con un complejo disfraz de fechas y *casus belli*, e insultos y esfuerzos diplomáticos y economía imperial, pero en realidad es sólo una forma de dar cauce a los desaforados deseos masculinos. Ninguna mujer ha emprendido jamás una guerra, y ninguna sería nunca capaz de hacerlo. ¿Por qué lo haría? Y, a una escala mucho más pequeña, querida, vemos lo que está ocurriendo en su hogar, porque es sólo en una casa bien administrada donde la civilización consigue domesticar ese torrente, del mismo modo que el rayo sólo es útil cuando es canalizado en una vara de metal. Nos enfrentamos, me refiero a esta aparición que vaga por su casa, con algo parecido a una tubería de gas rota. Tenemos que reparar la brecha, y luego aprender la manera de controlar ese gas, de manera que nunca vuelva a haber un escape.

—¿Lo sabe él, o no?

Una pregunta que sería mejor dejar sin respuesta.

—Apenas puedo oír su vocecita, mi niña. ¿Si lo saben ellos? ¿Es eso lo que pregunta? Alguno, sí. Les encanta. Otros, no. Hablan de todo eso como si fueran un gran misterio, o requiriera conocer a fondo los derechos de sucesión hasta el Sacro Imperio Romano. Mire, si escucha usted sus palabras, se enterará de muy poco. Ellos son muy parecidos a nosotras cuando hablan de amor, pero lo que quieren decir es muy diferente de lo que nosotras entendemos al oír esas mismas palabras. No son como nosotras. Sin embargo, es una cruel exigencia de la naturaleza que aprendamos más sobre ellos de lo que ellos saben de sí mismos.

Manejar las esperanzas de los demás formaba parte del trabajo de Anne. Que la mujer creyera que no podría jamás perdonar a su marido era comprensible, pero su *intención* de no perdonarlo nunca debía ser eliminada. Cuando ella dijo sollozando que jamás lo perdonaría, Anne la corrigió:

—Por supuesto que lo perdonará. No puede hacer otra cosa. En algunos idiomas, ésa es la definición de la palabra para indicar *mujer*: la que perdona los abusos que se cometen contra ella.

Anne procuraba levantar el ánimo de Constance, porque, si eso era un arrebato completamente natural, podía ser conducido bajo control nuevamente. Si había un precedente, existían métodos de restablecer el adecuado orden de las cosas.

—Cuando acabe todo esto, ¿volveré a tener a mi hija y a mi príncipe de la papelería a salvo de ese horrible espectro?

Anne sonrió a la fatigada mujer. Era mejor no explicar aún la sencilla verdad: el príncipe, si alguna vez existió, hacía tiempo que había muerto.

Impartió a su clienta un régimen de protecciones, consejos maritales disfrazados de consejos espiritistas: cómo evitar el contacto físico, cómo calmarlo a él, cómo alentarlo a desahogarse en otra parte y de otras maneras.

—Debe usted procurarle todos los alivios que pueda, siempre que ello sea posible. A medida que se sienta satisfecho, la aparición se alejará de su casa, o retornará al ser de su marido. Hay que tenerlo satisfecho. Desde luego, hay aspectos en los que se impone su frustración, pero no en todas las cuestiones. Se puede ser tolerante con sus otros apetitos. De hecho, se *debería* ser tolerante, porque, cuanto más saciado esté de comida y bebida, de amabilidades y diversión, menos se sentirá perturbado por otros apetitos más peligrosos y repelentes para usted, y más dispuesto estará a perdonar esa frustración, que cada vez será menos hiriente. Aliméntelo, mímelo, esquívelo, tranquilícelo. Esto está a su alcance, ¿no?

Anne le ordenó que le sirvieran comidas y vinos fuertes. Le dio a la pobre e ignorante dama unos polvos que debía esparcir sobre su comida. No tenían sabor pero eran eficaces: servían para provocar el relajamiento y retrasar la excitación de la sangre. «Es una cuestión de integrar los elementos errantes de su alma, reprimir sus pasiones, ¿sabe usted?» ¡Cuántas cosas hay que una niña sin madre no sabe! A las muchachas bonitas siempre se les enseñaba a atraer, pero seguramente saber rechazar a un hombre era igualmente importante, como se demostraba allí, en ese caso de vida o muerte.

Y ella era una muchacha excepcionalmente bonita. No era extraño que su italiano marido sintiera agudamente la larga privación de sus favores. No sería fácil apartarlo del objetivo de su deseo. Anne la advirtió, todo lo claramente que pudo:

—No quiero alarmarla, cariño, pero la luna creciente puede tener una influencia en estos horrores.

Cuando Constance sonreía con despreocupación, siquiera brevemente, Anne se sintió tan conmovida que de repente se puso a actuar para ella, recitando viejos discursos de sus lejanos días en el escenario, representando el papel del payaso, del poeta, de la seductora, y agradeciendo los aplausos tanto como la mejor ovación que hubiera recibido. Cuando llegó el momento de discutir los detalles del pago, Anne vaciló, algo nada frecuente en ella, casi evitó el tema, sólo deseaba, sin mezquinas consideraciones, poder ayudar a aquella mujer, pero incluso en esto su nueva clienta se mostró como una dama de insuperable encanto y gracia.

—Lo entiendo perfectamente —dijo la dulce mujer apresurándose a interrumpir las vacilantes palabras de Anne y revelando sin titubear los detalles del dinero que recibía para sus gastos, así como hasta qué punto su marido era flexible en los momentos en que la casa requería algún desembolso. Hay muchas cosas que puedo decirle a Joseph que se necesitan, tanto para la casa como para Angelica.

Anne se despidió de la más feliz de las clientas: satisfecha y sin problemas para pagar, más tranquila, equipada con herramientas y conocimientos, preparada para las futuras batallas, y, lo más maravilloso de todo, anhelando ver otra vez a su consejera.

~ · ~

Capítulo 4

La mayoría de las veces, los muertos se sentían frustrados o simplemente aburridos, y, como siniestra venganza, con frecuencia aburrían a Anne Montague a su vez. La madera de los muebles los aprisionaba, y su único consuelo era hacer crujir las tablas en lo más oscuro de la noche, o abrir de golpe la puerta del armario con estruendo una y otra vez, incluso después de que los vivos se hubieran asegurado de cerrarlas bien. Le correspondía a Anne expulsarlos, a veces con la ayuda de un actor convertido en carpintero dándoselas de experto en lo oculto, experto generosamente pagado por todas sus habilidades.

Por lo general, cuando los muertos eran capaces de hablar, no les daba la gana de aparecer; cuando aparecían, oliendo a agua de lavanda, o a esencia de rosas, o a moho, eran mudos, y entonces, o bien se desesperaban por comunicar algo que no podían, o se mostraban tan serenos que resultaban casi irreconocibles como aquellos seres queridos conocidos por su gracia o energía vital. Anne había visto a innumerables fantasmas de personas otrora alocadas ahora sombrías y secas, de bordes borrosos, buscando un lugar para instalarse pero que no se sentían cómodos en ninguna parte.

Los muertos tenían mensajes que transmitir, con una urgencia que le hería a Anne en los oídos, le hinchaba las piernas y le hacía latir las sienes; pero, cuando les ofrecía la oportunidad de hablar a través de su garganta, cuando había arreglado cada elemento de un determinado salón siguiendo sus gustos en cuanto a luz y silencio, ojos cerrados y manos cogidas en círculo, ¿qué tenían finalmente los muertos que explicar? «¿Dónde estoy?», o «Acuérdate de mí». Nada más. Y a menudo mucho menos. «No me gusta tu novia.» «No te pongas mis vestidos.» «Eso es demasiado pringoso. Llévatelo.» Con frecuencia se mostraban rudos. «Nunca me gustaste. Ni tú. Ni tú. Ni tampoco tú», decía la tenue sombra de un niño al círculo de sus afligidos deudos. Los muertos a menudo se mostraban cansados, confusos, malhumorados, distraídos. «Ahí no es donde yo guardaba el azúcar», dijo un panadero muerto de sífilis, señalando el techo. «Me gustaba el azúcar en la cama. Hacía asentar las plumas del colchón.»

O se mostraban enigmáticos, golpeando el mismo candelabro cada ocho minutos exactamente durante ochenta y ocho minutos, el octavo día de agosto, empezando a las ocho en punto, en el octavo aniversario de... Nada que uno pudiera recordar, ninguna muerte, ningún accidente de carruaje, ningún incendio fatal. A veces sus mensajes no tenían ningún significado perceptible, incluso para su familia más próxima, incapaz de descifrar apremiantes galimatías, cuando el muerto escribía una y otra vez con un dedo invisible en el plateado polvo de un espejo: «¡Acordaos de resplandecer!», y la familia ansiaba obedecer, si hubiera sabido cómo.

Pero, muy de vez en cuando, los difuntos se expresaban con malicia. La muerte no evaporaba la ira o la maldad en algunos de ellos, sólo la condensaba en un jarabe que fluía por sus translúcidas venas y rezumaba sobre las almohadas y la comida de los vivos. Abordaban a los vivos con miradas maliciosas y furiosas, hasta que los vivos se caían por las escaleras. Movían los cuchillos de forma que los vivos se cortaban la garganta. Asustaban a la pobre gente hasta la muerte, por rencor, o para ajustar alguna cuenta pendiente. Pero nunca, nunca, *tocaban* a los vivos. Podían levantar cosas y golpear con ellas a los vivos —Anne había visto cuerpos para los que no cabía otra explicación—, pero ¿*tocar* a un ser viviente, como Constance creía que un espíritu le hacía a su hija? Eso nunca había ocurrido.

Anne se sentó en un banco, dentro de la sombra, y recordó la primera preocupación de su amiga, un momento ligeramente anormal en la progresión de esa contaminación fantasmagórica: un olor familiar pero no identificable, fuera de lugar, que de repente impregnaba su casa, un olor que quemaba los ojos y se arremolinaba de forma sumamente obscena en torno de la cama de la niña. La propia habitación se había mostrado reacia a que entrara la madre, la puerta se resistía a abrirse, como si la sujetaran desde el otro lado en la oscuridad, su pomo frío al tacto. Todo esto era coherente con la existencia de espectros. A esto, ninguna persona cuerda le pondría objeciones. Y luego estaban los otros síntomas tempranos: la mujer que se despertaba exactamente a la misma hora cada noche. Tras dejarse convertir en un palacio decorado a su capricho, de repente la casa empezaba a alzarse y a perturbarla, dejándola desprotegida a todas horas. Pero nadie había sido tocado anteriormente. Era una línea que no podía ser cruzada, y, por tanto, pese a todas las impresiones de Constance, Anne no podía dudar del diagnóstico que había hecho el día anterior: instinto de conservación con disfraz espectral.

Estos múltiples síntomas, sin embargo, ofrecían la oportunidad de proporcionar a su adorable clienta un extenso catálogo de ayudas. La continuada asignación de la dama pagaría los exorcismos y otras varias actividades que calmarían los nervios y proporcionarían la agradable sensación de progreso, un necesario apéndice a la formación marital. Los polvos y recetas, la conducta hacia el amo y señor. Todo esto tendría un efecto poderosísimo pero de nada serviría si no iba acompañado del espiritismo científico. Hasta el final, pasarían horas juntas en actividad y conversación, catando los platos cocinados por Nora y la bodega del marido, largas tardes en aquel grande y cálido salón, mano a mano, Anne divirtiéndola hasta que retornaba la risa de la dama y ésta había aprendido perfectamente la manera de calmar a su atormentador italiano. (Él seguiría deseándola, por más sales y espíritus que hubiera en su sangre. Sería imposible redirigir esas ansias. Constance debía aprender a saciarlas con menos de lo que él deseaba. Anne la guiaría también en esto, aunque la idea de sus hirsutas manazas sobre aquella suave piel provocaba en la boca de Anne una mueca de disgusto.)

—Mi queridísima Constance —dijo Anne levantándose para saludar a su amiga y a una encantadora infanta española—. Nuestra amada Angelica, por supuesto. —Anne aceptó la graciosa reverencia y observó cómo la niña se iba dando saltos hasta el parterre que se extendía ante el banco, rodeado por un semicírculo de robles—. Es el vivo retrato de su nombre. —Se volvió hacia su clienta, y le cogió la mano—. Ahora siéntese conmigo, porque he estado despierta casi toda la noche reflexionando sobre la mejor solución a nuestras dificultades.

Cuán decepcionante fue descubrir que Constance era tan propensa a la volubilidad como cualquier torpe esposa de un chupatintas, tan veleta. No podía estarse quieta, y refunfuñaba, como un preámbulo a la exposición de lo que la preocupaba, en nada parecida a la dulce personita a la que Anne había ayudado a enfocar bien las cosas tan sólo un día antes, sino más bien adoptando otra vez una poco convincente postura de elegante dama, preparándose ya para expresar sus quejas a la repartidora de la tienda. Anne casi no necesitaba escuchar, tan típico era el discurso: la noche que acababa de pasar había sido un éxito, pero, en vez de considerarlo una prueba de la eficacia de Anne, Constance había llegado a la conclusión —de forma equivocada, predecible— de que el consejo de Anne nunca había sido necesario. A continuación venían estos murmullos que expresaban el deseo de poner fin a aquello, generosas ofertas de pagar los honorarios de Anne (implícitamente considerados del todo injustificados), vacilaciones y débiles excusas. Anne ya había oído todo eso anteriormente, sabía que era una petición de *más* ayuda, disfrazada de la declaración de que no se necesitaba ninguna. Estaba acostumbrada a desviar estas reservas tardías, utilizándolas para llevar a la clienta a una mayor comprensión de su difícil situación y de la importancia de Anne. Pero una marcha atrás así nunca le había producido tanta decepción.

Dolida, Anne tampoco podía recordar que nunca se hubiera compadecido de una vacilante clienta en el pasado, pero la dulce Constance estaba obligándose a sonreír, y la valentía de su actuación conmovió a Anne. Cuánta energía debía de haber reunido para llegar a ese punto, negar todo lo que había visto, toda la angustia de su atormentado hogar, y sentarse ahora, los ojos fijos en el suelo, la risa forzada, y una aguda y falsa risita que deslucía su natural y hermosa aura.

Anne no la ayudó. La indecisa debía esforzarse sola; así vería más clara y rápidamente la futilidad de su gesto. Sin duda, tras la marcha de Anne el día anterior, ella se había sentido liberada de todo temor y presión. Tras hablarle de ello finalmente a alguien, malinterpretaba el consiguiente alivio como una erradicación del problema. Probablemente se había pasado horas pensando que había hecho el ridículo, y cuando, la noche siguiente, no ocurrió nada, (bien fuera porque el tratamiento de Anne había tenido éxito, o porque su enemigo había efectuado una retirada táctica), pensó, no que estaba parcialmente curada, sino que nunca había estado trastornada.

El ridículo discurso llegó con dificultad a su conclusión.

—Me pregunto si no estaré loca —sugirió como compromiso, el corriente y lastimoso deseo de los atormentados.

—¿Les cuenta usted, quizás, delirantes filosofías sobre el mundo a unos gatos encaramados en un alféizar? ¿Aborda usted acaso a hombres en la calle y les advierte de su muerte inminente? —Anne suspiró—. No, no está usted loca, pero corre el peligro de convertirse en una estúpida. Yo no la consideraba una estúpida ayer.

Las débiles excusas de Constance se extinguieron ante el silencio nada receptivo de Anne. Por supuesto, Constance se haría cargo de cualesquiera gastos que se hubieran producido hasta entonces.

—Espero que comprenda usted lo que quiero decir.

Anne se volvió para mirar a su confundida amiga.

—Debemos alegrarnos del respiro de la noche pasada, pero no podemos apresurarnos a sacar conclusiones. Hay muchas cosas que no sabemos. Yo me enteré ayer de algo del edificio, de su casa, refresqué mi memoria sobre el horror de los Burnham.

Anne improvisó sobre un tema familiar, la vieja historia de los Burnham, añadiendo —como un artista selecciona sólo aquellos detalles que probablemente afectarán más a su público— todos los improvisados elementos que pudieran ayudar a Constance a comprender su situación.

El efecto de la leyenda de la pequeña de los Burnham, atormentada por los ataques de rabia provocados por los secretos del padre, fue claro y rápido, mucho más que en casos anteriores. Constance debía de haber estado esperando justamente un estimulante como ése.

—Estoy dispuesta, absolutamente dispuesta, a dejarla en paz si lo de ayer era todo comedia entre dos niñas. Representaré ahora para usted el papel de la repartidora despedida. Págueme mis honorarios y demos el asunto por acabado. Pero, como amiga suya, tengo dudas. Enséñeme la cara, querida.

Mrs. Montague puso las grandes yemas de sus dedos, de uñas excesivamente cortas, bajo la barbilla de Constance e hizo girar hacia ella la carita que sollozaba en silencio. Constance, que se había estado ocultando, parpadeó y apartó la vista. «La fútil fuga de Constance de los fantasmas», se burló Anne, alargando cada «f» hasta que Constance sonrió de veras, en aquella pequeña arboleda, rodeada de mujeres y sus pupilos. Anne le secó suavemente las lágrimas de sus largas pestañas y le besó la frente, borrando con su dedo índice el pequeño valle que se había formado entre sus cejas.

—Ya está, las puertas, una vez abiertas, no se pueden volver a cerrar. No puede usted no ver, aunque mirar la queme.

—¿Cree usted que tengo la culpa? ¿Del problema?

—Contrólese. No querrá usted alarmar a Angelica. La está mirando. ¡Sonríale y hágale un gesto con la mano!

La variación sobre el tema Burnham espoleó a Constance a ver su propio caso más claramente y desenterró otro detalle de su memoria. Angelica también sufría berrinches, algunos más naturales que otros, pero uno de ellos, sumamente preocupante, había tenido lugar cuando Constance dejó a la niña al cuidado de su padre, una semana antes. Constance había regresado de su furtiva escapada a la iglesia y encontró a la niña fuera de sí, a los pies de su padre, que no hacía el menor gesto.

—¿Algo más que una rabieta infantil?

—Mucho peor. Y él simplemente estaba allí, contemplando su sufrimiento.

—¿Algo coherente con su naturaleza científica, quizás?

—O con la crueldad —replicó Constance—. Quería que soltara su rabia. Y tal vez provocó el ataque intencionadamente. Se estaba burlando de ella.

Reanudaron su conversación del día anterior. Constance habló de nuevo abierta y sinceramente de sus problemas, se rió con las historias de Anne, asimiló las enseñanzas de Anne y aprovechó una oportunidad: como los asuntos del laboratorio llevarían a Joseph fuera de Londres la noche siguiente, Anne podía ir a su casa para una visita más larga, con el fin de hacer desaparecer los restos de la tragedia de los Burnham. Y para cenar.

Durante todo el tiempo, Angelica —la imagen misma de la alegría y la libertad infantil— revoloteaba cerca y lejos. Cuando se detenía para escuchar su conversación desde detrás del banco, con una mano en cada uno de los hombros de las dos mujeres, mirando alternativamente a la una y a la otra, Constance y Anne hacían lo que podían para disimular las identidades y horrores de los que hablaban; pero, con todo, la niña captaba lo bastante para acariciar la mejilla de su madre e instarla a no estar triste. Prometía que haría siempre feliz a su madre y que siempre sería buena, antes de girarse en redondo para seducir a un niño simplón o a una niñera abstraída, para que jugaran con ella. Se metió en la arboleda y regresó con un cuento increíble. Había visto al fantasma azul en las ramas. No era plausible, por no decir otra cosa peor. Era más bien una petición de participar en la discusión como una igual. Cuando Anne le dio la oportunidad de expresar sus pensamientos, la niña dijo:

—No me gusta cuando mamá está asustada. —La pequeña sentía el dolor y el miedo de su madre—. Lo mejor es cuando mamá duerme a mi lado. Eso hace que él se vaya lejos o se esconda. No se atreve a tocarme cuando ella mira.

Había visto algo, quería decir algo, aunque sonsacarla sería difícil. Sus visiones se correspondían con las de su madre, lo cual apoyaba una serie de posibles, y contradictorias, explicaciones. La niña olía fuertemente a ajo.

~ · ~

Capítulo 5

Las suaves mejillas y cuello de Angelica olían a los remedios de Anne más intensamente la noche siguiente, cuando Anne llegó para limpiar la mancha de los Burnham del hogar de los Barton. Y más fuerte era también la convicción de Constance de la culpabilidad de su marido. En esta ocasión, el intervalo de un día había provocado un efecto contrario: en vez de convencerse a sí misma de que no había ocurrido nada, había crecido su certeza de que la culpa era de su marido, y empezó a hablar con excitación de sus teorías desde el mismo momento en que le abrió la puerta a Anne, incluso cuando la niña escuchaba desde la banqueta del piano o colgada de las faldas de su madre. Los esfuerzos de Anne por calmarla fracasaron, y la insistencia de Constance en relacionar a su marido con aquel horror hizo que Anne tuviera dudas sobre su diagnóstico.

No quiero decir que la insistencia de Constance convenciera a Anne de lo que Constance estaba diciendo; Anne aún creía que Joseph Barton —pese a todos sus pecados— no estaba controlando ningún espíritu. Más bien, a Anne esa insistencia le hacía sentir lo que ella llamaba una «implicación».

Los momentos de *implicación* —en que los acontecimientos iban más despacio, y Anne percibía información clave bajo las palabras, en sonidos no verbales, tras expresiones faciales, incluso en los objetos y el decorado— eran las experiencias más hermosas de su vida, aunque pudieran ser también dolorosas o indicar el dolor de otros. Anne no era ninguna ingenua; sabía mejor que la mayoría de la gente que el mundo no era por naturaleza bondadoso ni caritativo. Y tampoco, conviene señalarlo, veía una gran red de interconexión entre todas las personas, todos los acontecimientos, todo el tiempo. Con toda naturalidad confesaba que había muchas coincidencias carentes de sentido. No era una estúpida que se creyera cualquier cosa que el capricho de alguien pudiera inventar.

Pero el mundo estaba *construido* de forma hermosa en su diseño y estructuras generales, aunque en detalle apareciera a menudo brutal y feo. Y a medida que ganó en experiencia se sentía feliz al ver el débil tejido conjuntivo que subyacía en la vida cotidiana. Para alguien que prestara atención, las claves estaban allí, a la vista. No exigían atención, pero la premiaban. Algunos momentos, algunos objetos, algunas palabras tenían, no un brillo (ése era un término estúpido, destinado a explicar algo de esa sensación a los torpes de los hombres), sino más bien una importancia innata pero parcial. Eran eslabones en una cadena de acontecimientos, pero el eslabón al que estaban destinados a vincularse podría no aparecer durante días, y aun entonces sólo muy lejos, en un contexto enteramente distinto. Sin embargo, estos dos eslabones, como conjunto, cuando se veía tal lo que eran, no podían ser ninguna otra cosa, ni coincidencia, ni ilusiones. Se relacionaban entre sí gracias a los contextos comunes y entonces daban a entender la existencia de una pista, o una conclusión a la que sólo las personas atentas podían llegar.

Anne era bastante joven cuando descubrió su capacidad de percepción, y sólo un poco más vieja cuando se dio cuenta de que muchas personas simplemente no se fijaban en esos significados que pasaban a su lado cada día. Observó, también, que explicar lo que ella podía ver a aquellos que no lo veían provocaba invariablemente la burla de éstos. La mayoría de las personas confiaba enteramente en las palabras y esperaba que se las dijeran, esperaban oír lo que querían oír, en vez de escuchar.

Pero Anne no se mentiría a sí misma para parecerse a ellas. Sus observaciones demostraban empíricamente que tenía razón una y otra vez. Sabía que sus amigas estaban preocupadas antes de saberlo ellas mismas, y esperaba con impaciencia a que llegaran finalmente a ese conocimiento. Ella sabía cuándo un asesino volvería a golpear, o desaparecería. Sabía por una simple muestra de la obra de un pintor expuesto en el escaparate de una galería que el artista había sido contagiado por una infección espiritista, aunque las pinturas exhibidas sólo mostraran unas vacas tomando el sol.

Durante toda la noche en compañía de Constance —en el teatro, durante la cena, en cada habitación de la casa— oía llegar esos eslabones plenos de significado, rápidamente, uno tras otro, aun cuando ese significado no fuera obvio de inmediato. Para empezar, cuando Anne estaba considerando cómo podría, en el transcurso de la sesión y la limpieza de aquella noche, demostrar la inocencia del marido, Constance la sacó de la casa, porque había tomado un palco en el teatro, para disfrutar de la ausencia de su esposo. El primer eslabón: el teatro era aquel en que Anne había actuado, su último papel allí había sido la Gertudris de *Hamlet*. Y de nuevo: la obra de esa noche era nada menos que *Hamlet*. Y además: Kate Millais, que había interpretado a Ofelia frente a la Gertrudis de Anne, ahora representaba el papel de Gertrudis: una joven que prematuramente asumía el papel de madre.

Constance, además, habló, tanto en los entreactos como mientras regresaban a pie a casa, de su propia madre, de la falta de los buenos consejos maternos que ella había sufrido durante toda su vida, y de cómo ella temía que, en consecuencia, tuviera muy poco que ofrecer a Angelica. Se cogía del brazo de Anne, paseando junto a un verde parque rodeado de una verja de negras picas de hierro rematadas con borlas, cada una de ellas con una guirnalda de rosas de negro metal alrededor del asta de la pica, y cada rosa tachonada de negras espigas de metal, y entre algunas de estas espigas diminutos insectos y orugas de metal negro. Todo ello no era más que producto de la extrema vanidad de un anónimo maestro en la forja del hierro, porque incluso algunas de las orugas habían sido trabajadas hasta los diminutos pelos que revestían sus segmentados cuerpos.

Mientras avanzaban de farola en farola, Constance daba golpecitos con la mano en esas borlas de espinas y hablaba de la próxima separación de su hija, pensada para sólo una semana más tarde, con el fin de ser alimentada a base de latín y Darwin, y quién sabe qué otras cosas.

Al momento siguiente, dos jóvenes llegaron doblando la esquina con disfraces: un obispo católico y una monja, riendo, cogidos del brazo, cantando en un paródico latín: «In catedra ex catedra ex oficio rum pum pum...»

Cuando regresaron a la casa de los Barton, la niña en cuestión estaba totalmente preparada para recibirlas, en una actitud como si supiera que ellas iban a aparecer en aquel mismo momento: «Quiero que *tú* me lleves a la cama», dijo, tanto para sorpresa de Anne como de Constance, aunque Anne ya esperaba exactamente aquel débil pero muy significativo eslabón. Levantó a la niña mientras Constance se llevaba a Nora a la cocina, y supo que no le hacía falta más que escuchar con atención para enterarse de algo de suma importancia.

—Te he estado esperando —dijo Angelica a Anne mientras ésta la subía por las escaleras—. Durante mucho rato. Gira a la izquierda ahora —ordenó al llegar arriba, pero como esa instrucción las habría mandado contra la pared, Anne hizo lo contrario, y la niña alabó su desobediencia.

—¿Duermes aquí? —preguntó Anne, bajando a la niña a su cama—. Parece la cámara real de un palacio.

El armario, sede de la temida sospecha, guardaba más ropa de la que Anne poseía.

Angelica acarició el rígido cabello de su muñeca, era tieso como un negro alambre, como arrancado de la cola de un caballo sentenciado. Movía sus manos en un único gesto, otro eslabón, exactamente tal como Molly Turner había hecho noche tras noche delante de Anne en *Los niños peligrosos, o El espanto de una noche*. Anne no se había acordado de esa obra durante años, hasta que la recordó sólo unas pocas horas antes, cuando ella y Constance llegaban ante el teatro. En aquella obra, Molly, una muchacha de diecisiete años, había interpretado a una niña de diez, y lo había hecho tan bien que algunos se quejaron de que una pequeña apareciera en un espectáculo de esa naturaleza. Molly Turner había conquistado también a su primer admirador en esa obra, uno que anteriormente había estado cortejando vagamente a Anne. Él fue la primera de las múltiples conquistas de Molly, y la penúltima de Anne.

—¿Me cuentas un cuento? —preguntó Anne, y descendió hasta sentarse en un sillón ricamente tapizado de azul situado junto a la cabecera.

—¿Qué cuentos te gustan? —quiso saber la niña.

—Los que tú prefieras. Cuéntame algo de tu muñeca. ¿Cómo se llama?

—Es la Princesa Elisabeth, y todo el mundo la conoce por ese nombre, pero ahora lo esconde. Ahora es la Princesita de los Tulipanes.

—Pero ¿por qué esconde una adorable niña como ésa su nombre?

—Los duendecillos tratan de cogerla. Para enseñarle latín. Se escapó. Pero ahora ellos han hecho un voto. Cuando la encuentren, ella debe sentarse sobre un hongo venenoso y hechizarlos, o los duendecillos harán alguna cosa indesible.

—¿Indesible?

—Y todo el mundo ha de callarse cuando ella trate de encantarlos. Ellos la hacen bailar. Y los duendecillos son bailarines *exquisitos*. De manera que son jueces duros. Y luego la nieve baila cuando los duendecillos lo ordenan, y ella no debe dejar que los copos de nieve toquen el suelo.

Anne reflexionó. Y preguntó muy lentamente:

—Y si comete un error y se le escapa un copo, ¿cuál será el castigo?

—¡Silencio! No debes decir eso nunca —susurró—. Los duendecillos castigan los errores con vientos *cruales*. Pobre, triste Princesa de los Tulipanes.

—¿Por qué está triste, Angelica?

—En el país de los tulipanes duerme protegida por unos ángeles valientes que tienen lanzas hechas de espinas de rosa. Si te tocan con ellas, te mueres. *Para siempre.*

—Protegen a la princesa. Excelente. Es bueno tener a alguien que te proteja. ¿La están protegiendo de los duendecillos?

—No. De algo muchísimo peor.

—¿Y eso qué es?

—Muchísimo peor.

—¿Y sabe la madre de la princesa qué es? —preguntó Anne.

—¿Eres gorda? —le preguntó la niña después de suspirar.

—Supongo que sí. Seguramente te parezco muy grande. ¿Doy miedo?

—¡Eres divertida! Las damas no pueden dar miedo.

—Qué niña más juiciosa. ¿Dónde has aprendido eso?

—Todo el mundo sabe eso. Así es como Dios nos hizo.

—¿Y qué es lo que te da miedo, entonces? ¿Qué es peor que los duendecillos?

—Ahora cuéntame tú un cuento, por favor.

—Muy bien. Sujeta fuerte a la princesa y lo haré. Había una vez una reina muy hermosa, la más dulce de todas las damas. Pero estaba triste y muy preocupada, porque su rey no era bueno. Y su hija, la princesa, amaba a su mamá con toda su alma, y no quería que su mamá sufriera más tormentos, de manera que la princesa nunca le contaba a la reina las crueldades que ella, la princesa, también sufría. Pero la princesa tenía que contárselo a *alguien*, de manera que se dirigió al consejero real, pues la reina tenía un amigo en quien confiaba.

—¡Lo sé! ¡Lo conozco!

—¿Lo conoces? ¿Qué quieres decir?

—La Reina de Cristal confía sólo en Señor de las Luces, y

la Reina de los Dulces mira al Milord Regaliz con miradas de profunda aprobación, y la Dama de los Árboles confía para siempre y solamente en los buenos servicios del Caballero de las Aguas. Toda reina tiene a un hombre así.

—Ya veo. Es interesante que hayas mencionado la regaliz, porque mira lo que te he traído. Te gusta, ¿no? Muy bien, entonces, querida niña, esta reina confiaba en su sapientísimo mago para que la protegiera a ella y a su amada princesita. Y la princesa sabía que podía decir al mago cualquier cosa y el mago la protegería... ¿Qué supones que pasa luego? Puedes acabar mi historia.

Pero la boca de la niña estaba atiborrada con los dulces. De manera que Anne empujó el puñado de caramelos de regaliz boca adentro. Anne esperaba, temiendo la verdad que iba a venir. Al final la niña tragó ostensiblemente. Anne le secó los pequeños labios y escuchó con sus oídos, sus ojos y su corazón. La niña preguntó:

—¿Comes espárragos?

—Sí. Me gustan mucho. Con una salsa.

—P-p-p-p-p-ppppppp —tartamudeó violentamente, enrojeció y sus ojos se giraron hacia arriba y hacia la derecha mientras su rostro se retorcía para expresar la resistente palabra— ¡¡p-PAPÁ!! dice que es bueno para los riñones.

—Probablemente sí.

La niña bostezó. Sus ojos se cerraron y se abrieron inmediatamente.

—¿Quién está en nuestro techo? Dijiste que hay un hombre que cuelga de nuestro techo. Te oí en el parque.

Anne se acercó al borde de la cama de Angelica y dijo suavemente:

—Ahora te dormirás, y tu madre y yo velaremos por tu seguridad. Y por la mañana te despertarás y nos contarás solamente los sueños más bonitos.

—¿Adónde ha ido mi papá? —dijo Angelica con los ojos casi cerrados.

—Volverá mañana, y tú no le contarás que te he visitado, ¿verdad?

—Lo juro —susurró la niña.

Mrs. Montague puso su gran mano sobre la cabeza de Angelica, le acarició suavemente el rostro, y la niña se durmió.

En aquella silla azul, Constance se pasaba las noches, observando a su hija, tratando de comprender las palabras de la criatura, no más claras que las declaraciones de un oráculo, o de los muertos. Pero esa noche había un significado en ellas. La sensación de que había unos eslabones que se unían para formar una cadena irrompible, raras veces había sido tan fuerte, y Anne se sintió casi capaz de agarrar el lustroso primer eslabón de la cadena.

Dejó a la durmiente niña, pero, en vez de ir a reunirse con su anfitriona, subió arriba y exploró la suite de la señora y el caballero. La lluvia repiqueteaba en las ventanas. La meteorología había permitido que Anne y Constance pudieran ir de casa al teatro, pero ahora el cielo se abría con terrible fuerza. Mientras los cristales hacían ruido y la luz parecía jadear, Anne examinó la habitación donde dormía el italiano, se afeitaba y mancillaba todo lo que lo rodeaba. Su influencia se dejaba sentir más allí, en el segundo y más pequeño armario, que olía a tabaco, en la mesa con sus brochas, un cuenco de plata, una navaja. Examinó este último objeto, un recuerdo de la guerra, mango de suave piedra gris, inscrito con palabras y símbolos extranjeros. Una de las paredes de su vestidor estaba cubierta con un tapiz en el que se reproducía un unicornio. Una llorosa virgen estaba sentada en la silla, el unicornio tenía la cabeza apoyada en su regazo, y ella deslizaba sus dedos, llenos de anillos, a través de los blancos rizos de su crin; por el bosquecillo venía arrastrándose el cazador, la curvada hoja en su mano derecha, un cuenco plateado en la otra.

Corrió los cortinajes que envolvían la cama y hundió sus manos en las almohadas y las fundas. *No puedo seguir durmiendo*, decía el cuerpo de Constance a la misma hora todas las noches. *No me pisotees*, decían las crujientes escaleras. *Pero debo atender a mi niña*, suplicaba Constance. *No me abras*, decía la puerta de la niña. *¿Que clase de madre sería si no lo hiciera?*

Anne bajó para encontrarse con una fiesta llena de luces, precisamente el tipo de recepción que había esperado hallar en esa casa; pero ahora la desconcertó. Era inmerecido. No se sentía a gusto, sólo insegura de lo que debía decir, o dónde situarse en medio de tanto confort, ante aquella fastuosa comida que Constance consideraba su tarifa habitual.

Constance parecía sentir que no había peligro aquella noche. No esperaba ningún ataque. Y ofrecía un nuevo aspecto de sí misma, una especie de regalo para Anne. No fingía ser la anfitriona, ni una persona que se había librado del terror. Estaba sencillamente feliz.

—Tengo una extraña sensación cuando estoy en su compañía —dijo mientras se sentaban—. Cuando pienso por un momento en lo que está ocurriendo en mi casa, en lo que es probable a lo que me enfrente esta noche, al terminar esta estupenda comida, creo que podría volverme loca. Y, sin embargo, simplemente por el hecho de que esté usted a mi lado, me siento capaz de afrontarlo

—Las mujeres que están en su situación a menudo se sienten igual que usted.

—No. Quiero decir más que eso. Yo siento más de lo que ellas sienten. No deseo que piense usted que estoy recurriendo a un tópico. No estoy hablando como una de esas muchas mujeres «angustiadas» que buscan su consuelo.

—Yo no tenía intención de acusarla de... recurrir a tópicos.

Constance hizo una señal a Nora de que empezara a servir la cena, como una gran dama en su casa, y sintiéndose cómoda.

—«Las mujeres en su situación.» ¿Siempre somos mujeres, entonces? ¿Ha ayudado usted alguna vez a un hombre?

—Nunca.

—¿No son acosados?

—Sé que lo son. He leído las palabras de hombres perseguidos, he oído sus últimas y atormentados pensamientos y confesiones. Pero no van a buscar ayuda. No pretendo comprenderlos, querida. Sólo a los muertos.

Constance consideró, saboreó y rechazó una serie de palabras. Anne le daría todo el tiempo del mundo para formular sus pensamientos, tan fuerte era la sensación de creciente tensión por la llegada de otro eslabón de la cadena.

—¿Cree usted que la paz se encuentra en compañía de otro o solamente en uno mismo? —preguntó su amiga tras un largo silencio.

—Está usted preguntándome demasiado si espera hallar paz cuando su hogar está sufriendo una situación espantosa.

—¡Pero a eso es a lo que me refiero! Lo siento ahora, pese a todo eso. Lo siento *ahora*. Eso es lo que quería que usted supiera.

Hablaba de una manera muy diferente a la de un hombre, y con palabras muy distintas de las que un hombre desearía que ella dijera. De haber tenido Anne una hija, ésta podría muy bien haber sido de la edad de Constance.

—La sensación de paz y el hecho del matrimonio son presentados a las muchachas como equivalentes, pero raras veces ambas cosas viajan en mutua compañía —replicó Anne—. Yo estuve casada una vez, desde luego. Era un hombre bastante inferior a lo que podía razonablemente haber esperado. Poco después de que me depositara en su casa, me dijo que nunca tendría una doncella como su leal Nora, y no tardando mucho, incluso perdió aquella modesta casa. Del mismo modo que el pequeño tesoro que yo había aportado al matrimonio. Y no mucho después, la vida misma resultó demasiado pesada para sus débiles manos, y para cuando tenía la edad que usted tiene ahora, querida amiga, me quedé viuda.

—Es mi mayor temor, debo confesarlo.

—¿Quedarse viuda? ¿De veras? Humm. Querida, debe usted aprender a clasificar sus temores correctamente... Es una práctica saludable. He visto cosas mucho peores a las que temer que una suave repulsión por el matrimonio. En mi propio caso me sentí completamente liberada. La herencia no era grande, desde luego. ¿Sabe usted lo que le tocará? ¿No? Lo mío no era mucho, pero a pesar de ello, no me preocupé, ya que, como dejó de malgastar el dinero (un derroche que había sido un tanto encantador cuando se ejercía conmigo), mis medios se vieron muy aumentados. Pero mayor aún fue el placer de proveer a mis necesidades otra vez, la libertad de ser yo misma. Las exigencias de aquel papel que había asumido —el de esposa devota— eran un peso muy incómodo. Yo soy tremendamente egoísta.

—No puede usted convencerme de eso. Es usted como una santa medieval, poniéndose continuamente en peligro para ayudar a almas más débiles.

—Yo trabajo con mucho vigor, porque eso me satisface. Soy la mejor protectora de sí misma.

—Yo he trabajado. El trabajo duro no me asusta. La soledad, sí.

—¿Prefiere usted la compañía que encuentra en esta casa a la soledad?

—Desearía otra solución, pero, por supuesto, no hay ninguna, ¿verdad? Y por tanto, me contento con la paz que siento en una selecta, aunque sea temporal, compañía.

Constance alargó la mano por encima de la mesa y apretó la de su amiga.

Nora trajo oporto de la bodega de Mr. Barton y Constance volvió a exigir a Anne que echara la culpa del encantamiento a su marido. Anne siguió defendiéndolo, aunque sentía que sus fuerzas en esa batalla estaban decayendo. La insistencia en esas acusaciones turbó a Anne un poco más, como si, ahora, y antes, en su charla, Constance diera vueltas alrededor de una verdad, se acercara tanto a una llama como su valor le permitía.

—Querría convertirla en un chico, ¿sabe? —dijo—, para que fuera un «científico» como él. Y en su esposa... querría hacerla su esposa. Reemplazarme.

Se sentaron ante el fuego, con su oporto, y compartieron uno de los cigarros de Joseph Barton.

—¿Se ha preguntado usted alguna vez, querida, por qué debemos dar la impresión de que nos deslizamos por la vida? Seguramente le han dicho eso alguna vez en su vida: «Las mujeres deben deslizarse.» Es sencillo. Si nos deslizamos, es que no tenemos piernas. Y si no tenemos piernas, los hombres no tienen que atormentarse pensando en nuestras piernas. Pero aquí, a solas y entre nosotras, podemos recuperar nuestras piernas.

Anne se subió las faldas de modo que sus gigantescos troncos de árbol, envueltos en algodón blanco y rematados con botines de cuero, fueron ofrecidos al calor del fuego y a las risas de Constance, que siguió su ejemplo.

—En todas aquellas partes en que las mujeres viven libres de los hombres —dijo Anne— tienen piernas.

Anne dejó a su amiga sentada delante de la durmiente niña y se fue a pasear sola por la casa, limpiándola de la maldición de los Burnham. Echó el cerrojo y se estiró en la cama de Constance y Joseph. Cada noche, Constance se despertaba allí, contra su voluntad. Cada contacto de su marido se reproducía en su hija. El alma de Constance Barton luchaba consigo misma: algo la impelía a despertarse, incluso pese a que *algo* intentaba asustarla para que regresara a la cama. Cuán equivocada había estado Anne... Lo percibía más y más a medida que permanecía bajo aquel techo donde ella había imaginado la existencia de un malvado marido. Anne deseó que todo aquello fuera cierto: eso sería mucho mejor que si el mundo de los espíritus hubiera violado sus habituales principios y estuviera atacando a la niña.

La esposa veía ese espíritu porque no podía soportar la verdad. Todas la pruebas de un crimen real estaban distorsionadas, trasmutadas en lo espectral, porque la realidad era inexpresable, incluso más inimaginable que la fantasmal. Anne ya se había encontrado con esa deformación del juicio anteriormente. La mente atacada, acosada, se retiraba dentro de sí misma y creaba metáforas, que se convertían en reales. Constance veía demonios azules sólo para no ver a su marido salir de la habitación de su hija con las botas en la mano, cerrar la puerta a sus espaldas, y subir hasta su cama en silencio. Veía significados en los platos agrietados (o quizás ella misma los dañaba sin darse cuenta) en vez de entrar en aquella habitación detrás de él y encontrar a su hija arrinconada, bajo el astillado y empañado espejo, cubriéndose la boca con la mano para obligarse a guardar silencio. La mente de Constance había creado un espíritu porque así al menos tenía la esperanza de exorcizar a un fantasma, y tratándose de un espíritu ella podía encontrar a un extraño que creyera en ella y la ayudara. Ella tenía a Anne, mientras tuviera ese fantasma. Pues no podía recurrir a la ley o a la sociedad para controlar la maldad de su marido.

Anne había sido clarividente, el día anterior, al relatar imaginativamente la historia de los Burnham. Los berrinches, el malvado padre comprometido en un indecible pecado y la niña de cuatro años de edad pagando el precio. Al contar esos improvisados detalles de la historia de los Burnham ella había recibido un mensaje como médium sin darse cuenta, pensando solamente que estaba manejando con inteligencia a una clienta fastidiosa. El otro mundo, de vez en cuando, trataba de subsanar los daños de éste, y en esta ocasión hablaba a través de Anne sin que ésta lo supiera.

Mientras yacía allí ahora sobre aquel sucio lecho conyugal, sintió ganas de golpear el aire con sus puños o de llorar como Constance, al haber llegado a ese conocimiento y ser incapaz de decirlo e incapaz de actuar. Anne se debatía entre contradictorias ideas ahora: ¿debía abrir los ojos de Constance al mal que anidaba bajo su techo y calmarla para que desviara la mirada ante aquel inevitable mal y sufrir, ya que nada, ni siquiera la lujuria, dura para siempre? ¿Debía aconsejarle que escapara con su hija y se pasaran el resto de su vida escondidas y viviendo en la pobreza? ¿O debía no hacer nada, tranquilizarla con pócimas para dormir, alimentar su ignorancia, distraerla con sesiones, proporcionarle legiones de fantasmas que espantar y derrotar, sólo en su imaginación, haciéndole olvidar su verdadero horror? Pero ¿de qué servía todo eso si el marido tenía intención de sacrificarla, tal como ella pensaba, con aquel extraño y sibilino asesinato que quería perpetrar mediante su embarazo?

Constance había tratado de decírselo a Anne, en su primer encuentro. ¿Cuántos días hacía de eso? Una vida entera. «Es demasiado horrible para perdonarlo. Debería cerrar la boca, mis ojos deberían mirar a otra parte, irse desvaneciendo en la ceguera. Casi lo preferiría. O eso, o morirme.»

Constance Barton había ascendido hasta esa riqueza, los palcos del teatro y las suculentas comidas, y ahora cada almohada donde quedaba impresa su forma se comportaba como el engrudo que fija en un lugar un insecto que se retuerce. Había conocido cruelmente tarde el precio que se esperaba que pagara y pagara, por unas comodidades de las que no podía desprenderse. Si ella decidía quejarse por la conducta de su amo, podía volver a un mundo más duro. Que ella viera solamente un par de fantasmas —fantasmas cuyo comportamiento tanto respondía al de su inspiración humana— era un tributo al sólido carácter de la dama.

La niña, abajo, presa del miedo y el dolor, lloraba sola, vivía con la creciente creencia de que así es como tenía que ser, o que aquello era culpa suya, que así funcionaban los adultos, que comprendían mejor lo que le convenía. No era la primera vez que Anne oía hablar de algo semejante, desde luego. Londres estaba enferma de ese mal, un complot cuyos conspiradores acechaban y se reían en hogares de todo tipo, pero Anne nunca había conocido y amado tan rápidamente a la pobre niña como amaba a ese angelito sin alas.

Jugueteó con los candados de los armarios de Joseph, examinó su escritorio, los cajones, sin saber muy bien qué buscaba, pero esperando, quizás, tropezar con alguna inspiración, una palanca con la que llevar a su amiga y a la niña a la seguridad. Era muy improbable que la policía pudiera ayudar. Un inspector más sensato que la media tal vez podría consentir en hacer una visita, tener una charla, asentir comprensivamente ante las divertidas u ofendidas negativas del caballero, y luego marcharse dejando tras de sí a un villano ahora mucho más humillado y a una esposa y una hija en un peligro mayor. La ley no tenía interés en esas historias. Y tampoco ningún amable médico podría corregir los trastornos que infectaban la casa.

Contempló a Constance en la silla azul, rindiéndose al sueño sólo tras la más feroz de las defensas, cabeceando.

—Vamos, su dormitorio la espera, purificado —dijo Anne, incómoda ante su propia actuación. Dejó a su amiga, más dormida que despierta, en el lugar que le correspondía.

—Debería ayudarla —murmuró Constance—. Debería estar a su lado.

Pero Anne la levantó, la llevó hasta su cama y con un leve toque la hizo dormir tan fácilmente como había hecho con la niña.

Aunque sólo fuera ése, les había proporcionado un consuelo esa noche. Constance había ido al teatro, gozado del aire y la conversación, comentado que se sentía relajada. Había comido y bebido bien, tomándose una pequeña venganza con el oporto de su marido. Anne le había proporcionado un surtido de armas espiritistas, con lo que le había ofrecido una sensación de acción y progreso. Ahora Constance dormía en su cama, a salvo, aunque sólo fuera por una noche. Dentro de unas horas, Anne la despertaría con una descripción de cómo había repelido al espectro, de cómo lo había herido, le demostraría, al menos, que se podía derrotar, y, al mismo tiempo, que no era culpa suya. No, no era bastante. No había hecho ni mucho menos lo suficiente. Si dispusiera de tiempo ilimitado, podría enseñarle a manejar a ese cerdo, eliminar tentaciones, levantar obstáculos, redirigir sus furias y ansias, ocultar a la niña detrás de rituales y compromisos sociales. Pero puede que no quedase ya tiempo, y Anne le hubiera dado a la confiada alma de Constance una cajita con humo.

En esa larga meditación nocturna decidió, no hacer que Constance viera la realidad, sino que ella sería sus ojos. Miraría las cosas más temibles y taparía los ojos de Constance, porque

Anne estaba hecha de una materia más basta. Feas, cubiertas de las cicatrices de la vida, las personas como Anne debían existir para que personas como Constance pudieran vivir una vida mejor. Constance se sentía en paz en compañía de Anne precisamente porque Anne estaba deseosa de encajar y ocultar la maldad que hacía imposible cualquier tipo de paz. Y entonces llegó la dolorosa conclusión de esa línea de pensamiento, al compromiso de que debía haber un sacrificio: si Constance era ciega, entonces la bestia podía abusar de la niña a su antojo. Y la vida de la madre no correría peligro.

—¿Qué? ¿Ha eliminado a todas esas hadas malignas? —preguntó Nora cuando Anne bajaba por las escaleras. Anne ordenó a la criada que no despertara a su señora y salió de la casa.

Encontró a su hombre en la segunda taberna donde buscó. No era coincidencia: él siempre se movía entre tres de ellas, y siempre le decía al último tabernero dónde estaría a continuación si alguien preguntaba por él. Normalmente andaba necesitado. Aquel que deseara hablar con él sabía hallarlo en su particular recorrido. De nada servía esconderse si no interesaba estar escondido.

Retirados ambos hacía mucho del teatro, él y Anne tenían una antigua historia de escenas compartidas y noches de alcohol, mutua asistencia aquí y allá en asuntos teatrales o prácticos, cuando ninguno de los dos tenía a nadie más a quien acudir en busca de ayuda. Desde aquellos tiempos de privaciones y camaradería, él se había consolidado en unos círculos y negocios tan esporádicamente provechosos como los de Anne. Siempre se habían llamado mutuamente por sus papeles más importantes: él la llamaba Gert, y ella lo llamaba El Tercero, aunque los carteles años atrás lo presentaban, en letras pequeñas al final del *dramatis personae*, como Michel Sylvain, Thomas Wallender, Diccon Knox, Abel Mason y otros varios. Ninguno de éstos era su verdadero nombre, y él nunca sintió la necesidad de darle a Anne ningún otro, y ella tampoco se preocupó nunca de pedírselo.

—Majestad —entonó él, y se inclinó cuando ella llegó al oscuro extremo de la sala, llena a rebosar a esa hora tardía—. Soy vuestro sirviente.

—He visto a Katy Millais en mi papel esta noche. No me gustó.

—Es una usurpación y una atrocidad, Alteza. ¿Un trago?

—A vuestra salud.

Él nunca preguntaba en qué andaba, y ella tampoco quería saber cómo había llenado él su tiempo, o su bolsa, desde la última vez que se habían visto. Si necesitaban algún servicio del otro, hablaban del tema inmediatamente. Cuando la visita era social, hablaban sólo de los hechos y las personas del lejano pasado. Esa noche, Anne dijo solamente:

—Necesito un artículo de protección para una dama.

—¿Cómo son sus muñecas? —dijo El Tercero mientras la hacía retroceder hasta una cerrada puerta a la que le soltó un par de puntapiés—. ¿Finitas, o se parecen más a tus adorables troncos?

Nora le permitió entrar otra vez en la casa, aunque se quejó de la hora, y Anne pronto se encontró arriba para observar la habitación de la niña a las tres y cuarto, la hora que tanto perturbaba a Constance. La niña estaba profundamente dormida, como su madre.

Antes del alba, Anne despertó a su clienta con un informe:

—No es usted ningún puente para esa cosa, porque ha estado aquí y de ninguna manera como respuesta a sus sueños —le dijo a Constance, ésta todavía atontada por el sueño—. Debería usted sentir un gran alivio, dulce criatura, porque la bestia se ha debilitado, sin la menor duda.

Inmediatamente (¡e incluso soñolienta!) Constance insistió en la posibilidad de la culpa de su marido.

—¿Dónde ha escondido usted sus armas? —fue la respuesta de Anne.

Constance la acompañó hasta el cofre de nogal que había fuera de la habitación de la niña y le reveló la caja oculta.

—Aquí hay un artículo más —dijo Anne colocando el estrecho mango de hueso del cuchillo de El Tercero en la palma de Constance—. Sosténgalo así, querida.

Dobló los blandos dedos de Constance para adoptar la adecuada posición. ¿Qué era lo que Constance estaba exactamente creyendo, deseando creer, preparada para oír? No preguntó para qué era la navaja, y Anne se lo aclaró:

—Todas las mujeres deberían tener uno en su ajuar; ¡pero qué pocas madres piensan en ello! Mantenga el brazo fuertemente apretado contra su costado. Así. Pero, tranquila, no la necesitará.

Anne lo volvió a coger y lo colocó entre los crucifijos y las hierbas. Quizás el cuchillo llevaría a Constance a considerar las amenazas que se cernían sobre ella como algo de carne y hueso. Sabía ya que estaban hablando en código, representando una farsa, pero Constance quería una explicación ingenua. Su confianza y necesidad estaban inseparablemente unidas.

—Tiene usted el valor de una leona protegiendo a sus crías —dijo Anne—. Yo he demostrado esta noche que su horror es vulnerable a estas herramientas. Se librará usted de eso, y con el tiempo quizás descubra que su Joseph es su sostén nuevamente.

Cerró la caja, y la colocó de nuevo en su sitio.

Esperaba que ella estuviera equivocaba. Quizás el marido era inocente. Quizás era un fantasma menor, al que Constance aún podía vencer. Su corazón era sólo bondad y pureza. Si alguno podía ahuyentar el mal, era el suyo.

—Me gustaría que estuviera usted a mi lado, defendiéndome cada noche —dijo Constance mientras bajaban por la escalera.

—Cuán segura y rápidamente confía usted su corazón, querida Constance. Eso es una clara prueba de su sabiduría. Yo no puedo estar aquí para su próximo combate, pero no le falta nada de lo que necesita. Me he asegurado de ello.

Compartieron el café y se separaron antes de las primeras luces del alba.

—Estamos más cerca que nunca de una solución, amiga mía —dijo Anne en el umbral, y deseó que eso fuera cierto. No podía decir cuál sería la mejor solución. Pensó en aquella niña dormida arriba, en la comida y el vino, los cojines y las colgaduras, en el hombre que iba a volver a la casa aquel día, en aquella gentil mujer a quien la única protección que podía ofrecer era la ignorancia.

Capítulo 6

Salió de la casa y permaneció quieto durante un par de momentos en *su* portal, examinó el cielo y la calle, vagamente satisfecho de sí mismo. La primera idea de Anne —era natural— fue confiar en que las ansias del marido hubieran sido desviadas. Su segundo pensamiento —no menos natural, considerando su enfoque de las circunstancias— fue que si él *había* vencido —ella no podía evitar pensar así—, rezaría para que la madre hubiera quedado intacta, y la hija hubiera soportado el ataque. Algunos dirían que Angelica estaba simplemente aprendiendo más pronto que la mayoría lo horribles que eran los hombres. Ese conocimiento era casi un regalo cuando se lo veía a cierta luz. Y ella estaría salvando la vida de su madre, un logro digno de elogio para una muchacha. En un mundo diseñado por Anne, Angelica, la pequeña heroína, recibiría elogios, los periódicos escribirían sobre ella, tal como ahora hacían, en este mundo más mundano, sobre cualquier subteniente que valientemente ofrecía su pecho a una bala enemiga que se dirigía hacia su comandante, y que, por su relativamente pequeño valor, sufría una quemazón que duraba un momento y luego saboreaba una fama eterna.

Tal como había hecho la primera mañana mientras Nora ocultaba su rostro, Anne cruzó la calle y se acercó a él cuando salía de su portal. Examinó las comisuras de su boca y el ángulo de sus miradas mientras se acercaba a él. Esperaba obtener de su cara algún conocimiento claro de lo que había ocurrido la noche anterior. Él la miró y se detuvo por un momento, y ella reconoció la expresión de otros muchos maridos. Ahora vendrían las amenazas y las exigencias de que le devolviera el dinero. Pero no, Joseph Barton la examinó con su insulsa expresión, resopló y siguió su camino.

—¿Sabe de mí? —preguntó a Nora en la puerta, que se había abierto antes de que ella llamara. Nora le bloqueó la entrada y bajó los ojos, una respuesta suficiente—. Vengo a ver a tu señora.

Pero la estúpida le cerraba el paso.

—Está descansando. Órdenes del doctor. —Anne apartó la mano de la muchacha, y ésta lanzó un grito de dolor—. Por favor, señorita, por favor —protestó Nora—. Si descubre que ha venido usted, me despedirá. Me pegó.

Otra conversación que Anne ya había tenido en el pasado, del mismo modo que ella se había presentado a Constance Barton con palabras que ya había usado, y captado la atención de la mujer con historias que ya había contado. Y sin embargo, como en una obra de teatro, de golpe, aquellas palabras del guión —esta vez, esta única vez— llevaban en su seno un sentido profundo, inaudible en un millar de rutinarias recitaciones anteriores.

—Dile que no debe... No, dile que debería...

—Por favor, señorita —gimió Nora, mientras le caían las lágrimas.

—Nora, te estoy suplicando. Dile que la espero en nuestro parque. Estaré allí todo el día.

Anne estuvo sentada en el parque hasta que cayó la noche, abandonando su puesto sólo en tres ocasiones, para sus necesidades y, al regresar apresuradamente, examinando cada niña con la esperanza de que una de ellas pudiera ser la heroica Angelica. Unas risas a sus espaldas le hicieron volver la cabeza. A lo lejos, una niña que jugaba con un aro la hizo ponerse de pie y correr tras ella; casi la había perseguido hasta los árboles antes de reconocer que no era Angelica, sino una niña más enclenque, que huía asustada de la corpulenta mujer que iba tras ella. Por lo que volvió a sentarse, consumida por la preocupación, sintiéndose una inútil. Su Constance estaba prisionera en su casa, hinchándose con un hijo que le sería fatal, y su carcelero lo sabía todo, sabía que ella casi se había escapado de sus garras. No volvería a equivocarse. Hizo pactos consigo misma, si Constance podía escaparse y acudir con ella. Se prometió que esta vez, si le daban otra oportunidad, le contaría a Constance todo lo que sabía, sugeriría algo útil, lo que fuera. También maldijo a Constance por ser una estúpida, una cobarde y una mentirosa. Seguramente podía salir de su casa e ir a tranquilizarla si realmente lo deseaba. Seguramente tenía intención de no pagarle y ahora estaba durmiendo o ingiriendo pócimas para olvidar todo lo que había visto o se negaba a ver. Quizás ya había sacado de Anne todo lo que quería, una pequeña experiencia y algo de diversión, una compañera de cena y consuelo maternal. Ahora ya se podía prescindir de Anne. Quizás el hombre se había excusado o mentido, y Constance lo había aceptado con alivio, pensando que ya no tenía que pasar una hora más con aquella gorda y ridícula viuda que se esforzaba por entrar en una casa donde no le correspondía estar, contando leyendas de fantasmas y su pobre experiencia. No habría sido la primera vez, ni tampoco sería la última, supuso Anne junto al círculo de robles, mientras la parte superior de una plateada y manchada luna asomaba por encima del borde más alejado de los árboles para proyectar la agitada silueta de Anne detrás de ella, sobre la gris hierba.

No se durmió, y no estaba durmiendo cuando oyó por la ventana, que estaba abierta, a Constance gritando abajo, golpeando la puerta. Bajó antes de que la propia Mrs. Crellagh se levantara, y en unos minutos todas sus preguntas fueron respondidas, todas las preocupaciones calmadas, y se encontraba de nuevo representando su muy agradable papel... No de mera guardiana, sino de guardiana de Constance. Llevó a Angelica a la cama, luego ayudó a Constance a sentarse y a tomar una bebida reconfortante. «Me ha pegado», dijo su amiga confesando lo obvio, su cara amoratada y la sangre en su piel, su cuello. Su marido la había encerrado bajo llave y le había quitado sus armas. Ella corría el riesgo de destruirse a sí misma para proteger a su Angelica. Se encontraba *in extremis*, por lo que ninguna solución que pudiera salvarla sería demasiado extrema. «Mi pobre niña, mi pobre niñita», murmuraba Anne, feliz a pesar de sí misma, besando levemente aquel fragante cabello, aquella cara consumida por un inagotable terror.

—¿Por qué yo? —gimió Constance—. ¿Por qué me está sucediendo esto? Si tuviera usted una respuesta para eso, si pudiera yo saber qué maldades he cometido para merecerme la eterna venganza de semejante torturador, podría soportar estos castigos. No dudo ni por un momento de que me merezco esto, pero no consigo recordar por qué. —Una extraña formulación, desde luego—. Me sacrifiqué por ella esta noche. Me entregué a esa cosa para mantenerla alejada de ella.

Esta confesión de sacrificio maternal era demasiado horrible, y Anne tartamudeó para encontrar la correcta combinación de palabras, para suplicarle que dijera que no lo había hecho, arrojarse contra el cuchillo de su enemigo para proteger a una niña que no estaba en ningún peligro (al menos) mortal.

—¿No puede hacer que se detenga eso? —preguntó Constance, borrando la ira repentinamente su miedo, y luego pasando al instante a una actitud de súplica casi infantil—. Por favor, Annie, por favor, haré lo que sea. Le pagaré lo que quiera. Le daré todo lo que quiera.

Tanto las palabras como el tono pillaron a Anne desprevenida. Y se sintió zaherida. Pese a su consciente venalidad e incesantes preocupaciones económicas, pese a todas sus intenciones, desde el primer momento, de aprovecharse del dolor de Constance Barton, en este momento en que la mujer acusaba a Anne de guardarse alguna solución para poder cobrar un buen precio, Anne se sintió avergonzada, y desesperada por sacarla de su error. Ella no podía acusar a nadie más que a sí misma, desde luego; se había asignado el papel de sirviente, los dedos siempre deslizándose hacia la bolsa, pero ahora se sentía ofendida, dolorida de que su público se estuviera tomando su representación tan a pecho.

—¡Al diablo con el dinero de su marido! ¿Cree usted que puedo inhibirme de su dolor?

—Quiero que esto termine, sólo quiero que termine.

Y Anne llegó a un acto del drama que nunca había representado en el pasado.

—Entonces será así. Este encantamiento se detendrá, y usted y Angelica estarán para siempre a salvo. Yo me cuidaré. Lo juro... ¿Me oye usted? Lo *juro*. Acabaré con esto. Tranquila, querida. Acabaré con esto. Será usted libre.

Anne se puso de rodillas y besó la coronilla de la sollozante mujer, le besó sus húmedas manos, y sus temblorosas y pintadas mejillas, después la tranquilizó abrazándola, la meció hasta que sus sollozos cesaron. Luego siguió meciéndola hasta que la respiración de la mujer se fue haciendo más lenta y cayó en un agitado sueño, murmurando cosas. Y ella siguió sujetándola, su cabeza sobre el regazo, besándola una y otra vez, aliviando la entrecortada respiración, sin dejar de besarla.

Capítulo 7

onocí a El Tercero, décadas más tarde, cuando era un anciano dado a la risa exagerada y la conversación elíptica, pero no a la cháchara senil. Anne deseaba presentarme a su viejo amigo, dijo mientras caminábamos hacia su habitual guarida (una taberna de atractivo muy limitado), sólo para ver si yo podría encontrar la manera de conseguirle un pequeño papel, o un trabajo entre bastidores ayudando con el vestuario, o en el guardarropa, incluso limpiando. Hasta que ella me hubo dejado sola con este anciano feliz —con las palabras «Querida, pregúntale lo que quieras, y él te responderá verazmente»— no comprendí que había sido llevada hasta él para otro propósito.

Porque cuando le dije que cualquier amigo de mi tía era amigo mío y le aseguré que haría todo lo que pudiera para conseguirle un empleo en el teatro, su antiguo hogar, él me dio condescendientemente las gracias por mi condescendencia, pero dijo que no tenía intención de poner a prueba mi paciencia pidiéndome favores, «nada menos que a mí». ¿Por qué nada menos que a mí? Él se rió.

—Sé quién es usted.

—¿Por Anne o por la escena?

Se limitó a decir:

—No he olvidado una sola frase, sabe. No quiero volver a la escena, pero podría hacerlo. Déme sólo una entrada, un pie.

Era cierto. Lo verificamos en una conversación muy entretenida. Le di las entradas de cada línea que él había recitado en su vida, y el viejo soltó a continuación los discursos sin un fallo. No eran tantas *palabras*, por supuesto, aunque había representado docenas de papeles, ya que la mayor parte de sus parlamentos eran de soldados y rufianes, o, cuando la obra era en verso, los pies quebrados y los metros abreviados, las frases cortas que llevaban a que reyes y duques enardecieran al público con larguísimas justificaciones y órdenes. (Con mucha más frecuencia, él simplemente había posado mudo y amenazador, llevando una espada, un tambor, un estandarte, o el pastel en el cual eran cocinados los raptores de la hija de Tito.) Pero en nuestro juego, mi memoria fallaba antes que la suya. Él nunca vacilaba y era capaz de declamar a partir sólo de las más pequeñas entradas («Por favor, ¿qué noticias hay?» o «Que entren el mensajero y Talbot»,) sus escasas frases difíciles de distinguir si las decía como Vigilante, Soldado o Prisionero Godo.

Yo le había preguntado a Anne unos días antes, por primera vez desde que era una niña, qué debía de haber pasado con Joseph Barton y, en aquella taberna, una brillante mañana, empecé a comprender que yo estaba destinada a encontrar mis respuestas en ese viejo actor. ¿Ve usted la generosidad de Anne? Por el amor que me tenía, Anne no deseaba verse tentada a defenderse a sí misma. Sabía que podía convencerme de cualquier cosa, pintar el mundo para mí tal como ella lo veía, y yo lo aceptaría, le daría las gracias, la querría aún más. Pero no, me dejaría juzgar sus acciones sin oír sus súplicas, sin estar influida por mi largo amor por ella. Y también, a su honrosa manera, no reconocería una culpa compartida sin el consentimiento de su cómplice, y por tanto me conducía a él, con falsos pretextos, para permitirle que confesara o no, como prefiriera, y para permitirle que la condenara, si él así lo decidía.

El Tercero decidió confesar solamente, con una extraña ligereza, que «Su tía y yo hemos jugado este juego durante muchos años», y me miró como si aquello fuera todo lo que yo necesitaba saber. Y supongo que tenía razón. Él y Anne probablemente habían conversado una mañana treinta años antes, quizás un poco fuera del alcance de su clara memoria cuando lo conocí. Habrían hablado, jugando con los textos gracias a los que antaño habían vivido, llenando las viejas palabras de un nuevo significado mediante una mirada intensa o un énfasis, contando la realidad en verso.

GLOUCESTER: Un silencioso rincón, ahora, una palabra.
ASESINO PRIMERO: ¿Mi señor?
GLOUCESTER: Yo quedaría libre de aquellos cuyo agusanado corazón ofende a todos los que yo amo. Un violador de inocencia, un Satanás disfrazado de hombre.
ASESINO PRIMERO: Un nombre, mi señor, y será cumplida vuestra voluntad. Cruzaría tranquilamente nadando el mismo Infierno, si eso os libra de una rata, un ratón, una pulga. ¡Su nombre, su nombre! Tengo sed de él y de vuestro amor.

Cuando un texto se agotaba, Anne debía simplemente haber cambiado de obra, sabiendo que El Tercero la seguiría.

LUCIANO: Un hombre de viles costumbres.
SEGUNDO SIRVIENTE: ¿Un moro?
LUCIANO: O menos. Un villano más grosero de lo que tú puedas imaginar.

Ella le conducía a comprender sus deseos, incluso mientras estaban rodeados de otros oídos, que los consideraban sólo unos actores borrachos.

MACBTEH: Os aconsejaré el lugar donde debéis situaros. Familiarizaos con el perfecto espía de la época. El momento ha llegado; porque debe hacerse esta noche.
TERCER ASESINO: Estamos decididos, mi señor.

~·~

Tercera parte

Joseph Barton

~ · ~

Capítulo 1

Los conformistas más convencidos huyen de ser unos padres excéntricos, y por tanto imagino —porque no veo otra manera de cumplir la tarea que me ha impuesto en este apartado, pues tengo muy poco material— que éste aspiraba a ser de lo más convencional sin estar siempre convencido de tener éxito. No le resulta fácil ser el amo de su trabajo, de su casa, de sus hembras. Su esposa le desobedece, o finge obedecer pero sólo cumple la letra de su ley, en tanto que el espíritu de dicha ley se desestima, y él no puede decir dónde se separaron las intenciones de ambos. Él se esfuerza por agradarla, pero apenas puede comprenderla, ni tampoco recordar por qué la eligió hace tanto tiempo, ni imaginar por qué ella lo aceptó. Sufre esa modernísima infección que afecta a tantos de nuestros hombres: la indecisión. Ha abdicado de su masculinidad. Ha sido adormecido hasta permitir que los impulsos femeninos desborden sus apropiados canales e inunden la casa. Nunca ha tenido a nadie que le enseñe su papel, y su instinto le ha fallado. Le perturban apetitos que él cree que no atormentan a otros.

~ · ~

Capítulo 2

Harry Delacorte, mi fuente de algunos de los poquísimos hechos que conozco, le gritó a Joseph Barton, para que lo oyera por encima de los congregados y por tanto para que Harry pudiera seguir mirando al ring mientras hablaba, en vez de darse la vuelta y arriesgarse a perderse el profundo impacto de unos despellejados nudillos contra la roja carne:

—La comadrona me dice que seguramente voy a tener un tercer hijo antes de que acabe la noche.

—¡Bien! No tenía ni idea de que la cosa estuviera tan cerca. ¿Estás contento?

—¿Sabes lo que esa loca me dijo? «Lo mejor sería —según su saber— que el niño durmiera al lado de su madre, *durante una semana más o menos.*» ¿Una semana, Dios mío?, ¿quién puede sobrevivir a eso? ¿Has oído alguna vez cosa semejante? Como si yo fuera el jefe de una tribu de gitanos. Le dije... ¡Anda! Ese golpe le va a doler por un tiempo. Le pregunté si deberíamos compartir todos el arroz de una gran olla colgada sobre el fuego en mi dormitorio.

—Dormir en tu cuarto —dijo, maravillado, Joseph—. Qué locura. No soportaría eso ni una sola noche.

—¿Sabes? —dijo pensativo Harry, observando cómo uno de los luchadores retrocedía tambaleándose mientras su adversario seguía golpeándole en la cabeza—, estos tipos están, más que nada, entrenados para controlar la furia. Es una especie de talento que tienen, diría yo.

—Sus mujeres deben de ser un verdadero cuadro de cardenales y moretones.

—¡Prejuicios y calumnias! No, lo dudo. Más bien me inclino a pensar que estos chicos pueden permitirse ser unos corderos en casa. Su palabra más tranquila basta para inducir disciplina.

Joseph percibió envidia en esa afirmación, pues Harry probablemente tenía que recurrir a otras medidas, aunque sería difícil imaginar que tuvieran mucho efecto, fuera cual fuese su furia. Superaba fácilmente el metro ochenta y tres, pero era delgado como una pajita y siempre se inclinaba como un junco de los que crecen en la orilla del lago para oír las palabras que le decían. Pegaba los codos a sus costados y caminaba con pasos rápidos, lo que le daba un aire de ondulante, afeminada precisión, y la capacidad de aproximarse en silencio, incluso sobre las duras tablas del laboratorio. Como, por eso, hablaba antes de que uno supiera que había entrado en la habitación, producía la incómoda sensación de que quizás te había estado observando sin que te dieras cuenta.

El aspecto y la aguda voz de Harry Delacorte, sin embargo, no reflejaban en absoluto su carácter, su apetito de compañía femenina, su perverso esnobismo, su malsano humor. (A principios de aquella noche, se había reído hasta casi atragantarse mientras le describía a Joseph el juego que sus dos chicos habían inventado recientemente, en el cual fingían ser soldados que se encontraban con los cuerpos asesinados de sus propios padres —Harry y su esposa— hechos pedazos por unos negros, y entonces se lanzaban a una gran venganza. «¡Esto es por mi padre!», declaraba Gus, descargando un golpe con su sable de madera contra Harry, que hacía el papel del jefe de los bandidos africanos.)

Joseph había entablado amistad con el joven Delacorte el primer día en que éste ingresó en el laboratorio como estudiante de medicina, unas semanas antes del nacimiento de Angelica. Joseph observaba a Harry mientras el doctor Rowan le daba instrucciones sobre una serie de técnicas quirúrgicas bastante básicas sobre un espécimen. Cuando Rowan se dirigió por el pasillo hacia el siguiente estudiante, Harry, con el rostro crispado, nervioso por los sonidos que producían los especímenes, vaciló ante la visión de la temblorosa carne y los rosados tejidos. Estaba descubriendo, como le pasaba a todo el mundo, que los dibujos de los textos de anatomía eran inútiles simplificaciones, idealizados esbozos de un extenso lecho marino, y ahora ante él se agitaban las olas de aquella opaca superficie. Joseph, evitado por su esposa para dedicarse a una desagradecida recién nacida, decidió (casi a imitación de ella) hacerse cargo del joven. Así que observó cómo, con unos dedos temblorosos, Harry levantaba un cuchillo y lo sostenía sobre el espécimen, al que no conseguía mantener inmóvil con su torpe y débil presa.

—Si puedo hacerle una sugerencia, señor —se rebajó a decir Joseph, llamando «señor» a aquel joven que iba a culminar lo que él no había concluido dieciséis años antes—, uno debe confiar en que las manos hagan solas la tarea, sin consultar demasiado con los propios ojos.

Joseph colocó sus manos sobre las del joven y expertamente guió la inmovilizadora presa con la izquierda y practicó la incisión con la derecha.

—Sí, sí —dijo Harry, dando un paso atrás, y frotándose las palmas—. No sé si quizás me he equivocado al juzgar mis aptitudes.

—Oh, no. Si se persiste, sabe, todo cambia, señor. Será un experto en poco tiempo.

—Vaya, es agradable conocer a un buen tipo aquí. Debe de ser usted un príncipe que trabaja de incógnito. Le estrecharía la mano, pero, bueno, obviamente...

Harry, al que Joseph había protegido de su evidente incompetencia y luego hecho amistad con él, era ahora el superior de Joseph. Después de que Harry se hubiera licenciado, había regresado al laboratorio en calidad de ayudante en jefe del doctor Rowan para dirigir las investigaciones. Era una posición que Joseph había considerado que quizás se había ganado, o podía ganarse, pese a no ser doctor en medicina. Harry había llevado estos laureles alegremente, sin mencionar nunca el cambio en las relaciones entre él y su antiguo mentor. Continuaba pasando las noches con Joseph, frecuentando combates de boxeo con él, apostando según el consejo de Joseph, y ganando una buena cantidad de dinero.

El puño de Lecrozier se zafó de la defensa de Monroe, y, al igual que un cartógrafo, inscribió un archipiélago rojo en el descolorido mapa de la lona. Monroe se dobló apoyándose en una rodilla, como para examinar la exacta cartografía de las manchas.

—Bien hecho —aplaudió Harry con los codos apretados contra sus costados—. ¿Sabes?, me pregunto si voy a tener una niña esta noche. ¿Qué preferirías, en mi lugar? Sospecho que un tercer hijo sería bastante divertido. Uno para heredar mis haciendas, otro para almirante y el de esta noche para obispo. Sería más sencillo. Los chicos son todos bastante parecidos. A los dos años, descubren las locomotoras, y es como si Jesús les abriera los ojos a las glorias del cielo. Un año más tarde, se muestran completamente indiferentes a las máquinas, pero se desesperan por los caballos. A los cuatro, los caballos son adecuados sólo para niños estúpidos, y la verde tierra de Dios existe solamente para proporcionar insectos que deben ser capturados, alimentados, y luego aplastados o echados al fuego. Y ahora, a los cinco, Gus no sabe hablar de otra cosa que de armas.

Monroe ya no pudo soportar más, y salieron los limpiadores para fregar el ring. Harry se dio la vuelta para examinar a las damas que entraban y salían de las sombras de la parte trasera de la sala, el apetito de su público acentuado por el boxeo, aunque sus éxitos en estos lances eran inferiores a los que solían conseguir en los ahorcamientos.

—¿Qué hacen las niñas? —preguntó Harry, levantando un

dedo para captar la atención de un espécimen de rojo cabello—. ¿La tuya, por ejemplo?

—No tengo ni idea. Está encariñada con su muñeca de trapo. Y no es indiferente a la ciencia. Pero no me paso las horas pensando a qué dedica su tiempo.

Cuando Joseph volvió a casa, muy pasada la medianoche, Constance no se despertó, pero la niña sí, se incorporó en su camita y apretó los pies contra la de él. No se volvería a dormir, y, mientras Constance roncaba, Joseph se pasó dos inútiles y desesperantes horas ordenando, engatusando, acariciando, hasta que finalmente la niña cerró los ojos, pero, para entonces, él estaba ya demasiado irritado para hacer lo mismo. Una tribu de gitanos.

Capítulo 3

Al principio, Joseph podría haber considerado mi nacimiento sólo como un golpe, un rayo destructor. La destrucción de su esposa, sin la menor duda. Él se había enamorado de los grandes, casi infantiles ojos de Constance, que le daban una expresión serena que otras habrían tenido que esforzarse mucho para conseguir. Pero con cada nacimiento fallido, sus ojos se hundían un poco más, reflejando un profundo agotamiento. Parecía más enferma tras cada parto, y él se avergonzaba porque a menudo la encontraba fea entonces, como los hambrientos que había visto en la guerra. Ella se recuperaba después de cada esfuerzo, pero sólo en parte, nunca volvía a ser la radiante belleza del principio, ni siquiera al cada vez más menguado atractivo de su rostro tras la última pérdida.

Constance se iba muriendo poco a poco con estos partos malogrados, y entonces recibió el golpe más duro con Angelica. Aunque logró sobrevivir, aquella niña viva la torturaba. El rítmico lloriqueo de Angelica, por ejemplo, desencadenaba las lágrimas de Constance, porque ésta se encontraba aún demasiado débil para ver las necesidades de su agresora. El llanto era solamente un reproche preliminar. Una segunda herida se producía cuando el lloriqueo cambiaba de tono, porque eso quería decir que Nora había llevado a la niña al ama de leche que compartía la habitación de la irlandesa. El tercer insulto era el silencio de la pequeña, ya saciada, aún más ofensivo para su víctima, que estaba dos pisos más arriba.

Joseph comprendía las exigencias del recién nacido animalillo, pero, aun así, esa bestia casi había matado a su esposa y ahora procedía a mofarse de su lisiada víctima mediante unos agresivos aullidos modulados para obtener favores de los asustados y castigar a aquellos que eran impotentes para agradarla. Su repetitivo grito de victoria emitido en dos tonos diferentes llegó a recordarle a Joseph los gritos de guerra africanos que brotaban, sin saberse su origen, de la oscura maleza, un gemido cada vez más intenso que estaba destinado a hacer que se encogieran las entrañas del enemigo antes de la batalla.

Su propia madre había muerto en el parto (por así decirlo). Su recuerdo había atormentado a su padre y su hogar, ese mismo hogar donde un bebé ahora chillaba todo el día pidiendo ayuda a una madre que no podía prestársela, hasta que se enamoró del pecho de una nodriza. Su esposa, una y otra vez, trataba de abandonar a aquella criatura, tal como había hecho su madre.

Y la destrucción de sus hábitos conyugales, de su confort, de la rutina hogareña. La aparición de Nora como otra visible y audible residente en la casa, con voz y conversación, a la que había que complacer. La lenta y rápida destrucción de principios y hábitos, tan grandes como las disposiciones para que la niña durmiera y tan pequeños como éste: a los seis meses al introducir alimento en la boca de la niña, ésta rápidamente escupía el primer bocado, tanto si era su comida favorita como una novedad, repugnante o deliciosa. El segundo bocado era ingerido ávidamente, pero el primero siempre lo escupía, como si fuera una somelier. Él no se indignaba ante el coste de la niña, aceptaba vestirla, alimentarla y pagarle sus médicos; pero que arrojara, que escupiera la comida —mientras los adultos que estaban a cargo de ella se reían ante esa chupadora de carne humana de grandes ojos—, era algo ante lo que le resultaba difícil fingir diversión. No había ningún sitio en la casa adonde pudiera escapar. Si la hubiera podido calmar él mismo lo habría hecho así, pero no podía proporcionar ninguna ayuda. Cuando intentaba tratar a la niña tal como lo hacían Nora y Constance, excusándola por sus rabietas, mimándola con leche más caliente o más fría, intercambiando (en los infrecuentes silencios) afirmaciones y contraafirmaciones de lo muy parecidas que eran la niña y Constance, rebajándose de ese modo ante la lloriqueante criatura, aun así ellas sonreían y lo sacaban a empujones de la habitación, para que buscara otro lugar desde donde escuchar, solo, la histérica hilaridad.

Pero esto es lo que todo hombre experimenta, dirás tú. Sí, pero algunos tienen una chispa de egoísmo darwiniano o de afecto divino. ¿Deberíamos entonces culpar al hombre que ve tan poco encanto en tal acontecimiento? ¿A un hombre cuya esposa casi se muere en el parto y luego lo abandona para dedicarse devotamente a su agresor? ¿Se entregó él a la autocompasión? No de repente, pero es que ese sentimiento requiere tiempo para crecer.

Antaño él había imaginado a los niños como vagas nociones, versiones más pequeñas de él mismo con pasiones científicas y una afición por la vida deportiva inglesa. Cuando Constance quedó embarazada por primera vez, él se había permitido tal vez una pequeña fantasía de vez en cuando, dirigiéndose al Laberinto o contemplando el inquieto sueño de la mujer mientras él le secaba su húmeda frente. Tal vez imaginaba a un futuro profesor de anatomía. Quizás se veía como el primer preceptor del chico, ayudándole a dar un bien calibrado paso hacia el conocimiento. Tal vez intentando regalar al niño un praxinoscopio y disfrutar con su fascinación mientras miraba a través de él. Pero estas nociones se evaporaron durante la primera fiebre puerperal de Constance.

«Quiero darte un hijo», le había dicho Constance, poco después de que se casaran (aunque, como él insistió con calma, no fue por la iglesia). «Quiero darte un hijo», había dicho ella cuando partían hacia su viaje de bodas. Y lo dijo otra vez en su hotel de Florencia. «Quiero darte un hijo.» Un regalo de novia.

«Quiero darte un hijo», había susurrado ella, necesitando de toda su fuerza para emitir aquel breve, seco sonido, menos de una hora después del primer bebé perdido, cuando él vio, tan claro como la luz del día, que ella iba a morir. Joseph dijo entonces: «Nunca más. No debes volver a sufrir esto. No puedo verte de esta manera.» Pero sus penosas palabras de amor no hicieron otra cosa que entristecerla más. «Sí, otra vez. Quiero darte...» Y pese a que lo apenaban sus sufrimientos y la pérdida de su juventud sintió como una ráfaga de maravilla ante la tenacidad de la mujer: ¿ella ansiaba, aun en ese estado, darle un hijo? ¿Incluso mientras los restos de su anterior esfuerzo estaban siendo envueltos y apresuradamente sacados de la habitación por la comadrona, y se estaban elaborando mentiras sobre falsos bautismos para anestesiar su dolor? Sólo entonces, por primera vez, se preguntó Joseph si ella estaba realmente hablando con él. La mujer se mostraba delirante en muchas de las afirmaciones que hacía en esas delicadas horas, y esa repetida declaración de devoción parecía distorsionada en aquel contexto: «Quiero darte un hijo», dijo más tarde con los ojos cerrados. Él le cogió su helada mano, y le sopló en los azulados dedos. «Mi Con, mi única Con», dijo, y los ojos de la mujer se abrieron. «¿Joseph? ¿Estás ahí?» Así pues, ¿no lo sabía? Entonces, ¿a quién estaba ofreciendo un hijo?

«Quiero darte un hijo», decía ella después de eso, siempre que él se acercaba a ella con ternura. La mujer salmodiaba esto con tanta convicción que las débiles negativas de su marido («Casi no me importa, querida, teniendo en cuenta tu frágil salud») servían sólo para reforzar su determinación. «¡No! Es mi deber contigo. Es lo más importante, el regalo que debo hacerte. Todo lo que tengo.» Esta sorprendente declaración de fe había encantado, y angustiado, a Joseph. A él no le preocupaba realmente si ella le daba un hijo o un perro de aguas. No podía imaginar qué haría con semejante regalo, y su propia historia familiar, sospecho yo, más bien lo disuadía de la idea de que el río de la satisfacción doméstica fluye a partir de la llegada de los hijos.

«Quiero darte un hijo», había murmurado ella, incluso mientras Angelica estaba viva y berreando en la habitación, con ella. Y Joseph lloraba ante el hecho de que su chica de la papelería fuera a morir, sin ver siquiera que su inútil regalo había sido ya entregado a sus rígidos y mal dispuestos brazos.

En retrospectiva, considerando el papel que Angelica llegó a tener en la vida de su madre, las dudas de Joseph sobre la pureza de la ritual declaración de la mujer eran proféticas. Ella había deseado un hijo por sus propias razones, razones tan profundamente arraigadas en Constance, o en todas las mujeres, que ella habría sido probablemente incapaz de decir cuáles eran, y Constance muy bien podría haber creído (haciendo una concesión a la vanidad de él y la sinceridad de ella) que concebir un hijo *sí* era un regalo de amor para él, que *él* deseaba desesperadamente descendientes, pese a que todas sus palabras, inclinaciones e historia indicaban lo contrario.

Pero seguramente aún no podía verlo. La transformación de Constance de esposa en madre era tan profunda, tan mágicamente global, que era como si ella estuviera representando algún mito. Se dedicaba a la niña en detrimento de sus responsabilidades de casada, incluso del simple detalle o la mera demostración de afecto por su marido. Ella, que antaño se había esforzado en ser encantadora y agradable con él, ahora no tenía ninguna conversación que no diera vueltas sobre el último estornudo o chillido de la niña. Joseph tenía últimamente la impresión, también, de que ella había aprendido a burlarse de él de alguna sutil manera, con alguna entonación sarcástica sobre su inutilidad, incluso sobre su inteligencia, aquella actitud meditabunda que él sabía que los demás juzgaban como lentitud de juicio. Incluso ella, que antaño no lo veía o no le importaba, y que una vez le llamó «tortuga juiciosa» y vio en ello el compendio de la perspicacia científica, incluso ella, hinchaba los carrillos, taconeaba y ponía los ojos en blanco cuando él replicaba demasiado lentamente, y ella creía que no la estaba mirando.

Así que, ¿cómo era posible que ella siguiera considerando que la niña había sido para Joseph? La niña había sido de él, pese a él, en vez de él. El alejamiento de Constance de él había sido —si se contemplaba desde la suficiente perspectiva— una senda casi recta desde el momento en que nació Angelica. Madre e hija se iban alejando más y más, cogidas de la mano, como si estuvieran subidas en la trasera de un ómnibus que silenciosamente se perdía en la distancia, y «Quiero darte un hijo» era simplemente «Quiero un hijo», pero mal expresado.

Quizás había empezado mucho antes. Quizás ella lo había seleccionado porque frecuentaba Pendleton's, y le dejó pensar que había sido él quien la había escogido. Ella lo había identificado como un hombre del que podía tomar («ofrecerse») y luego arrinconar. Y él nunca se quejaría. Ella sabía incluso entonces que él era un estúpido, un recipiente de vergonzosos apetitos que ella podía manejar con facilidad. Ahora las dos hembras no harían otra cosa que estar más unidas y parecerse más, mientras Joseph permanecía a su lado, el castrado protector financiero de un harén sin sultán. En ocasiones, cuando la atención de la mujer se concentraba en Angelica hasta el punto de que ella ya ni siquiera se daba cuenta de si Joseph entraba o salía, él exageraba su dolor y le permitía ver una representación de dolor en su rostro, y, como resultado, conseguía a veces una muestra de simpatía. Casi tan pronto como lo había logrado, sin embargo, deseaba acabar con aquello, ya que el ejercicio le resultaba humillante.

La culpa era sólo de él, por supuesto. Él había permitido, ramita a ramita, que ese nido de risitas y silencios femeninos tomara forma en su casa. Cuando Angelica era un bebé, sin la capacidad de hablar todavía, Joseph no veía la manera de pasar muchos minutos al lado de ella, atendiéndola, ni siquiera podía encontrar ningún estímulo científico en su desarrollo, ya que la niña era mucho menos interesante que las criaturas con las que él trabajaba en el laboratorio. Sabía que el bebé quería que se fuera y permitiera que volviera la persona que sabía jugar, cantar, alimentar, mimar. «Querida, te está llamando otra vez», diría él en señal de rendición. Incluso cuando Angelica se volvía más reconociblemente humana, cuando él trataba de hacer preguntas sobre sus juegos, incluso ofrecerse él mismo como compañero de esos juegos, la naturaleza tan repetitiva de su conversación y fantasías no hacía más que producirle somnolencia a medida que la niña se excitaba más y más.

Supongo que tú diagnosticarías su aburrimiento como una sublimación de su propio miedo a ser impotente, o algo parecido, ¿no es así? Te cuadra bastante. Me estoy convirtiendo en una persona cada vez más experta en desempeñar tu papel. Y tú tendrías razón, pero sólo en el hecho de que él podía sentir miedo de ser innecesario para la niña o, peor aún, quizás incluso perjudicial. Como mínimo, pienso que él tenía miedo de aburrir a la criatura tanto como ella lo aburría a él, que carecía incluso de la suficiente chispa para divertir a ese animalillo que se divertía con cualquier cosa, ya que la mera visión de su madre haciéndose la bizca o de Nora fingiendo caerse podían provocarle la mayor de las alegrías.

Pero, igualmente, ¿no podía ser una definición adecuada para esto que sufría un *amor no correspondido*? La preferencia de la niña por Constance —*preferencia* difícilmente abarca la radical distinción que la niña establecía entre Constance y el resto de la creación, como si se pudiera decir que uno *prefiere* el oxígeno a un gas tóxico— estaba clara en cada fase de su desarrollo, incluso en aquella escasamente humana criatura de unas pocas semanas de edad. Era una preferencia que Joseph sin duda compartía y podía incluso admirar, pero ¿podrían las sospechas de Anne Montague sobre él haber sido correctas, y un amor no correspondido haberse transformado en furia contra su objeto? Reconócelo: tú sospechas que él era culpable. Reconoce, también, que tú me miras hoy, yaciendo a tus pies como una vez lo hice a los suyos, y comprendes su crimen.

Joseph llegó hasta pasar tardes enteras en el parque, solo, removiendo la gravilla con la suela de sus botas, resistiéndose a volver a casa, consciente de todas las debilidades que lo rondaban, de su dolor, producido por la vergüenza y el resentimiento, y de la repugnancia que sentía hacia sí mismo. Contemplaba a los últimos niños del día vigilados por madres sentadas o por niñeras de pie. Una bonita niña corría arriba y abajo, representando la imagen de una tangente con su aro y su bastón. Dos o tres años mayor que Angelica, pronto desecharía sus juguetes, emprendería actividades menos infantiles, refrenaría las demostraciones más chocantes de su personalidad para dar lugar a un ser más ordenado, más consistente, para desempeñar nuevos papeles. Angelica, tan estrechamente controlada y modelada por su madre, se perdería para él a no tardar, aún más inalcanzable de lo que lo era ahora. Él no habría negado que sentía cierta envidia de los sólidos lazos femeninos, la risa y las lágrimas compartidas entre esposa e hija, entre Constance y el regalo que ésta le había hecho.

~ · ~

Capítulo 4

¡Cuán bajo habían caído sus expectativas! Todo lo que él ansiaba ahora era dormir toda una noche sin interrupciones. Durante cuatro años había tolerado que la niña durmiera en su habitación. Sus toses y exigencias de medianoche, incluso sus simples gemidos, bastaban para que Constance se levantara y acudiera al lado de la niña, impidiendo toda vida normal. Este comportamiento ilógico, este desfile de temores alimentados y enfermedades reales e imaginarias, había situado el accesorio bienestar de la niña y la esposa por delante de su bienestar. En pocas palabras, Joseph había cedido el control de las decisiones más fundamentales de su competencia. Constance lo había exigido a su manera. Él no podía culparla por ello, dado que era propio de su naturaleza. Sin embargo, no debería haberla consentido durante tanto tiempo, ni permitido que se imaginara que él no se sentía afectado por su preferencia por la niña.

Joseph había detectado recientemente signos en Angelica de que era una personita de cierta solidez, quizás incluso inteligencia, y con un fugaz interés por el mundo animal. Decidió, en un arranque de inspiración, mientras Constance se resistía a su decisión de trasladar la niña abajo, que Angelica debía recibir una educación apropiada en esas materias, además de clases de lengua. En caso contrario sería reblandecida por su madre, que jamás expondría a la niña a otra cosa que no fueran muñecas y volantes, caprichos y supersticiones.

Clarificaría a Constance el papel que ella debía desempeñar en este respecto y otros, y procuraría que lo desempeñara. La primera noche de su nueva administración se quedó fuera de la casa hasta que estuvo seguro de que la niña estaría dormida. A su regreso fue satisfactoriamente informado de que la pequeña dormía en su propia cama (aunque Constance se quejó de que la niña se había resistido y llorado).

—Se adaptará, supongo —repuso él. Pensaba que Constance encontraría difícil esta transición también, pero no había que ceder al primer signo de progreso, y por tanto le habló amablemente de su intención de ocuparse de la educación de Angelica. No le sorprendió la inmediata oposición de Constance a sus planes, que hubiera dado por sentado que él no iba a tomar decisiones sobre la formación de la niña. La presunción de la mujer sobre la improcedencia de aquellas decisiones de Joseph no hacía más que confirmar cuán lejos de su control había llegado a estar su casa, y él respondió ásperamente—: Puede que llegue el día en que *me* considere a mí un amigo también.

Lo lamentó de inmediato. Seguramente el camino que trataba de seguir exigía de él serenidad; de lo contrario, Constance no tendría ningún modelo que emular. La tomó de la mano. Ella se mostró fría, enojada. Él se sintió como un torpe pretendiente, cortejando a una mujer cuyo verdadero amor había muerto días antes, o languidecía en prisión por orden suya.

—Debo ir a ver a Angelica —dijo ella y huyó hacia la niña.

Como mínimo, él disfrutaría de una noche completa de sueño, la primera en cuatro años. Y sin embargo, tras haber instituido esta muy anhelada reforma, descubrió que sus noches se veían, si acaso, más alteradas. Aquella primera noche, cuando Constance regresó, él se mostró paciente con sus lágrimas y su tristeza mientras lo pudo soportar, tres o cuatro ocasiones —tantas como él sufría con la presencia de Angelica—, pero el cuarto sollozo lastimero —con el cielo aún negro y su cabeza todavía martilleándole, y los ojos y las legañas secos— quebró sus mejores intenciones. Simplemente dijo basta, basta, ya no podía seguir aquel juego de estar lamentando todo el tiempo el traslado de la niña.

La segunda noche, como regresó bastante temprano y encontró a la niña todavía despierta en su nueva cama, pidió estar por un momento a solas con ella, tratando de calmar sus temores nocturnos. Constance aceptó esta entrevista privilegiada sólo con mucha dificultad, pero en cuanto ella salió, la niña pilló a Joseph completamente por sorpresa: le rodeó el cuello con los brazos y lo besó repetidamente.

—¡Gracias, papá!

—¿Gracias por qué, niña?

—¡Por esta habitación! ¡Mi habitación de la torre!

—¿Estás contenta aquí?

Su gratitud era evidente, y él no vio ninguna coincidencia en este salto adelante en sus relaciones y las reformas que había instituido. Dejando a la niña felizmente en su cama, bajó a cenar con una malhumorada esposa, que le informó otra vez, pese a lo que él acababa de ver, de la penosa resistencia de la niña a dormir en su nuevo cuarto.

Esto no necesariamente demostraba perfidia; quizás la niña respondía más favorablemente ante él. Constance, al esperar tristeza, veía tristeza, mientras que él, esperando un manso consentimiento, era debidamente recompensado. Constance, al menos, había acatado sus instrucciones de que, como un primer paso en su educación, la niña pasara unos minutos examinando un libro de su biblioteca, con láminas de anatomía y grabados naturalistas, aunque su esposa se rebeló incluso en esto. «Pensé que no sería muy conveniente para ella.»

Constance ahora apenas dormía. Yacían juntos uno al lado del otro en silencio. Él se sentía ridículo, porque incluso dudaba de si tocarle la mano o no, tan hipersensible se mostraba ella, pese a la sobrehumana paciencia que él había tenido con su frágil condición durante casi un año, y tres años antes que eso. Al cabo de unos minutos, y sin una palabra de excusa, ella se levantó y desapareció del lecho matrimonial durante horas.

No, no era tan sencillo como esperaba; nada lo fue. Le permitió que se fuera a echar una mirada a la niña, y esperó en silencio, hasta que, todavía solo, se quedó dormido. Se despertó, aún solo, y se frotó los ojos hasta que pudo ver el reloj. Bajó y encontró a la niña dormida en su cama y, frente a ella, a Constance en una silla, en una postura de disponibilidad, convertida —de no ser por sus ojos cerrados— en un centinela, sus dedos agarrando todavía una extinguida vela, sostenida ante ella para iluminar la oscuridad, una mujer dormida vigilando a una niña dormida, sin que la quemada y negra mecha proyectara ninguna luz. Su otra mano estaba clavada en el brazo de la silla, por lo que sus nudillos se habían blanqueado y sus uñas se habían doblado ligeramente. Joseph avanzó hasta colocarse entre la cama y la silla, y contuvo la respiración cuando vio que los ojos de Constance no estaban completamente cerrados. Se había dormido tratando tan desesperadamente de permanecer despierta que sus ojos se habían quedado ligeramente abiertos, y por esa estrecha rendija Joseph podía ver el blanco más puro de aquellos ojos que señalaban la derrota final de su voluntad.

Puso su mano ligeramente sobre el hombro de la mujer, y ésta se sacudió a un lado como si la hubiera golpeado. «Vamos. Ven a la cama», susurró él. Ella abrió los ojos del todo, lo vio ante sí, y gritó inmediatamente, gritó un único *no* tan penetrante que él se dio la vuelta para ver si había despertado a la niña. La fuerza del grito fue suficiente para que la pequeña se moviera levemente a un lado.

Constance, temblando y sudando, se puso de pie vacilante, pero rehusó su apoyo, como si él fuera un verdugo conduciendo a una mártir, «No», repitió suavemente, y volvió a sentarse, cerrando los ojos inmediatamente.

Así las cosas ella lo miraba con el más completo temor, se apartaba de él, y rechazaba su compañía y su cama, después de todo lo que él había hecho por ella, todo lo que ella aceptaba con su sonriente rostro diurno. Joseph consideró la posibilidad de echarla de casa.

Pero su ira se esfumó con la grisácea luz matutina. La despertó para ofrecerle té y tostadas, y a Angelica, que estaba jugando en el suelo.

—Mr. Barton —dijo Constance sonriendo—. Veo que tenemos una mañana de reposo.

—Buenos días —respondió él, tratando de recordar los hechos y la ira de la noche anterior. Ella le cogió de la mano, y él dejó de buscar un recuerdo que justificara su amorosa actitud.

—¿Estás bien? —preguntó él.

—Solamente —dijo ella— cuando tú estás contento.

Ella lo miró como solía hacer en el pasado, antes de la niña y de todos sus sufrimientos y su separación. Él reconoció la pureza y simplicidad de su expresión, y su rareza en aquellos días, como si sus años juntos le hubieran quitado a ella la capacidad de darse a él. Joseph era cada día menos interesante para ella, pero algo en su nueva resolución había arrastrado a la mujer hacia él esa mañana. Él ansiaba, parpadeando bajo la nueva luz, decir algo que lo hiciera de nuevo atractivo para su mujer, que lo convirtiera en un misterio menor, o mayor. Constance se sentó al borde de la cama y le sostuvo la mano. Había transcurrido mucho tiempo desde que su mujer le demostrara tanta atención. Él se sentía a la vez agradecido e irritado ante aquella idea. Podría separar las palabras ásperas de las tiernas, podría encontrar la primera palabra adecuada, y serían uno otra vez.

En vez de eso, se oyó un grito a los pies de la cama, y Constance inmediatamente soltó la mano de Joseph y se fue al lado de la niña gritando:

—¿Qué pasa, amor?

—¡La Princesa Elisabeth! —gimió Angelica—. ¡Se ha hecho mucho daño en la mano!

—Oh, Princesa —la consoló Constance, desapareciendo detrás de los pies de la cama—. Examinemos la herida de Su Alteza.

Capítulo 5

Harry probablemente se le habría ocurrido algún sarcasmo o un fragmento de Shakespeare sobre el tema, pero Joseph no pensaba contarle sus problemas domésticos a su amigo, ahora padre de tres chicos y marido de una fuerte y cariñosa esposa. Ya era bastante sorprendente que, entre el Laberinto y la sala donde tenían lugar las exhibiciones de boxeo, él y Harry se hubieran detenido en el hogar de los Barton a tomar el té, descubriendo que su hija se encontraba bajo la descuidada vigilancia de la criada y su mujer no aparecía por ninguna parte.

De forma previsible, Harry no parecía preocupado por lo que confundía a Joseph. Inmediatamente se instaló en la banqueta del piano al lado de Angelica y se puso a enseñarle una pieza, aderezándola con una historia, con chistes y voces. «Aquí es donde la Princesita de los Tulipanes se pone a adornar el jardín mágico», dijo y colocó las manos de la niña sobre las teclas correctas. Su tono, además de cautivar a Angelica, indicó a Joseph que Harry no era en absoluto un estúpido. Era envidiable, la naturalidad de su comportamiento y, muy a su estilo, la habilidad de Harry para encantar a una hembra de cualquier edad.

—La Princesita de los Tulipanes tiene que escapar de los duendecillos —dijo.

—Angelica pronto empezará su educación formal —le interrumpió Joseph, que sonaba estirado y absurdo para los oídos de un adulto o los de una niña—. Aprenderá algo de latín en un santiamén.

—¡Oh, tu padre es cruel! —dijo Harry dejando de jugar y cruzándose de brazos.

—¿Sí? ¿Lo eres, papá?

—¡Enviar a una dulce niña como tú a trabajar en esos campos de espinosas declinaciones y soportar todos esos pesados casos! Las dolorosas heridas que yo sigo sufriendo por culpa del ablativo. ¡No es un lugar para mandar a una adorable niña!

—Le irá bien, Harry. El doctor Delacorte está bromeando, niña. —La de vez en cuando envidiable ligereza de Harry se le perdonaba en cualquier situación—. Nora, informa a tu ama de que hemos venido y nos hemos marchado; y que siento mucho su inexplicable ausencia.

—Una niña maravillosa, Joe —dijo Harry cuando volvían bajo la lluvia, ignorando el malhumor de su amigo—. La viva imagen de su madre, ¿no es verdad?

Era sin la menor duda un pequeño duplicado de la belleza de Constance... pequeño y también innegablemente más fresco, la belleza que Constance había tenido antes de que la hubieran ajado unos crueles embarazos. La semejanza era cruel: la niña que crecía para parecerse a la mujer a la que ella había chupado la vida.

Caminaron, pese a la lluvia y el gentío, y Joseph se maravilló de lo fácilmente que Harry había despertado la atención, el respeto y la risa de Angelica. Joseph sólo con esfuerzo podía recordar tres ocasiones en las que hubiera ejercido una parecida influencia sobre su propia hija. «Detengámonos aquí un momento», dijo, inspirado por el escaparate de un taxidermista. («Excelente —convino Harry—. Yo tenía pensado adquirir un león.») Joseph compró, con gesto grave, una mariposa montada y enmarcada, una maravilla de color azul con franjas blancas, un macho de *Polyommatus icarus*, seguro de que eso recordaría a Angelica una de aquellas raras ocasiones, el verano pasado, cuando a la pequeña su padre le había parecido un compañero sumamente agradable.

—Creo que Gus disfrutaría bastante prendiendo fuego a esa belleza azul —dijo Harry.

El difunto padre de Joseph tenía el mismo encanto y la misma rapidez de reflejos. A Joseph le sorprendió no haber notado el parecido hasta ahora, cuando tomaron un coche que los llevaría a cenar y luego al boxeo. No tenían nada en común, por supuesto: el padre de Joseph había sido un extranjero, un italiano que aún llevaba el apellido Bartone (abreviado en honor de su hijo, nacido inglés), que había viajado a Inglaterra como un joven que representaba los asuntos de su propio padre, se enamoró de una rosa inglesa y nunca regresó a casa, incluso después de haber enviudado.

«Aquella primera visión que tuve de tu madre, Joe, fue demasiado encantadora para unos ojos mortales —dijo Carlo Bartone a su hijo de once años en la habitación que ahora era el salón de Constance—. Era una diosa por la cual mi exilio no resultaba un precio demasiado caro. Quedé perdida, fatalmente hechizado.» Encendió un cigarro, miró el pequeño retrato pintado de la madre de Joseph sobre el escritorio, medio tapado por un vaso para plumas de cuero rojo. «Llevaba flores en el pelo, y, cuando me vio, ensanchó los ojos y ya no me soltó. Yo esperaba volver a Milán. No pude hacerlo. Ya ves, cuando los hombres miran a las mujeres, miran profundamente. En una velada o en el teatro, los ojos de los hombres miran fijamente a su presa. Pero los ojos de las mujeres sólo *exploran*, se deslizan, nunca se detienen. Excepto en el caso de las prostitutas, naturalmente, los ojos de las mujeres se deslizan y nos hieren al pasar. Pero, en el caso de tu madre, sus ojos se detuvieron en los míos y me retuvieron.»

El descubrimiento del parecido de Harry con su padre afectó a toda la comida de Joseph. Cada comentario de Harry era algo que su padre podía haber dicho, al igual que cada opinión emitida alegremente, cada chiste, cada apreciación de una forma femenina que pasara. Joseph parecía menos el hijo de su padre que su amigo.

Pero entonces, apenas dos horas más tarde, una extrañísima sensación se apoderó de él. Por la sala de combates se extendía un silencio alucinante: un silencio que procedía de la profundidad de las gargantas de los espectadores, un silencio que retumbaba del puño izquierdo de Crewe y que rompía la mandíbula de Pickett, un silencio ofrecido por los vendedores ambulantes y las chicas que vendían tabaco y las chicas que no vendían tabaco, un silencio que lo tapaba todo por un largo instante, calculado exactamente para permitir a Joseph que se viera a sí mismo como a distancia, como si estuviera examinando la obra de un escultor, y para registrar su sorpresa ante esa visión de sí mismo. Él sostenía la cerveza en su postura habitual, e inequívocamente se parecía a su padre. Podría haber sido el mismo viejo inclinado ligeramente a la izquierda, con el codo del brazo que sostenía la bebida apoyado contra la muñeca del brazo que aguantaba el cigarro. Ésta era, hasta el más mínimo detalle, la postura típica de su padre, con el ángulo de su rostro dirigido al objeto de su atención (no del todo), y la postura de las piernas, en forma de X. En el caso de su padre, eso constituía una agresiva afirmación de presencia, pero en el de Joseph era una imitación carente de sentido convertida en hábito. Joseph, de niño, había imitado esa serie de gestos de Carlo Bartone, pero hasta ahora nunca se había dado cuenta de que jamás había dejado de imitarlo, y ahora ya no era ninguna imitación, sino un hecho consolidado. El fantasma de su padre vivía en los miembros de Joseph, porque él tenía ahora la misma edad que su padre tenía al morir.

Y entonces se acabó: Las piernas de Pickett se negaron a ejecutar siquiera la más sencilla de las tareas, y en aquel momento crucial el rugido de la multitud pareció provocar su caída más que recibirla con júbilo. Harry lo celebró, y Joseph bebió de su cerveza. Ganaron dos libras.

El padre de Joe Barton nunca le pedía perdón a su hijo, nunca se excusaba por sus fracasos financieros y morales. La herencia más inglesa de Joseph, el más evidente regalo de su madre, era su incapacidad de vivir como había vivido su padre, y como vivía Harry (su amigo, que ahora dirigía su mirada al fondo de la sala para escoger entre el surtido de acompañantes para la noche). Joseph Barton jamás tendría aquella alegre despreocupación sobre las consecuencias o los costes, y tampoco el ingenio de Harry, que tanto cautivaba incluso a su propia hija. Pero, aunque él no se parecía a su padre en cuanto al estilo o el carácter, no carecía de semejanzas, y esa idea lo afectaba de forma extraña. Su padre nunca le había pedido perdón, pero, con todo, Joseph se le parecía.

Y lo que yo no sé de Joseph Barton es lo más importante para nuestro esfuerzo, ¿verdad? ¿Qué pensaba cuando estaba en compañía? ¿Cómo se comportaba cuando no era observado? La rara, fantástica, naturaleza de tu encargo nunca ha sido más clara para mí que al tratar de pintar, a partir de un difuminado bosquejo a lápiz, este retrato al óleo. Él posa en una oscuridad casi total, iluminado por débiles recuerdos o por las historias contadas por otros, las elaboradas e inverosímiles historias de segunda mano de Harry Delacorte.

«Son encantadoras, unas hechiceras, hijo mío.» Padre e hijo cruzaban el parque en una calesa descubierta. Joseph tendría quizás ocho, quizás doce años, no podía recordarlo con seguridad «Así es como los ingleses toman el aire —dijo su padre, tocándose el ala del sombrero y sonriendo a las mujeres que pasaban (en carruaje o andando) con un teatral, aunque despreocupado—: ¿Cómo está usted, *signorina*?», indiferente a, o poco familiarizado con, las distinciones de rango, una generosa distribución del mucho afecto que sentía hacia esta nación, esa isla llena de hechiceras. «Fíjate en ésa de ahí, Joe, cómo vuelve la cabeza hacia un lado. Nos está mostrando su cuello, quiere que lo miremos y nos sintamos atraídos por él. ¡Agárrate al pomo de la puerta! Hay que ser fuerte.» El muchacho hizo lo que le decían —debía de tener sólo ocho años— y pronto estuvieron fuera de peligro, por el momento. «Ésa nos hubiera atrapado, desde luego. Los hechizos que lanzan son muchos.»

Su padre contemplaba el mundo desde extraños ángulos, justo por encima de la cabeza de Joseph, justo a su lado. Las mujeres reflejadas en los espejos y escaparates se inmiscuían en todas sus conversaciones, incluso aunque su padre no las mencionara. Él observaba, sin ser visto y respirando profundamente, el humo de su cigarro saliendo de su boca en alargadas y tenues volutas que señalaban su marcha, junto con las esperanzas de Joseph cuando salían de un café o un restaurante, y dejaban a Carlo con un chico como toda compañía. Su padre se mordía la punta de la lengua, con la cabeza inclinada para vigilar su poco curiosa y lamentable huida, su cigarro sujeto a un lado, la conversación del chico casi inaudible.

Pero dentro de casa, en Hixton Street, sólo hablaba una mujer, la Calipso que había atado a Carlo a esta isla, la mujer que había muerto trayendo a su único hijo al mundo, su hijo inglés. «Llevo observando a estos ingleses durante años, Joe. Yo no soy uno de ellos, pero tú sí. Tú hablas como ellos. Tú harás grandes conquistas para Inglaterra, eso decide la cuestión para ellos. Escucha.»

Su padre levantó un libro de su escritorio, lo abrió por la página que acababa de leer y que le había llamado la atención tanto que había llamado a su hijo de catorce años para que escuchara:

—«Los ingleses salen a caballo la mañana de su juventud hasta los rincones más alejados de la tierra y entonces, como si un muelle tirara de su corazón, son llevados velozmente a casa, hasta un mundo interior del que nada sabían antes de irse, se ven inmersos otra vez en los brazos de Inglaterra, aún más profundamente, en una casa de campo, y finalmente, a lo más profundo de todo, un rincón de su estudio, con un globo terráqueo sobre el escritorio, que les muestra todas las partes del mundo que una vez conquistaron.» ¿Lo ves, Joe?

Sin madre, y habitualmente sin padre, Joseph fue criado por su niñera italiana, Angelica, a la cual Carlo confiaba todas sus decisiones sobre el niño, sometiéndose a ella incluso cuando, en raras ocasiones, tenía una opinión. Nunca silenciosa, y a menudo insubordinada con su señor, era Angelica la que cuidaba del recién nacido Joseph, le daba de comer, lo lavaba, lo vestía, le leía, lo acostaba. Era ella la que le enseñaba su religión y lo llevaba a la iglesia. Y era ella la que le pegaba y le reñía: «¿Qué va a pensar tu pobre madre en el cielo, cuando vea que te comportas así?» Y era ella la que movía negativamente la cabeza y no ocultaba su disgusto siempre que Carlo salía de la casa solo. «Tu padre es un hombre muy grande», le decía, a veces con auténtico entusiasmo. «Tu padre es un monstruo», decía también con más emoción.

Él había posado ante un espejo para practicar la erguida postura de su padre. El recuerdo acudía a él ahora, y cerró los ojos al boxeo para recordar el hecho con más claridad. Se encontraba de pie ante el espejo del vestidor de su padre (el suyo ahora) y sostenía uno de los cigarros de su padre sin encender, y giraba la cabeza, poniéndose de perfil frente al espejo, cerraba los ojos ligeramente y miraba por encima de la nariz y hacia un lado, como si mirase a una florista. «¿Cómo está usted, *signorina*», entonaba.

No descubrió a su guardiana, de pie, junto al tapiz hasta el momento en que ella habló: «Eres un sucio miserable, y arderás en el Infierno por toda la eternidad.» Fue azotado, se le negó la cena, se le negó compañía y quedó encerrado en su dormitorio. No podía recordar, mientras miraba el combate de boxeo, lo que había pensado de ese castigo en aquella época. Recordaba, sí, el terror y el aislamiento, recordaba el llanto y la preocupación, y haber gritado para que Angelica lo perdonara. Pero no podía recordar si fue consciente de lo que había hecho para verse separado de ella, una compañía que, a esa edad, aún anhelaba. Esa noche, pensando en aquel hecho, comprendió su reacción. Ella jamás podría haber perdonado a su padre, ni ningún parecido entre padre e hijo, y habría despreciado la visión de Joseph imitándolo. «No es así como se comportan los ingleses», decía ella repetidamente a Joseph sobre la conducta de su padre;

sin embargo, de no ser por el imperdonable comportamiento de su padre, él nunca podría haber sido un inglés. Las mentiras de su padre protegían a Joseph, lo situaban en un camino mejor que aquel que, en otro caso, hubiera seguido. Por encima de todo, debía perdonarlo.

Pero entonces algún estúpido demasiado bebido derramó su whisky por la pechera de Joseph, y un pestazo como a latón y petróleo le quemó la nariz a Joseph y le picó en la garganta. No había bebido ese mejunje desde el Ejército. Ni siquiera el abundante humo del cigarro fue suficiente para dispersar las punzantes vaharadas, y para cuando llegaron a casa en el coche de Harry, aquél era el único olor en todo Londres, eclipsaba tanto el de los jardines como el de los albañales.

En la oscuridad que reinaba entre el vestíbulo y las escaleras, se golpeó la cadera contra la esquina del macizo escritorio que Constance había insistido en colocar en ese estrecho espacio. Una enorme masa de oscura madera, que aplastaba la alfombra, tapando el oscuro aparador que había tras ella, que guardaba platos en su oscura barriga y mostraba algunos más en su oscura superficie. Y, sin embargo, frotándose la cadera y lanzando maldiciones en la oscuridad, Joseph casi podía ver el escritorio clásico de madera resinosa de su padre, que antaño había ocupado el mismo lugar. Podía evocar aquel anterior residente y sus accesorios... Un moteado tintero de estaño; plumas en su vaso: cortapapeles de mango de ébano; una caja de piel de forma trapezoidal para monedas; y el retrato, en su marco de carey. «Mírala, Joe. Ella habría pensado que tú eres un príncipe increíble. Ella era un ángel del cielo. Rezo por tener la suerte de visitarla una vez cada siglo durante mi larga residencia en el otro lugar.» Muy probablemente era cierto, pero, en aquella época, Joseph aseguró a su envejecido padre que él probablemente estaría al lado de su dama, que ésta para entonces habría sin duda hechizado al ángel que anota las buenas y malas acciones, para que ignorara esto y aquello, y habría encargado a los celestiales carpinteros un confidente de nácar para ellos dos.

Su ruidosa entrada hizo que se encendiera una lámpara, y apareció Nora en la puerta de la cocina, bien para irse a la cama o despertándose para sus tareas matinales. En todo caso, tras haberse asegurado de que el ruido era sólo su señor, se dio la vuelta, y Joseph observó a la cada vez más tenue luz (que se apagaba a medida que ella se retiraba) cómo se desataban los cordones de su delantal a sus espaldas. Los cordones eran desanudados y se separaban uno del otro, en una lenta, intrincada coreografía, por encima y por debajo, dos serpientes que se separaban tras haberse enmarañado en el abrazo vital, siguiendo su propio camino alrededor de las anchas caderas de Nora mientras ésta desaparecía en la cocina, y Joseph sentía un estremecimiento de deseo.

¿Por ella? ¿Por Nora? ¿Aquella gorda irlandesa que desprendía tras de sí el aroma de mantequilla rancia cuando pasaba? Las semejanzas con su padre habían pasado de lo evocador a lo extravagante. Ese creciente deseo, totalmente insensato, diariamente lo sorprendía por su intensidad y falta de lógica. Era pura biología, algo con lo que había que contar, desde luego, independiente de la voluntad o el espíritu o (en este caso) incluso la belleza. Deseo inhumano que flotaba libremente entre los humanos, formando duraderas o efímeras corrientes entre los polos, completamente al azar o para propósitos nada claros. Su padre se había sometido alegremente a esas leyes mientras Joseph trataba de resistirse. Con diferentes grados de éxito. La locura de la carne bullía por debajo de nuestros esfuerzos por cubrirla con una rígida moral y edulcorada ética. Aun oculta, sin embargo, la carne no dejaba de hablar y fijarse en lo que decía toda la carne que la rodeaba, en un lenguaje indiferente e inaudible a los oídos humanos. ¡De todos los miembros de la especie, verse afectado así por Nora! Si ella podía excitarlo, ¿quién no?

«¡Cómo te pareces a tu padre! ¡Qué vergüenza! —habría dicho la primera Angelica—. Tu madre está en alguna parte llorando al ver cómo te comportas.»

De hecho, ella le había dicho estas palabras a él, en su habitación, recordó Joseph, después de que padre e hijo regresaran de una noche de aventuras, que incluyó una visita, la primera de Joseph, a una casa de Warren Street. Joseph, de quince años, no había dicho ni una palabra de ello, pero de alguna manera Angelica lo sabía todo.

Esa noche él se encontraba en la misma habitación y depositaba su regalo para Angelica a la cabecera de su cama, la mariposa azul y blanca dentro de su marco. Se sentó un rato al lado de ella. Su tocaya solía sentarse a su cabecera en esa habitación, sosegándolo con canciones hasta que se dormía y acariciándolo cuando tenía miedo.

Una vez arriba se quitó sus ropas manchadas de dorado whisky. La habitación estaba negra y en silencio, excepto por la respiración que se oía detrás de las cortinas de la cama. Desnudo, apartó las colgaduras, y a la pálida luz de la lámpara del techo fue descubriendo lentamente la silueta de Constance contra la almohada. Ella lo despreciaba. Había roto con él. Vivía para Angelica y nada más, como su Angelica había vivido antaño sólo para él.

Se quedó desnudo en un lado de la cama. Allí yacía ella, el premio de su paz, su belleza. Allí yacía. Había pasado de soñar con poseer una mujer a recordar esa posesión con ardor, y entre esas dos vastas extensiones de deseo y recuerdos, el efímero instante de la posesión. Se echó a su lado, pero, impulsado tanto porque era lo debido como por el deseo, en cuanto hubo tocado su dormida forma, ella dejó escapar un grito de angustia o de disgusto, apartó las ropas de la cama de un puntapié, y, medio dormida, se escapó de él.

~ · ~

Capítulo 6

Joseph examinó su medio afeitado rostro en el espejo. Había llevado barba desde su regreso a Inglaterra tras servir en el ejército, como si por encima de todo hubiera deseado parecerse a su padre lo menos posible. Se acabó: la revelación de la noche anterior resplandecía con más fuerza aún esa mañana, y el atractivo del perdón lo emocionaba. Con cada nueva región despejada por su navaja, podía reconocer tantas semejanzas entre él y su difunto padre que no podía creer que no hubiera reparado antes en ellas; ademanes, rasgos (durante largo tiempo tapados), expresiones al hablar, incluso la forma de carraspear al aclararse la garganta o la exhalación ante una sorpresa. Tenía la impresión de estar ante su padre. No de forma literal, desde luego, sino una sensación de proximidad bienvenida, como si el viejo hubiera levantado la voz con años de retraso y exigido una audiencia, algunas excusas y extenuantes explicaciones, exponiendo su defensa en voz alta, suplicando modestamente que lo indultaran de los grises y húmedos corredores por los que su sombra estaba condenada a vagar. Tenía una idea de su padre como la de un hombre que antaño había tenido la misma edad que Joseph ahora y que, por tanto, había vivido con el mismo grado de sabiduría parcial, los mismos deseos, las mismas exigencias para consigo mismo y con los demás, la misma y constante necesidad de tomar decisiones con una información limitada pero con la apariencia de que actuaba con perfecto conocimiento de causa. El viejo presentaba su defensa simplemente apareciendo en el espejo de Joseph. Joseph había llegado a ese punto donde el fantasma de su padre lo había estado esperando durante años, bebiendo en esa sala de boxeo, afeitándose en este espejo.

—De niño, yo me situaba donde estás tú ahora —le dijo a Constance, que observaba desde el umbral mientras él se limpiaba la sangre de la mejilla— y veía cómo lo afeitaban. Un criado o incluso una institutriz.

—¿Se afeitan los demás hombres la barba este año? No logro imaginar cómo estarás. ¿No te resultará difícil acostumbrarte? —dijo ella, cuestionando incluso eso, a pesar de que sus facciones eran algo que sólo le concernía a él.

Había terminado y se estaba vistiendo cuando Angelica entró buscando a su madre.

—Buenos días, niña —dijo él—. ¿Te gusta el regalo que te he hecho?

—¿Qué regalo? —preguntó ella, dándose cuenta de su presencia. Él se rió por la evidente confusión de la pequeña ante aquel hombre que le había hablado con la voz de su padre—. ¿Eres tú? ¿Qué le ha pasado a tu cara?

Él la tomó en sus brazos y permitió que la niña le tocara la mejilla, y que su muñeca hiciera lo mismo.

—La Princesa está encantada —salmodió la pequeña—. Pero ¿dónde está tu cara?

—Ésta es mi cara. Aquello era mi barba. No siempre llevé barba. Cuando era más joven, no la llevaba.

—Entonces, ¿eres más joven ahora?

—No, me estoy haciendo viejo. Es lo que les pasa a las personas. Cambiamos y nos hacemos más viejos.

—¿Yo cambiaré?

—Desde luego.

Ella le tocó la sangre de la mejilla y la frotó entre sus dedos pensativamente.

—¿Seré diferente cuando crezca?

—Sin duda.

—¿Tú sabes cómo seré?

—¿Quieres saberlo de verdad? Muy bien, entonces. Te parecerás a tu madre. Ella es la imagen de tu futura belleza.

—¿Me pareceré a mamá?

—Pienso que es muy probable. ¿No te gusta eso?

—Ya es hora de que tu padre se vaya. Déjalo, Angelica —interrumpió Constance, entrando con un pretexto y poniendo fin a la agradable conversación entre él y la niña.

—¿Cuántos años tienes tú, mi niña?

—Cuatro —replicó ella con rapidez, y levantó como prueba cinco dedos muy extendidos.

Él se volvió hacia Constance, que le estaba curando el corte de la mejilla.

—¿Te acuerdas de ti a esa edad?

—Apenas. Pienso muy poco en ello, como podrás imaginar, dadas las penurias de aquella época.

—Estoy seguro de que eras la niña más bonita del mundo. La imagen misma de la mujer en que te has convertido.

Constance le cogió la niña de su regazo y se marchó.

Él se contempló a sí mismo en los cristales y escaparates de vez en cuando, incluyendo los de Pendleton's. Allí estaba el rostro de su padre suspendido sobre carteras de piel, decoradas con estampillados. «La vi por la ventana, con una flor en el pelo, Joe.» Y fue allí donde Joseph, a su vez, había visto a su esposa por una ventana, y sólo entonces reparó en ese paralelismo. En el Laberinto, fue bien recibido por los comentarios de sus colegas, diferentes expresiones de sorpresa y diversión, admirativas, burlescas, el parloteo sobre la moralidad tanto de los bien afeitados («Siempre he dicho que un hombre con barba tiene algo que ocultar») como de los barbudos («Un cambio como ése en el aspecto es signo de que uno tiene problemas de conciencia»). Harry, por supuesto, levantó ligeramente una ceja: «Noto algo diferente en ti. No podría decir exactamente qué.»

Había sido difícil ganar y mantener el amor de la primera Angelica. Recordaba estar acostado en su cama, desnudo. Había estado enfermo, y ella había cuidado de todas sus necesidades, comida y medicinas, lavándolo incluso. Recordó haberse incorporado, cuando se encontraba en el inicio de su recuperación, para contemplar con arrobo cómo ella le hacía cosquillas con una pluma en la pequeña hendidura oval de la redonda punta de su nariz, su estúpida nariz. (Aún la tenía... aquella redonda punta al final del corto puente, que aumentaba su aire de simplón.) «Éste es mi chico, fuertote y saludable —dijo ella besándolo—. Éste es mi estupendo inglés.» Pero, horas o días más tarde, como castigo por un pecado que Joseph no sabía que había cometido, ella dijo: «Yo no hablo con niños como tú.» Su padre se marchó de viaje por una semana, y ella no le dijo una sola palabra a Joseph durante tres interminables días, por más que él se enfureció, suplicó o lloró.

Los negocios de su padre —la importación de té— requerían frecuentes viajes, y su parafernalia —informe de barcos, maletas selladas con nombres de puertos orientales— indicaban grandes aventuras. Él gustosamente hubiera seguido los pasos de su padre. «Serás médico —insistía su padre—. Tu madre lo hubiera querido así. Y ella dio la vida por ti.» La mujer había sido hija y hermana de médicos, aunque Joseph no llegó a conocerlos, ya que nunca lo visitaron.

Incluso cuando Joseph tuvo el valor de discutir la cuestión, Angelica lo reprendió: «¿Quieres parecerte a él?» La pregunta no tenía sentido, ya que el negocio de su padre iba de mal en peor a medida que Joseph se acercaba a su mayoría de edad, y luego se encaminó a la quiebra, en paralelo a la salud de su padre. Mientras las comodidades y el lujo iban desapareciendo de la casa, mientras los sirvientes se marchaban hasta que sólo quedó Angelica, cuidando tanto del padre como del hijo, Carlo Bartone salía de casa con una flor en el ojal de su chaqueta, preparándose para rondar por los parques en busca de criadas y lavanderas, o se quedaba en casa, incapaz de levantarse o siquiera de hablar, bajo el peso de una tristeza mucho mayor que la que debería haberle causado el simple colapso de sus negocios.

Joseph había comenzado recientemente sus estudios de medicina cuando las desgracias de Carlo casi terminaron con él, pues el desfile de abogados, acreedores y portadores de malas noticias ante su puerta era casi constante. Dada la menguante economía, y en la creencia de que su padre perdería la casa, Joseph abandonó la facultad de Medicina y consiguió que sus limitados conocimientos médicos le proporcionaran un empleo en el cuerpo militar hospitalario. Su padre no podía ni ayudarlo ni ponerle trabas, y llegó el día en que su hijo tuvo que despedirse. Su padre se incorporó en la cama.

—Es muy amable por tu parte haber venido, Joe. Todo esto se resolverá cuando vuelvas a Inglaterra como todo un conquistador.

—Estaré fuera por algún tiempo, padre.

—Sí, supongo que sí. —Carlo Bartone se sentó en la cama, parpadeando—. Estoy conservando ese piano. Y la casa está protegida, diría. —Y añadió alegremente—: La he cedido para que no se apoderen de ella.

—¿A quién? A mí pueden quitármela con la misma facilidad, ¿no?

—Sí.

—Pues, ¿a quién entonces?

—A tu madre. —Hasta ese punto había perdido el juicio—. ¿Y dónde está ella? Quiero mi sopa. —Estas últimas palabras las dijo en italiano, irritado, subiéndose el camisón hasta su barbilla sin afeitar—. ¿Te has despedido de ella? Ve a buscarla, ¿vale?

Éstas fueron las últimas palabras que intercambió con su padre, que evidentemente había perdido el juicio por las dificultades económicas y la edad.

Angelica estaba en la cocina, sentada en un alto taburete, con una patata en la mano, aunque no hacía nada con ella, ni preparaba ninguna sopa.

—¿Te marchas? —le preguntó a Joseph.

—Carlo no está bien. Y quiere verte. Te ha llamado mi madre. —La expresión de la cara de Angelica no cambió, y esa reacción ante la declaración de locura de su padre le produjo a Joseph la primera punzada de dolor. Nunca había pensado con mucha rapidez, sería el primero en confesarlo a partir de ese día. Jamás había sospechado lo que, mirando ahora retrospectivamente, era tan evidente—. Ha perdido la cabeza.

—Quiere que lo sepas. —Sin embargo, el rostro de la mujer no cambió, aunque se puso de pie y dio un paso hacia él—. Quiere que tú lo sepas.

Joseph se apartó de la vieja italiana cuando ésta se lanzaba a pronunciar su largo tiempo ensayado, y largo tiempo retenido, discurso, antes de que Joseph se escapara. Se interpuso entre él y la puerta que daba al comedor para poder terminarlo.

Cuando la esposa inglesa de Carlo Bartone estaba nuevamente embarazada e imposibilitada para darle placer, él visitó en su lugar a la doncella Angelica en la habitación de abajo (dónde ahora dormía Nora). Ella se resistió a sus intenciones, pero no lo bastante. La joven ocultó su estado casi hasta el final y alumbró, antes de tiempo, un niño, abajo, menos de una semana después de que su ama muriera, arriba, pariendo una niña muerta. Rápidamente se tomó la decisión de arreglar las cosas de una forma más conveniente.

—¡Escúchame! —gritó furioso Joseph—. Él debería haberte echado a ti y a tu bastardo de la casa. —Era una réplica confusa, desde luego, que combinaba esnobismo, vergüenza y autoengaño en una sola frase. Esa contradicción no hizo más que estimularlo para lanzar más insultos—. Deberías haber tenido la decencia de sentirte avergonzada. Una mujerzuela inglesa habría sentido más vergüenza que tú. ¡No has sido más que una ramera en su casa acompañada de su sucio hijo!

Dijo muchas más cosas, y se marchó dejándola hecha un mar de lágrimas, excusándose ante él por primera vez en su vida.

Estuvo fuera de Inglaterra durante diez años, luchó y

aprendió algo del oficio que le habían robado, lo aprendió serrando las piernas de unos cuerpos que no dejaban de gritar, vendando inútilmente unas heridas demasiado amplias y profundas para ser restañadas, sosteniendo la cabeza de unos hombres que se debatían y sufrían arcadas en sus últimos momentos, gigantescos hombres de acero que pedían consuelo. Se sintió furioso ante su propia incompetencia, contra su padre y contra la ramera de su padre. Veía a madres e hijos morir en pueblos arrasados.

El perdón estaba muy presente en su cabeza, tanto para su padre y su madre, ambos muertos cuando él regresó a Inglaterra, como para sí mismo, el heredero de la casi vacía casa que había sido dejada por: «... Bueno, ¿cómo se pronuncia esto?» El notario encontró divertido el nombre de la mujer y lo pronunció con un marcado e irónico acento.

Capítulo 7

Joseph confirmó que las anotaciones en los registros del día eran correctas. Dio el visto bueno a las observaciones de los estudiantes de medicina, corrigiendo aquí un término de anatomía, o arreglando allá una descripción confusa. Comprobó la seguridad de las aldabillas de las jaulas y las pesadas cerraduras de las ventanas y dio un par de vueltas a la cadena de la puerta principal. Los ruidos del laboratorio rápidamente se disiparon, sustituidos por los ruidos de las calles que rodeaban el Laberinto. Uno jamás se llegaba a acostumbrar completamente a esa transformación. Hasta a Joseph, que pasaba más tiempo en el laboratorio que nadie, le desorientaba. E incluso el doctor Rowan comentaba acerca de esa brusca alteración. «¡Casi me espero que la primera persona que me encuentre en la calle se esconda lastimosamente y gima!» Joseph asentía y sonreía cada vez que el doctor soltaba esta broma.

Pasó frente a Pendleton's. De haber sabido, años atrás, que la hermosa rosa que se encontraba detrás del mostrador de Pendleton's se abriría como lo había hecho, ¿la habría elegido? Se quedó parado allí. Podía fácilmente haberse rendido a la voz más juiciosa, la voz inglesa que consideraba su condición social (ya comprometida), y haber tratado a una dependienta como correspondía, pero en vez de eso otra voz, muerta y extranjera, lo transformó en un apasionado amante, el papel de su padre.

Podía haberse casado con alguien de un nivel superior. Él no era en absoluto rico, pero se encontraba en una situación económica mejor de la que su empleo le habría permitido, y, en aquellos embriagadores días como héroe, podía haberse casado con hermanas de colegas del trabajo, atraídas por las perspectivas y el supuesto historial militar de Joseph.

Constance Douglas trabajaba en una papelería, pero quedó grabada en la imaginación de Joseph de forma total e instantánea. Desde el momento en que hablaron por primera vez, él vaciló, se enamoró y se quebró su voluntad. Se contaba a sí mismo toda suerte de absurdas historias: ella parecía la paz, o Inglaterra, o el amor, o una diosa pintada en un templo. Su más evidente semejanza, él no la observó: era una hechicera como la que tanto había alterado la vida de su padre, su escamoteada madre inglesa.

Una primera impresión es una especie de promesa, porque uno asume que el otro es tal como lo ve. Cuando conocemos a alguien *in extremis*, deducimos que ése no es él. Y así el día en que Joseph Barton entró en Pendleton's en busca de un portaplumas, unas plumillas y una esposa inglesa, la joven se reía gentilmente detrás del mostrador, apartándose un mechón de pelo de los ojos y «recomponiéndose» conscientemente para dirigirse a su nuevo cliente, sonriendo. El humor de ella aquella mañana era infrecuente, mientras que para Joseph fue una promesa. Otros estados de ánimo, aunque no eran inconcebibles, serían desviaciones de su probable carácter aquella soleada, predestinada mañana (como si el buen tiempo mismo le estuviera advirtiendo a Joseph de que eso nunca sería la norma).

Porque la mayoría de los días, durante un tiempo dolorosamente largo, Constance mostraba sólo una expresión de pena, o de miedo, o de preocupación, o, en raras ocasiones, una forzada sonrisa, un débil eco de la alegría que había seducido a Joseph una mañana para siempre hacía mucho tiempo. Él imaginó su matrimonio con esa mujer. Ella se encontraría de pie, a su lado, y pondría una amorosa mano en la suya y juntos contemplarían la chimenea. Ella preguntaría cosas sobre sus investigaciones con ávido interés, e incluso profunda comprensión, quizás utilizaría alguna metáfora doméstica, que a su vez inspiraría en él alguna nueva gran idea en su trabajo. Ella sería la chispa de su vida, que lo divertiría en privado a expensas de unos estúpidos que ellos toleraban en público. Y él podría cepillarle a ella el cabello como había hecho una vez con el de su institutriz. Su madre.

Se detuvo a comprar un generoso ramo primaveral para ella, examinó a la florista como siempre había hecho su padre, pero no fue capaz de recordar ninguna de sus encantadoras expresiones. La semejanza entre ambos se había desvanecido. Constance probablemente elogiaría las flores, y luego se las tendería a Nora para que ésta las recortara, las metiera en agua y las pusiera en su sitio. También él podría habérselas dado a Nora directamente. De manera que compró un segundo *bouquet*; se ganaría la atención de su esposa por entero.

La voz le llegó de alguna parte a su lado, y al principio no logró ver a nadie entre la multitud que pudiera haberla emitido:

—¿Eres el Italiano Joe Barton, o eres el mismo Lucifer vestido como tal?

Joseph sintió que los ojos de los transeúntes lo arañaban, acusándolo de ser el autor de aquellas palabras hasta entonces sin dueño.

—Vaya, no has cambiado nada, ni un pelo.

Y sólo entonces vio a una encorvada figura sin sombrero que se separaba de las sombras producidas por un coche de punto estacionado: un viejo vagabundo, pero alguien que conocía el nombre y el antiguo apodo de Joseph. Su cabeza se inclinó hacia atrás y a un lado, en un extraño y amenazador movimiento.

—Nada ha cambiado. Siempre dije que tú te paseabas entre aquellos negros bastardos asesinos como si fueran unas elegantes damas que te querían bien.

Joseph examinó aquellos ojos casi entrecerrados, la barbilla caída.

—Bien, ¿qué le dices a un antiguo camarada de armas, Italiano Joe?

La voz, que no concordaba con aquellas palabras de camaradería, era áspera y poco firme, y Joseph no lo reconoció, incómodo al no descubrir quién era aquel hombre junto al cual evidentemente había combatido.

—Todos estos años y no se te ocurre nada, ¿eh? Habla, estoy dispuesto a escucharte.

De nuevo su cabeza se echó hacia atrás con una sacudida y luego a un lado.

—¿Qué estás haciendo aquí?

—Podría preguntarte lo mismo, mi feroz y sangriento camarada. Vamos a tomar una copa, tú y yo, a cenar un poco —añadió el viejo, apresuradamente, y luego, sonriendo impúdicamente, con unos dientes que parecían unas lápidas sepulcrales en un cementerio, dijo lentamente:

—Y charlaremos de las gloriosas cosas que vimos bajo los colores de la Reina.

Joseph habría declinado, sospechando que se trataba de un gorrón, pero lo había llamado por aquel apodo, había hablado de un pasado compartido y había reconocido a Joseph precisamente porque se había afeitado la barba aquella misma mañana dispuesto a un perdón universal... No podía negarle una copa. Se dirigió hacia cualquier lugar donde no pudiera ser visto por gente que conociera, las flores bajo un brazo, con sus tallos apuntando hacia delante, y una burbuja de colores detrás de él. El viejo se apoyaba sobre todo en una pierna, y hacía un esfuerzo evidente por estirarse en toda su altura, que era sólo ligeramente superior a la de Joseph.

—El Italiano Joe por fin —murmuró con asombro—. Apenas puedo creerlo. —Sus ropas estaban sucias; sus botas, viejas. Joseph veía que tendría que admitir que lo reconocía, pero el viejo lo daba por descontado—: Jamás hubiera supuesto que me olvidarías. Yo nunca olvidé al Italiano Joe Barton; nadie podría. Yo no lo haré. Hasta el día en que vaya por mi recompensa, no lo haré.

—Tienes que perdonar mi memoria. —Pero el viejo no le permitió sentirse cómodo, ni durante un rato reveló su nombre, sino que continuó examinando a Joseph de lado y sacudiendo la cabeza como si estuviera obligándose a despertar de un sueño—. Me tienes en desventaja. Si vamos a beber juntos, has de acabar con mi confusión.

—Vigilad vuestras gargantas, muchachos, cuando el italiano Joe dice que está en desventaja.

Un hombre más astuto se habría marchado, dejando al mendigo con unas excusas y una moneda, pero, justamente ese día, Joseph no conseguía desembarazarse de él. Quizás no existía el día en que su carácter le permitiera hacerlo. Encontró una discreta taberna, y el nombre del viejo finalmente salió a la luz, en un lento, irónico y desagradable tono, como si su pronunciación hubiera desencadenado en Joseph una oleada de amargos recuerdos: Lemuel Callender.

Pero ese conocimiento no contribuyó en nada a despertar la memoria de Joseph, y éste deseó haberse ido a casa, esperando —notó, con sorpresa, que realmente lo esperaba— ver a Angelica unos minutos antes de que la pequeña se durmiera.

—¿Ni siquiera mi nombre te lo deja claro? ¿Estás jugando conmigo?

Pese a su deseo de recordar, Lem habló poco, una vez que se hubieran sentado, pero comió y bebió con no disimulada ansia. Su tic —porque eso es lo que era— se apoderaba de él sin misericordia cada treinta o cuarenta segundos, pero, dada su complejidad —dos sacudidas hacia atrás, un golpe a la izquierda—, parecía casi un ritual, más que un trastorno nervioso, como si en el pasado hubiera tenido significado, y se hubiera alojado en aquel cuerpo que ahora lo repetía, carente de sentido, cada pocos momentos.

En varias ocasiones Lem se detuvo como si se dispusiera a plantear una cuestión de cierta importancia, pero cada vez simplemente retornaba a su comida con otra repetición de «el italiano Joe ni siquiera me conoce», hasta que Joseph finalmente le informó de que ya no respondía a ese epíteto, y que no lo había oído en años.

—¿No? ¿Ya no eres italiano?

—Nunca lo fui especialmente, señor. No era más que una broma de Ingram.

—¿Recuerdas a Ingram, verdad? Pues Ingram murió una mañana azul, desgarrado y aplastado por todas partes, y tú tienes tus cintas y tus medallas y ahora eres tan inglés como yo. Te entiendo. Tú tienes tus estupendos honores, aunque los birlaste, ¿no?

Joseph se quedó sin palabras, como un idiota, ofendido, y lento para responder, naturalmente. Aún pensaba que no había comprendido bien.

—Dime, inglesísimo Joe, ¿piensas mucho en ello?

—¿En qué?

—En lo que pasó allí.

—Raras veces le dedico un pensamiento.

—Un hombre con suerte. ¿Te divertiste allí, no? Te hiciste un nombre y sacaste un buen botín. —Lem se secó la cara con la manga de su chaqueta.

—¿Botín? Debes de estar confundido. Yo no he...

—Porque yo sí pienso en ello. Todo el tiempo. Como si ellos estuvieran todavía delante de mí. Eso hace que uno no quiera hablar con nadie. Y, Joe, pienso en ti continuamente. Pienso en ti cada día, lo he hecho desde la última vez que nos vimos. —Posó una correosa mano, cada una de sus líneas trazada y oscurecida por la suciedad, sobre el brazo de Joseph, y tiró de éste hacia la barra. Joseph se zafó de su presa para levantar su cerveza—. ¿No oyes una y otra vez las voces de tus antiguos camaradas? ¿No los ves al otro lado de las bulliciosas calles? ¿No pierdes un poco de tu elegante bienestar inglés cuando piensas en lo que hiciste, en los tipos que pagaron tu gloria?

No hacía tanto de eso; costaba creer que uno pudiera olvidar a un hombre como éste. Aunque nunca se le dieron bien los nombres y las caras —no era un hombre sociable—, Joseph pensó, sin embargo, que era casi imposible que hubiera conocido a ese Lem. Lo cual no quería decir que el soldado nunca hubiera visto a Joseph o no supiera alguna cosa de él y quizás tenía una intención malévola.

—Perdona que te pregunte, Lem. ¿Dónde nos conocimos?

—¿Te burlas de mí?

—Desde luego que no.

—Oh, lo recordarás muy pronto. El recuerdo vendrá a ti como el sol de junio, mi viejo camarada de armas.

Joseph era lento en percibir los ocultos significados de las frases del hombre, se sentía realmente un poco orgulloso de que él al menos *supiera* esto sobre sí mismo: que otros hombres (Harry, por ejemplo, para el cual él más tarde describió este desconcertante encuentro como una comedia) podían descubrir secretos en las actitudes humanas, hacer de ello alguna especie de juego de salón. Aunque, por una vez, Joseph sabía que ese Lem no tenía ninguna buena intención hacia él; era una especie de amenaza procedente de un pasado que Joseph no podía de ningún modo recordar.

—Por supuesto que te conocí, valiente Joe, y fui testigo de tus heroicidades. —El viejo se dedicó nuevamente a cortar su pastel, más lentamente ahora—. Había tantas cosas que deseaba decirte —dijo en un extraño tono. Murmuró algo, y luego se dio la vuelta con una incongruente sonrisa, y cortésmente quiso saber—: ¿Estás casado, Joe? ¿Encontraste a una mujer aquí?

—Y tenemos un hijo.

—¡Un hijo para el Italiano Joe! Me alegro por ti, entonces. Me gustaría conocerlos, Joe, contarle a tu señora el gran tipo que fuiste allí. Todo lo que hiciste. Ella debería saberlo, y tu chiquillo también. Un padre como el Italiano Joe Barton... Un joven debería tratarte como te mereces. —Tragó saliva y sonrió, mostrando su boca desdentada—: Y tu señora, ¿es blanca, sí? —Soltó esa ordinariez dando a entender que compartían el gusto por el humor grosero, como si estuvieran acostumbrados a pasar largas horas juntos en torno de una fogata—. Bueno, entonces, tus apetitos han cambiado, ¿eh? —Y el hombre soltó una risotada—. Un oído tierno que te escuche. Estupendo. Te quedas dormido con la cabeza sobre su suave pecho inglés, y ella hace que todo parezca muy agradable.

Joseph se puso de pie, dejando sobre la barra suficiente dinero para pagar la comida del viejo mendigo.

—Creo que es hora de que nos separemos, señor —dijo—, y me hará usted el favor de disfrutar de su pastel con mis mejores deseos.

—Yo no he pedido tu caridad. —El odio del viejo se mostraba sin disimulo ahora. Empujó, una por una, cada moneda hasta hacerlas caer desde la barra al suelo—. Me moriría antes de suplicarte nada.

Joseph se escapó, olvidando sus flores. Durante todo el encuentro, su idea de hogar se había acentuado, en contraste con la sorda amenaza del viejo, y llegó a Hixton Street en una estado de extraña excitación. Subió por las escaleras casi corriendo a tiempo de ver cómo Angelica se quedaba dormida sin queja alguna, y sin que su mariposa estuviera a la vista. Se sentó a su lado lo suficiente para calmarse, luego subió para ver a Constance. Y trató de explicarle los pensamientos que le habían ocupado su mente durante el día.

—Aquí estoy a la edad en que mi padre... Bueno, eso no significa nada probablemente, pero ahora veo que él no era un hombre malvado. Me pide perdón pareciéndose a mí, y yo apenas si puedo negarme. Sería grosero.

Si Constance supiera todo lo que había sentido ese día, entonces le perdonaría sus fallos, debilidades, apetitos y se comportaría como debía. Se acercó a ella, simplemente para acogerla en sus brazos. Ella huyó de él casi inmediatamente.

~ · ~

Capítulo 8

El domingo, con sus habituales concesiones a la superstición de Constance, coincidía esa mañana con el día libre mensual de Nora, de manera que Joseph y Angelica se enfrentaban al hecho de pasar algunas horas en mutua compañía. Curiosamente, eso no alarmó a Joseph. Resultaba extraño cuán rápidamente unas noches de sueño ininterrumpido y la abierta hostilidad de su esposa podían hacerle buscar la compañía de la niña.

Joseph le leyó a Angelica una historia, un pequeño paso en su nueva amistad:

—«... más ruin que el primero, el más malvado de todos los hombres. El panadero lo lamentaría, dijo la anciana. Lo lamentaría amargamente. Y verdaderamente así fue, porque, tan pronto como la bruja se marchó de la tienda del panadero, el lobo saltó a su interior y se relamió los labios, y gruñó desde lo más profundo de su garganta. Sus enrojecidos ojos flameaban como los de un demonio cuando se inclinó hacia atrás, preparándose para su salto. El panadero gritó: "¡Lo siento! Cuando tenía la ayuda de la gente de la ciudad, los rechacé con desprecio en mi voz. Ahora que me encuentro en el más grave de los peligros, no hay nadie que venga a ayudarme. ¡Estoy perdido!" El lobo saltó a la garganta del panadero, el odio asesino en sus ojos y con sed de sangre en sus labios. Sus bigotes tocaron el cuello del panadero. Sus mandíbulas se abrieron y el panadero sintió su cálido y húmedo aliento en su rostro, cuando, procedente de ninguna parte e inmediatamente, centelleó el brillo de una hoja. La piel del lobo fue separada y su garganta cortada. La ardiente sangre salpicó y manchó la mejilla del panadero donde se mezcló con sus lágrimas de miedo y alivio. La sangre se esparció, también, sobre el pan que el panadero acababa de negarse a compartir con la anciana. ¿De quién era el cuchillo que lo había salvado? Porque, a sus pies, el lobo se estremecía hasta sus bigotes y exhalaba su mínimo... perdóname, querida: exhalaba su *último* suspiro. Entonces el panadero vio a su salvador: Era el hijo del gitano. "¿Tú? ¿Tú has venido a salvarme? ¿Y con mi propio cuchillo? ¿Cómo es esto?" El hijo del gitano no presumió de su valor, y tampoco recordó al panadero su nada cristiana crueldad hacia la gente del pueblo. En vez de eso, habló humildemente: "Panadero, la sangre de este lobo te ha dejado una mancha sobre la mejilla, y llevarás esa mancha para siempre. Nunca podrás quitártela, por más que frotes desesperadamente. Y la sangre del lobo ha manchado también tu pan. Por siempre, cada día, apartarás una hogaza de pan, y ésa la entregarás sin quejarte a quien sea que te la pida, y tú no pedirás nada a cambio, ni moneda alguna, ni favor. Y llamarás a este pan el Pan del Lobo. Si haces eso puntualmente, no tendrás nunca nada que temer del pequeño corte de tu cuello, que yo te he hecho al matar al lobo cuando saltaba contra tu garganta. Te pondrás este ungüento mágico en el corte cada día. Nunca te molestará. Pero si no cumples con ello, si no lo haces generosamente..."»

—¿Qué quiere decir *genorosamente*?

—Generosamente. Sin vacilar, ni quejarse «"... si no entregas generosamente el Pan del Lobo, entonces ese pequeño corte se abrirá más, y de él manará sangre roja, y ninguna sabiduría de los médicos conseguirá salvarte, y tu cabeza nunca se curará, ni seguirá unida, y morirás de la manera más miserable." El panadero asintió y se miró en un espejo, y vio el rojo corte que cruzaba su garganta. "Haré lo que dices, hijo del gitano, y tú puedes contar a todo el pueblo lo que ha pasado aquí hoy y lo que yo he prometido."»

Joseph cerró el libro.

—¿Y qué crees que pasa ahora?

—Él no comparte el pan. Su corte se vuelve a abrir y se extiende por todo el cuello, ¡y la cabeza se le cae! ¡Y aquellos terribles pobres se comen todo el pan!

—Te gusta mucho este cuento.

Mientras él y su hija se reían juntos, Joseph comenzó a reconocer su propio hogar y su lugar en él. Su hija también le contaba, de un hombre volador que venía a verla por la noche y sobre las espaldas del cual ella volaba muy alto, por encima de las calles de Londres, y desde allí ella veía a las personas y los edificios allá abajo, mientras mechones de nubes se le enmarañaban en el pelo y el gancho de la luna casi agarraba su vestido.

Angelica era, o podría ser algún día, una compañía ideal. La niña podía —no era inconcebible— crecer hasta convertirse en una especie de amiga, por decirlo así. No carecía de los requisitos fundamentales de mente y temperamento que le faltaban a su madre.

—¿Existen de verdad los fantasmas? —preguntó.

—No.

—¿Existen de verdad los ángeles?

—No, cariño.

—¿Y qué pasa con las brujas?

—Invenciones, niña. Invenciones.

—¿Y los judíos? ¿Son de verdad, o son invenciones?

Él había viajado, dos meses antes, para una breve visita a York a fin de compartir los resultados del doctor Rowan con El Sabio de la Septicemia de la universidad que había en aquella población. A su regreso, le sorprendió descubrir que la niña había envejecido meses en sus dos días de ausencia, y por supuesto él debía de haber cambiado también proporcionalmente.

Después de que esa constatación le hubo abierto los ojos, miró a Constance y vio que las dos líneas que surcaban su cuello se marcaban más, separándolo en tres partes, dejándolo tan segmentado como el de un insecto.

—¿Y qué pasa con los dragones? ¿Son reales?

En estos primeros minutos de felicidad desde que Angelica fue trasladada a su propio dormitorio, en esos últimos días en los que él prestó a la niña más atención que en toda su vida, la vio hacerse mayor a una velocidad tremenda. Su vocabulario, su manera de dirigirse a él, su capacidad de entender su conversación: todo esto estaba volando tan rápidamente hacia el futuro que no pudo evitar pensar en ese futuro como una época en la que ellos dos estarían más estrechamente unidos.

—Nunca me lo has dicho. ¿Te gustó la mariposa?

Pero la niña no sabía nada de la mariposa, y una búsqueda conjunta de su habitación no hizo aparecer ninguna.

—¿Te burlas de mí? —preguntó ella.

—Bueno, pues, echemos una mirada al libro que te traje.

—¿Qué libro?

—Los dibujos de anatomía, las láminas. «El libro de Papá», como lo llamaste tú. Tu madre te lo enseñó.

—¿Mamá me lo enseñó?

No, no lo había hecho. Se lo había escondido a la niña para fastidiarlo, para continuar malcriándola, preparándola para un crédulo futuro, y le había mentido. Constance se apoderaría incluso de esa microscópica prueba de la semejanza de Angelica con él, o del afecto que la niña sentía por su persona, y la aplastaría.

Poco después de este exasperante descubrimiento, la niña exigió un bizcocho. Joseph no podía encontrarlo.

—¡Quiero que venga Mamá! —gritó la niña cuando se hizo evidente que sus deseos no iban a verse cumplidos.

Cuán rápidamente se estaban quemando aquellos pequeños puentes que él había empezado a construir entre los dos y la niña se transformaba en una manipuladora miniatura de su madre. Lloraba como una amante despechada; su pasajera tolerancia hacia él se revelaba en su justo valor, ahora que él la había decepcionado.

—Santo Dios, cállate —dijo él—. Tu preciosa madre va a volver enseguida. No es una tragedia tan grande. Cállate, ¿quieres?

Nora, increíblemente, estaba aún disfrutando del descanso matutino de sus deberes, y Constance estaba entretenida con sus estúpidos rituales religiosos.

La niña gritaba pidiendo el bizcocho y no aceptaba su palabra de que no quedaba. La niña gritaba, y Joseph le preguntó si prefería que la encerrara en su habitación. Le ofreció una manzana, pero cuando la oferta fue rechazada, y, rencorosamente, él suprimió sus intentos de negociación, las protestas de Angelica se descontrolaron. Gritaba, se abalanzaba contra su padre y rebotaba en su inflexible cuerpo. Se lanzó contra su cama, cayó inmediatamente al suelo, y empezó a dar patadas al aire. Joseph la contemplaba desde el marco de la puerta, preguntándose cuánto tardaría Constance en regresar mientras esa lamentable tormenta hacía estragos. La niña se revolcaba, lloraba sin lágrimas, jadeaba como si la ahogaran invisibles atacantes. «Mi querida niña», intentaba Joseph, pero eso no hacía más que aumentar la tortura.

—No soy tu querida niña, no soy un ciervo, no hay ningún ciervo aquí.[1]

Su sentido de la realidad parecía tambalearse en ese momento, y Joseph trató nuevamente de calmarla:

—No, Angelica, yo sólo quería decir amada, indica afecto.

Pero ella, de pie ahora, daba saltos y se golpeaba las sienes con los puños.

—¡No soy un ciervo! ¡Dame bizcocho!

Resultaba fascinador: ésa era la niña que Constance había creado con tanto esfuerzo. Era interesante, también, ver cómo

---

1. Juego de palabras intraducible entre «dear», querida, y «deer», ciervo. (N. del t.)

se había vuelto la niña contra su padre; Angelica había enloquecido ante la perspectiva de su compañía. «¡Las niñas comen ciervos, las niñas endurecen ciervos!» Su lenguaje se estaba desintegrando y, junto con él, cualquier reconocible «Angelica». Su hija se estaba desvaneciendo ante sus ojos, retrocediendo a una fase más temprana de su crecimiento. «¡Bizcocho! ¡Ciervo! ¡Papá otro ciervo! ¡No! ¡NO!» Las lágrimas le hinchaban los ojos hasta casi cerrárselos por completo, y su nariz moqueaba. Aun así, saltaba y se golpeaba la cabeza contra la pared; Joseph intentaba impedir que se hiciera daño, naturalmente, pero no cabía esperar que la controlara más allá de eso. ¿Iba a recuperar su antigua personalidad tras uno de esos ataques? Quizás él tenía que guiarla para recomponer su trastocada almita. «Angelica», dijo, pero eso la alteró aún más.

Aquella enfurecida bestezuela era el mismo ser junto al cual él había estado paseando por la playa una tarde el verano anterior. «Papá, mira, la mariposa se ha rompido. Está rompida.» Él caminaba unos pasos por delante de la niña, junto a una silenciosa Constance. Se volvió hacia donde la pequeña se encontraba en cuclillas, los brazos cruzados, contemplando una cosa en el suelo. «Rota —dijo él—. Pero las mariposas no se rompen. Se mueren.» Llegó junto a la niña y vio el objeto que producía su científica fascinación, una *Polyommatus icarus*, aún viva pero incapaz de volar, pues una de sus azules y blancas alas había sido medio devorada por las hormigas, que todavía se arrastraban por allí y masticaban el borde del ala. La presa se movía de vez en cuando, saltaba para emprender su anterior vuelo, pero entonces aterrizaba sobre su única ala intacta, pesadamente, como si no hubiera conocido la ingravidez desde que emergiera parpadeando y húmeda de su capullo. Las hormigas simplemente se adaptaban y reforzaban su larga línea de ataque, para transportar el tejido lleno de color de la criatura, desfilando hacia su hormiguero a fin de que las hambrientas obreras terminaran el trabajo. La cara de la niña conmovió a Joseph: nada de horror, nada neciamente moralizador, ningún falso antropomorfismo. Una niña de tres años podía mostrar la más pura fascinación, los rasgos básicos de una mente científica.

—Oh, es horrible. Quítaselo —gimió Constance, que se acercó para apartarlos—. ¿Por qué te detienes a mirar algo tan sucio, Angelica?

—Déjala en paz, ¿quieres? ¿O deseas aplastar todo lo interesante que hay en ella?

Se detuvo en cuanto vio la arrepentida confusión de Constance, pero no debería haberlo hecho, porque ella estaba formando a la niña con todas aquellas inútiles emociones y alocadas tonterías. La niña había quedado fascinada por la Naturaleza durante un momento. Muy bien. Tal vez llegaría un día en que podría crecer y convertirse en una persona inteligente. La pequeña examinaba la agonizante mariposa con un bastoncito, y Joseph sintió una nada familiar oleada de ternura hacia esa personita, que desarrollaba gustos de adulto, y también la misma belleza femenina y encanto que su madre tenía antaño, aquella resplandeciente promesa que ofrecía infinitas perspectivas de agradarle.

Angelica había pillado un leve, por no decir imperceptible resfriado aquella tarde, y, por supuesto, Constance, segura de que la niña, que estaba estornudando, iba camino de la tumba, insistió en que se llamara a un médico. Ese buen hombre, lo bastante bondadoso para echar a perder su domingo calmando a una madre nerviosa, examinó a Angelica exactamente como lo había hecho Joseph, llegó a un diagnóstico idéntico, prescribió el mismo tratamiento y, luego, comprendiendo la situación, levantó una reprobatoria ceja hacia Joseph por permitir que su mujer exigiera la consulta de una niña que ni siquiera tenía fiebre. Angelica, mientras tanto, seguía diciendo a su papá que no se quejaría para que él se sintiera orgulloso.

Y sin embargo ahora esa interesante personita, que había deseado que su padre admirara su valor diez meses antes, se arrojaba ahora contra el suelo, golpeando el suelo con los puños, como empujada por otro animal que compartiera su mismo cuerpo y que le robara la inteligencia, el interés por la Naturaleza, sus curiosas frases y encantos físicos; le quitaba todo su atractivo, excepto aquel residual interés científico que Joseph sentía por el progreso de su deterioro. Aquello —ni siquiera «Angelica» o «ella»— seguía obnubilado por la furia cuando Constance regresó de su sesión de mitología.

—¿Qué le has hecho? —quiso saber mientras trataba de calmar a la niña en sus brazos.

—¿Hacerle? ¿Estás loca? Le he negado un capricho, como tú deberías aprender a hacer.

Constance, incapaz de hacer entrar en razón a la niña, le dio la vuelta y le soltó una sonora bofetada. La fuerte impresión detuvo la furia de la niña y, aunque ésta continuó llorando tras un segundo golpe, su respiración se tranquilizó. La pequeña rodeó con sus brazos a su atacante, y apretó su empapada cara contra la cálida piel del palpitante cuello de su madre.

—¿Le pegas?

—Si hace falta, sí. Hay que hacer que se recupere, no permitir que pierda el control. Hay que expulsar al diablo. —Y con un deje de rebeldía añadió—: Seguro que tú lo desapruebas.

—No, no, en absoluto. Como te parezca conveniente.

Joseph observó la evidente preferencia de la niña por la compañía de su madre, incluso después de que ésta la hubiera pegado. Él había visto una paradoja similar miles de veces en el laboratorio, pero verlo en los humanos, en las dos hembras más estrechamente vinculadas a él, le sorprendía, a pesar de sí mismo, a pesar del agradable shock que sentía siempre que la Naturaleza revelaba sus pautas secretas. No podía, ni siquiera haciendo un esfuerzo, imaginarse a él mismo pegando a la niña, no podía concebir las circunstancias, la rabia, la pasión o el odio que lo hiciera necesario. Ni siquiera el amor justificaría semejante acción.

¿Había sentido alguna vez un deseo tan intenso que su frustración hubiera hecho añicos toda su personalidad? Casi había perdido a su esposa, arrancándola de la muerte sólo para verla alejarse a fin de cumplir con su papel de madre y él tenía ahora únicamente un interés económico para ella. Su mujer no hacía el menor esfuerzo por agradarle, se mostraba indiferente a sus idas y venidas. Era sorda a sus palabras, ciega a sus atenciones, insensible a sus caricias. Si alguien se merecía el derecho a revolcarse por los suelos y gemir histéricamente, era él.

Siempre nerviosa, propensa a la melancolía (algo completamente comprensible, teniendo en cuenta los hijos perdidos y su salud), Constance ahora mostraba signos de algo más serio: miedos en la noche, insomnios, espeluznantes temores por la seguridad de la niña. Joseph la encontraba dormida a extrañas horas y despierta a extrañas horas. Dormía en el salón, o al lado de la niña, aduciendo absurdas y disparatadas razones para alejarse de su marido. Se retraía entre sus brazos (por más suavemente que él lo intentara o la abrazara), dando excusas plausibles o imaginarias. Y hoy tenía la prueba de sus mentiras: el libro de las láminas y la destrucción o robo del regalo que él le había hecho a la niña, la niña que durante años Constance había insistido en que era su regalo a él.

Aquella noche se sentaron ante el fuego. Él la observaba en silencio. El desnudo antebrazo de la mujer apretado contra el ribete del brazo del sofá. Aquel rígido cordón de terciopelo se grababa en su carne, y cuando ella se movió Joseph observó a la luz del fuego la suave impresión que había dejado allí, un enrojecido valle. Él casi podía sentirlo desde aquella distancia y deseó tocarlo antes de que la sangre volviera a hincharlo, a llenar aquel surco.

En vez de eso, como si ella pudiera percibir su intención de tocarla, inmediatamente lo provocó con una charla absurda, hablando de los soldados ingleses (en otras palabras, de él) como si fueran unos demonios, comparándolos con unos asesinos negros. Él se separó de ella con un sentimiento de frustración, pero, minutos más tarde, ella corrió a su lado, asustada por las sombras. Él la calmó como solía. «Amor mío», dijo tiernamente y la besó en el cuello, pero, tras haber corrido hacia él, ahora ella trataba desesperadamente de apartarse, le pidió que no la esperara, pues él necesitaba dormir, y ella tenía que ir a ver a la niña. «Naturalmente.» Transcurrió mucho rato antes de que ella regresara, o, más exactamente, antes de que él se durmiera solo otra vez, imaginando que ella podría aún acudir a su lado, en vez de huir de él, primero un piso, luego al otro, protegiéndose con la niña, protegiendo a la niña con su cuerpo.

~ · ~

Capítulo 9

C asi llegó a convencerse de que Constance debía dormir alejada de él. Si eso la calmaba, dejémosla que viva en el salón o en el sótano. Pero en la práctica, la distancia no hacía más que incrementar sus extravagancias. Por la mañana, ella lo detuvo en las escaleras, no lo dejó pasar hasta que le hubo contado que Angelica sufría unos vagos dolores que nadie más podía ver, pero que, de alguna misteriosa manera, eran culpa de Joseph. Mantuvo la calma todo lo que pudo ante ese creciente desequilibrio mental, incluso la alentó a llamar a un médico. Intentó escapar, pero no lo bastante deprisa, porque ella aprovechó para soltarle:

—¿Quién es Lem?

—Un mendigo que me abordó.

—Soñaste con él anoche.

—No es verdad.

—Pues, ¿cómo sé su nombre? Lo pronunciaste en sueños.

—¿Y qué crees que dije?

—Sólo su nombre. «Lem, Lem», varias veces. Sólo su nombre.

En vez de decir, «Hablaste en sueños, unas palabras sin sentido, como si dijeras el nombre de ese animal, el lémur», empezó diciendo el nombre de Lem, una persona que debía de existir y cuya identidad le arrancaría utilizando sus propios murmullos nocturnos para cazarlo en una confesión, pero ¿qué confesión? ¿Qué clase de juego era ése, en que se permitía unos caprichos inaceptables? De nuevo tuvo la sensación de que se estaba escondiendo en su propio hogar como si fuera un criminal o simplemente un débil de carácter.

Abrió el laboratorio aquel lunes por la mañana agradeciendo el ruido y las tareas que lo esperaban, su variedad y su certidumbre: habían estado allí esperándolo el lunes anterior y lo aguardarían el siguiente. Allí no había frustración, ni silenciosas y vagas acusaciones, nada de intromisiones o manipulaciones infantiles.

Encendió el gas, calmó a los que podían ser calmados, distribuyó comida y agua, y empezó a anotar los cambios ocurridos durante la noche. Necesitaba una plumilla nueva. Se dio la vuelta hacia la parte trasera de la sala y se paró en seco, sintiendo que sus pies se apretaban contra sus borceguíes. En el suelo, en un pasillo entre dos mesas de trabajo, había... Imposible. Levantó una lámpara. Era lo que había pensado: dos esqueletos humanos en una postura que simulaba cierto acto, sus muecas casi las apropiadas. Sus vacías cuencas se lanzaban llameantes miradas de compartida sensualidad, pero uno de los miembros de la indecente pareja, apuntalado en sus rígidos brazos, parecía también examinar a Joseph de costado, como mofándose, más complacido y absorto en los placeres de la vida que él.

Tal obscenidad allí, nada menos que en esa sala, un lugar dedicado al progreso de la humanidad... Una mente grosera había irrumpido allí haciendo gala de lo que pasaba por ingenio en el ejército, entre hombres de carácter vulgar e inteligencia animal, como Lem. Peor aún, los especímenes habían corrido un riesgo durante el allanamiento. Era imposible decir lo que semejante persona podía haber hecho para estropear el trabajo que se realizaba allí. Por un momento, imaginó lo imposible: que el propio Lem hubiera hecho eso, sabiendo de alguna manera que Joseph los descubriría, los interpretaría como significativos y... Tonterías. Debía retirar eso antes de que llegaran los doctores.

Una inspección más detenida, sin embargo, demostró que sería imposible borrar todas aquellas huellas apresuradamente, ya que los vándalos habían enrollado unos alambres en torno de unas tuberías y los tiradores de unos cajones para asegurar la posición de los esqueletos. No había conseguido más que mover una simple jaula y subirse a la mesa para examinar los cables, que sostenían las piernas de las figuras, cuando oyó que se abría la puerta principal, demasiado temprano. Los especímenes se quedaron, por un momento, completamente en silencio. Apareció el doctor Rowan, pálido y ovino bajo la débil luz. Estornudó y luego dijo con voz quejumbrosa, mientras se reanudaba el ruido de los animales:

—Barton, ¿qué está usted haciendo ahí?

Joseph bajó al suelo, presa de la desesperación, antes de que Rowan doblara la esquina, le dio al esqueleto dominante una patada, consiguiendo con ello sólo provocar una postura más ofensiva: la figura inferior, obviamente la hembra, echó la cabeza a un lado, como presa de un mayor placer o dolor. De haber tenido una barra de metal, gustosamente hubiera convertido a los amantes en astillas.

—Barton, ¿qué es eso?

Joseph ya no podía más. Rowan se acercó a grandes zancadas.

—Señor. Acabo de descubrir este, este desagradable...

Pero, para entonces, su jefe estaba jadeando por la risa.

—¿Ha hecho usted eso, Barton? No, claro que no —se corrigió casi inmediatamente—. Oh, la han tomado con nosotros, ¿no? ¡Los muy diablos! Nos han pillado. ¡Han querido enseñar a los viejos un par de cosas!

Unos estudiantes de medicina que habían terminado el curso eran los autores del desaguisado, supuso Rowan. No era la primera vez que había visto a unos vándalos colocando esqueletos por el Laberinto en parecidas poses.

—¡Una vez me encontré uno en mi váter! ¡Fue un momento difícil, Barton! Aquellos demonios habían atado los huesos al asiento tan fuertemente que no tuve más remedio que sentarme sobre su regazo para hacer mis necesidades. —Joseph prefirió no mirar a la enrojecida y gorda cara del viejo doctor—. ¡Mire a esos dos entregados a su alegre negocio! ¡Casi puedes oír gritar a ése! Sin embargo —el doctor Rowan resopló por la nariz— sin embargo, lo mejor será que quitemos eso de aquí antes de que lleguen los demás. Me gustaría que cambie usted las cerraduras cuando le sea posible. No podemos tener a estudiantes entrando aquí a placer, molestando a nuestros amigos.

De manera que se daba por supuesto que Joseph era uno de los «viejos» de los que se esperaba que consintieran la rebosante vitalidad de los más jóvenes, un viejo lo bastante sensato para cambiar las cerraduras posteriormente, alguien que se reiría con añoranza de las tropelías de la juventud, sintiendo la más pura envidia mientras se reía de unos huesos entrelazados.

Ella, Constance, lo veía exactamente bajo el mismo prisma. No. En realidad, él era algo más para ella, algo en proceso de transformación, que se hallaba entre los deseos incontrolables de la juventud (aunque él no había estado descontrolado en toda su vida) y la marchita senectud, sonriente e inofensiva. Y en ese estado intermedio, que no era ni de húmeda crisálida, ni de desecada, clavada polilla, era tratado como una substancia volátil que debía ser manejada con tenacillas hasta que su inevitable descomposición fuera completa. Ella deseaba esa decadencia. Anhelaba su aceleración. El retraso la aburría, y el riesgo de que él pudiera tener aún los apetitos de la juventud la ofendía. Cuando pensaba en él pleno de vitalidad, le daba miedo. Cuando lo veía pesado o torpe, se mostraba amable y alentadora.

A la niña también le hubiera gustado verlo viejo y resignado. Eran aliadas. *Aliadas*. La palabra resonaba en la cabeza de Joseph, como una reluciente y plateada revelación, largo tiempo encubierta pero que se desvelaba ahora. Cada una de ellas, por sus propias razones, lo querían viejo, y conspiraban para envejecerlo. Incluso los atentos y seducidos doctores de Constance conspiraban con ella, promulgando sus estúpidos decretos siguiendo las indicaciones de su mujer.

Una hora más tarde, con los esqueletos sobre unos taburetes en la parte trasera del edificio, el estudiante de medicina de más edad, Mr. Joshua, llegó bastante tarde. Llevaba una venda en la frente y se mostró un tanto avergonzado al principio, y remiso a quitarse el sombrero, propenso a quedarse en las sombras, y giraba la cabeza en un incómodo ángulo durante la conversación. Pero no transcurrió mucho tiempo antes de que todo el mundo se fijara en su herida, y algunos le hicieron preguntas inmediatamente. Él se limitó a murmurar inaudibles excusas. Varias veces el joven tuvo que cambiarse el vendaje cuando unas manchas rojas y marrones empezaron a formar una constelación en la blancura de la venda. Hacia la hora de comer, Joseph, observando que el individuo se estaba quitando la última gasa con la ayuda de un espejito, le ofreció sus servicios. Joshua lanzó un suspiro.

—¿Tiene usted hijos, Barton? —preguntó el joven mientras Joseph despegaba la gasa de una herida supurante.

—Sí, señor. Una niña de cuatro años.

—Ojo con ellos, son unos demonios. —Joseph aplicó un paño húmedo a la herida—. Todo el mundo lo ha visto. Supongo que no hay ningún mal en contárselo. Hace un par de días, por lo que he sabido, parece que la institutriz trató de contarle algunas cosas al chico sobre medicina, que si la cirugía, y el éter... Imagínese usted. «Un cuerpo dormido no siente dolor, de manera que los cirujanos como tu papá inducen al paciente un profundo sueño antes de levantar el escalpelo o cortar un miembro, etcétera.» Bueno, yo me desperté en plena oscuridad, anoche, sufriendo la más terrible agonía, los ojos nublados, la cabeza ardiendo. Mis propios gritos nos despertaron a mí y a mi mujer. La primera cosa que fui capaz de ver cuando me sequé los ojos y mi esposa hubo encendido la lámpara, fue a Simon, el niño, mirándome completamente horrorizado, como podrá usted imaginar, cuando le cuente a usted, Barton, que se le metió en la cabeza levantarse en mitad de la noche y practicar la cirugía con su dormido padre. Había decidido coger un cuchillo de la cocina y quitar la verruga que usted recordará que antaño adornaba mi frente, un ligero defecto, pero Simon estaba empeñado en quitarla. Y la institutriz, evidentemente, olvidó ciertos detalles en su clase magistral. ¡Qué cantidad de sangre! Que manaba de lo que no es, estará usted de acuerdo conmigo, una mala incisión para un cirujano de la tierna edad de cinco años. Brotaba de mi cabeza un torrente escarlata, cegándome y ahogándome, mis manos quedaron empapadas de sangre. Una herida de combate, convendrá usted, como antiguo soldado que es. Mi mujer ha tenido a las doncellas fregando todo el día para quitarla, pienso. Tendremos que cerrar la puerta de la habitación del niño cuando éste duerma. Una drástica precaución, la verdad, pero no puedo arriesgarme a que se interese por la oftalmología.

Joseph comió solo en una mesa al aire libre, a unas calles de distancia del Laberinto. Se dedicó a revisar una reciente serie de experimentos fallidos, esperando localizar en los datos una pauta que presentar al doctor Rowan, incluso la pequeñísima eficacia de los desinfectantes que habían aplicado a las heridas. Quizás Joseph podría descubrir un elemento parcialmente prometedor para combinar con otros. Tenía intención, en este asunto o en cualquier otro, de demostrar su aptitud para afrontar mayores responsabilidades.

Escribió borradores de propuestas e interpretaciones de resultados en un diario encuadernado en piel y con su nombre grabado en relieve en la tapa, comprado no hacía mucho en Pendleton's (otra bonita muchacha en el mostrador, el mismo tono de voz, la misma mirada en sus ojos, estas chicas de Pendleton de tan bella factura, al menos mientras duraban). Esa libreta de notas ahora descansaba sobre el borde de la mesa, inadvertidamente puesta cara arriba. Joseph se dio cuenta de que los transeúntes leían su nombre y al punto se sintió avergonzado, como si le hubieran pillado anunciándose a sí mismo (dado que allí estaban sus esfuerzos por presentar su candidatura ante sus superiores). Su vergüenza ante el hecho de exhibirse a sí mismo cuando puso el cuaderno boca abajo, al punto quedó mitigada por el resentimiento que sentía ante las acusaciones (ahora retrospectivamente visibles) que se leían en aquellas caras de paso, ya que él *no* había tenido intención alguna de exhibirse. Antes de recuperar el control de sus rebeldes pensamientos, silenciosamente riñó a aquellos que lo habían acusado de vanidad, acusándolos de varios pecados evidentes en su manera de vestir, sus andares, sus expresiones. Por unos momentos sintió que su rabia aumentaba antes de que lo ilógico de su discurrir se replegara bajo el dominio de los componentes más juiciosos de su mente. Recuperado, trató de calcular cuántos minutos de su tiempo acababa de sacrificar a semejante basura.

Del mismo modo que la mente de uno podía ir a la deriva y verse privada de toda ética y creencia (porque él en el fondo *no* pensaba que nadie lo hubiera considerado erróneamente un narcisista, y tampoco creía que la mujer de cabello rojo que con expresión vacía miraba casualmente el traicionero cuaderno fuera de moralidad relajada), uno podía, con la misma facilidad, comportarse sin ninguna lógica y moralidad. La guerra no era más que un período en el que los desprevenidos se sentían liberados de la moral y se veían obligados a mostrarse tal cual eran mediante las acciones más reveladoras. Él había visto a los nobles comportarse con crueldad, a los mansos luchar como bravos y a los violentos reducidos a un llanto afeminado por unas pérdidas que eran, a lo sumo, simbólicas. Había visto, cuando las armas estaban calladas pero seguían calientes, las miradas de conmoción (y, en el caso de los mansos, de contento), al descubrir que así eran o podían ser: crueles, bravos o mujercitas. «Yo no fui un cobarde en aquellos años», decían de sí mismos mirando atrás, reinventándose retrospectivamente, dándole otro valor al tiempo que habían pasado en casa evitando los peligros o los conflictos. «Yo era noble y no exhibía mi audacia.» Pero esto, también, era falso, naturalmente, tan falso como cualquier otro momento sacado de su contexto.

¿Y qué pasaba con eso? Que lo mejor de uno podía evaporarse en un instante, y ni siquiera en un momento de crisis o de tentación, sino en la vida más prosaica: un cuaderno dejado boca arriba podía hacer que un hombre acusara a una inocente mujer de ser la más baja de las mujerzuelas.

Se oían historias de hombres corrientes cometiendo espantosos crímenes. Hombres que se movían en los mejores círculos, a los que no les faltaba nada, pero que, no obstante, robaban. Hombres que no tenían nada que temer, ni por qué preocuparse, pero que asesinaban. Hombres adorados por las mujeres, y que, a pesar de todo, violaban. O bien esos hombres sabían lo que estaban haciendo (eran criminales), o no se daban cuenta de que cometían esos actos (dementes). En tales casos (como debía suceder con el asesino tan minuciosamente descrito en los periódicos), el guardián de uno simplemente se iba a dormir (como había pasado con Angelica durante su rabieta), y mientras duraba ese sopor otra fuerza se hacía con el control de esa carne y salía a cometer los actos que le apetecían, ocultándolos perversamente a todo el mundo, incluyendo al hombre que mejor los podía presenciar e impedir, aquel habitual controlador de esos músculos y ojos, y, una vez saciado, se volvía a esconder furtivamente en su madriguera mientras el desprevenido huésped se despertaba de cualesquiera fantasía que hubiese sido necesaria para que aquel parásito interior se hiciera con el control. Semejante ensueño, pensó Joseph con un estremecimiento, difería del que había tenido durante el episodio del cuaderno sólo en el grado, no en la clase. Si él podía perderse el tiempo suficiente para que alguna extraña voz de su interior acusara a una inocente mujer de ser una mujerzuela, ¿era un criminal o un loco? Su transgresión había sido inofensiva, aunque eso demostraba la poca consistencia de las defensas que mantenían al mejor yo en su lugar.

Examinemos ahora el sueño normal: durante unas horas,

el mejor yo era depuesto, y los rebeldes bailaban en la corte hasta el alba. Contaban sus más oscuros deseos con los labios y la voz del propio rey. La noche anterior, Joseph había hablado de Lem. Había visto a hombres en las tiendas del hospital agitándose, quejándose en sueños, confesando, igual de avergonzados, los actos que habían cometido y los que sólo deseaban cometer. Algunos incluso caminaban, los ojos abiertos y vidriosos. Y si uno teme que la propia personalidad no esté bien asentada, si uno teme a los parásitos de su propia naturaleza, entonces dormir puede parecer terrible por sus consecuencias. Así debía ocurrirle a Constance. Ésa fue la conclusión de Joseph.

Constance se resistía a dejarse vencer por el sueño y trataba de apartarlo de sí en cuanto se veía lo suficientemente recuperada para arrostrar otro día. Velaba el sueño de Angelica, alarmada por todo lo que veía, y durante el día dejaba caer gota a gota esa viscosa religión en la boca de la niña.

—Papá, ¿las mentiras hieren a Jesús y le hacen sangre? —le preguntó Angelica la tarde en que él la tomó en su regazo.

—No, niña.

—¿Las mentiras no hacen daño a Dios? ¿Sus ángeles no lloran?

—No debes decir semejantes tonterías. Serás una niña buena porque eso agrada a tus padres y te comportarás como debes. Dios no presta atención a esas cosas, y nosotros le devolveremos el favor dejándolo a él y a sus ángeles al margen de nuestras cuestiones.

¡Eso era lo que la niña aprendía en aquel hogar femenino! Muy bien, él no podía prohibirlo, pero probablemente había llegado la hora de rescatar a Angelica de la completa idiotez, de vacunarla contra las superfluas fantasías de unos ángeles y un dios llorón propias de una escuela de la beneficencia, una versión más suave de los mitos con los que su madre lo había aterrorizado a él.

Constance también le inculcaría a la niña una descarada desobediencia. Aquellos cuentos matutinos de los misteriosos síntomas de Angelica eran evidentemente falsos. Constance se escondía en la habitación de la niña. La pequeña estaba dormida, y, con todo, Constance se quedaba allí, limpiando una habitación sin mácula en vez de despertarse al lado de su marido, donde debía estar. Él se levantaba en el salón, solicitaba su presencia, y ella se negaba. Él bajaba del dormitorio, le pedía que regresara con él, y ella se negaba. Cuando él se veía obligado a volver a buscarla por tercera vez, ella no podía inventarse ninguna excusa, y lo trataba con desdén; ni siquiera replicaba, sino que permanecía en silencio y despreciativa. «Entiendo», decía él débilmente, y se retiraba a su cama cerrando la puerta contra ella.

~ · ~

Capítulo 10

ienes una expresión más malhumorada incluso que de costumbre.

—No te cansaré con mis dificultades domésticas.

—Jo, Joe, para —pidió Harry, y Joseph ya lamentaba lo poco que había revelado—. Un hogar se rige por la voluntad del hombre, ya sabes. No hace falta que digas una palabra. Es la manera en que respiras. Uno no necesita oír la voz del rey, ni siquiera en nuestro propio reino. Si tu dominio es un desorden, reconsidera tu comportamiento.

—Gran Bretaña está gobernada por una reina.

—De nombre solamente. En su interior, es un rey. Pero no nos desviemos. Miremos los libros de historia. Yo no sé qué pasa con los italianos, pero las rebeliones en Inglaterra llegan bajo reyes débiles, nunca con los fuertes. Es una realidad de la psicología humana. Y añadiría —dijo Harry, dejando caer al suelo su cigarro e inclinándose para reforzar sus palabras— que me pareces un poco un asceta, y no logro entenderlo. Un hombre ha de aplicar vaselina a las dificultades de la vida, especialmente en el matrimonio. Ya sí se te ve reseco. Estás marchito. ¿Con qué disfrutas, Joe? ¿Te estás mortificando? Sinceramente, ¿por qué esa angustia? No te amenaza la prisión por deudas. No estás enterrando a tus hijos. Comes bien. Rowan te admira bastante. El secreto está en marcar distancias, no dejes que se apodere de ti el enfado. Que la institutriz se las apañe con los diablos. ¿Aún tienes a esa gigantesca muchacha irlandesa? Estupendo, haz que te traiga la niña para inspeccionarla de vez en cuando y luego, cuando tenga dieciséis años, mira lo que ha sido de ella. En lo que se *ha convertido*. Porque no debes perder el tiempo intentando supervisarla. No es tarea tuya, en absoluto. Eres tú el que paga, asegúrate de que la institutriz tiene la cabeza en su sitio. Utiliza la vara o la correa con la niña, como gustes. Alienta su virtud, llévala a cantar himnos un par de domingos. Dios mío, los domingos. Yo los temía. Una tortura china. Simplemente da las órdenes, luego corre la cortina a tu alrededor y trata de que no se fijen en ti hasta que la criatura haya crecido y se haya ido de tu casa. Si se resiste a tus órdenes, ten el buen sentido de no darte por enterado. Y eso es *todo*. Por supuesto, no tengas un hijo, ¿vale? Éstos pueden ser bastante divertidos a veces. Aunque para este novísimo individuo, ya no tenemos más espacio, y a veces lo oigo chillar en lo más oscuro de la noche. Tendrá suerte si consigue sobrevivir un año con sus hermanos.

—Ella me rehúye —confesó Joseph con calma.

—Ah, bueno. ¿Cuán a menudo visitas a nuestras tiernas amigas?

—No me relaciono con ellas, y tampoco tú deberías.

—¿Eres de verdad un mojigato de ese calibre? Vamos, me dices que tu esposa se está negando a participar en las razonables expectativas contractuales del matrimonio... Sí, lo sé, su salud, tanto más motivo para no hacerte el remilgado. Te arrastras por ahí tan severo como la muerte, cuando existe un exuberante jardín en nuestro reino dedicado a la preservación de nuestro equilibrio mental.

—Una indecorosa y brutal búsqueda de un placer muy efímero.

—¿Conoces otra clase? ¿Está tu vida tan llena de placeres duraderos que te prohíbes uno efímero?

En el pasado, Joseph, recién regresado del ejército, había sentido placer cuando hablaban de su prometedor futuro y de la calidad de su trabajo. Se había sentido encantado de encontrar empleo en un campo tan próximo y relacionado con la medicina, de poder aprovechar el entrenamiento que había recibido en el extranjero. Su frustración ante su abortada carrera médica, que lo había torturado durante todos aquellos años allende los mares, podía ser mantenida a raya por un acto de la voluntad, y él disfrutaba oyendo que si seguía haciendo un trabajo tan excelente (para un hombre no preparado) podía sin duda confiar en llegar a tener un cargo de responsabilidad. Pero ese día había llegado, y sus expectativas se habían cumplido ya. No podía avanzar más.

Estudiantes de medicina, más jóvenes a cada año que pasaba, llegaban para un período de un día o una semana o un mes, y nominalmente trabajaban a sus órdenes, y le mostraban un respeto nominal. Joe era probablemente lo último que un estudiante de medicina consideraría un colega de más edad, lo veían más bien como un viejo sirviente que limpiaba aparatos, supervisaba las mezclas y la aplicación de los preparados, las incisiones, hacía anotaciones, guardaba las llaves del edificio. Podía verlo en alguna de las expresiones de los estudiantes más jóvenes. Recogía sus obscenos esqueletos. Algunos de ellos, lo sabía, lo consideraban un zoquete. No había mucho placer en permanecer allí.

Se quedó un rato al aire fresco del patio del laboratorio, y apareció Constance, como si él se encontrara perdido en una convincente ensoñación. Pero la visión habló. Se sentía feliz como no lo había estado en mucho tiempo, lo cual levantó el ánimo de Joseph. Le habló de un regalo para él, del orgullo que sentía por él, de su deseo de ayudarlo a avanzar en su trabajo, y él, el más tonto de los tontos, le permitió que pasara a la sala.

En el pasado, al principio, ella se había interesado por su trabajo. Él era más joven entonces, probablemente había presumido un poco de su importancia en la investigación que realizaban. Probablemente había tenido miedo de una respuesta femenina a una descripción sincera del proceso por el cual se llegaba al conocimiento, de manera que lo había contado con palabras elegidas cuidadosamente. Había descrito el proceso en términos distantes, para protegerla a ella y ayudarla a comprender el valor sin que la distrayera el coste, el cual abrumaría el sistema emocional de una mujer. Le pareció recordar ahora que había hablado solamente de los resultados del trabajo. Y ella se había sentido orgullosa de él.

Sus preguntas una noche, años atrás, lo habían encantado.

—¿Podrían vuestros descubrimientos terminar con todas las enfermedades? —le había preguntado Constance mientras paseaban por un bosquecillo de Hampstead, minutos antes de que él le pidiera que considerara ser su esposa.

—Podrían. Ciertamente podrían.

—Y entonces, ¿qué nos pasará? ¿Viviremos para siempre? ¿O habrá nuevas enfermedades que sustituyan a las que vosotros derrotáis?

Él se rió ante aquella extraordinaria idea. El femenino temor a la enfermedad ilimitada y la femenina falta de lógica de que aparecieran nuevas infecciones que ocuparan el lugar de las derrotadas lo cautivaron.

De alguna manera él nunca había considerado que ese día llegaría. Siempre había preferido no pensar en ello, para no prepararla o disuadirla explícitamente de que fuera a su lugar de trabajo. Ella entró en el laboratorio, mientras repetía cuán orgullosa se sentía de él. Entonces observó que le cambiaba la cara con una rapidez nada sorprendente aunque decepcionante. Ella no se tomó siquiera un respiro para preguntarle qué significaba aquello. Sólo lo acusó. Ella, hasta ese momento, nunca se había imaginado en detalle su trabajo. Ahora se olvidó de todo lo que él le había explicado y unió las imágenes que veía a sus ideas femeninas. Y se estremeció. Lo miró con un odio glacial reflejado en el rostro. «Es por el bienestar de la humanidad», dijo él, tratando de acompañarla nuevamente hacia atrás, a lo que ella conocía, a lo que le había enseñado, pero sintió desprecio ante la debilidad de su propia voz.

¿Por qué había venido ella? Aquellas murmuradas promesas de un regalo para él no eran sino una excusa para ver lo que deseaba ver, y ahora deseaba alzarlo contra él como una mala nota. Ella no le permitiría que la tocara o apresurara su partida.

—Imagínate que Angelica está enferma, y se puede descubrir una medicina gracias a lo que se hace aquí... —empezó a decir. Pero ella lo interrumpió con rencorosa calma:

—No pronuncies su nombre en esta habitación.

—No es una sencilla línea recta. Tienes que imaginar una vasta red de conocimiento que aún queda por descubrir. Vamos llenando los vacíos lentamente.

Era un tonto.

Rowan trató de hablarle con amabilidad cuando ella hizo su operística salida. Incluso la invitó a volver, una invitación probablemente insincera, que por supuesto ella desdeñó, como hacía con todas las invitaciones.

Una vez fuera, ella se volvió hacia él.

—¿No se te rompe el corazón? ¿Ni un poco?

—Ahora sí —reconoció—. Vamos a casa.

El doctor Rowan le puso a Joseph una mano sobre su hombro mientras ella salía muy agitada del patio como una loca, aleteando como un ave rapaz, y Joseph enrojecía de vergüenza.

—Oh, no debe preocuparse, Barton. Así es como son la inmensa mayoría de ellas. De vez en cuando, hay una excepción; mi Carolina tiene un estómago de Bessemer. Pero, por norma, no tienen la constitución que se requiere. No debería usted haberla invitado a venir, ha sido un pequeño error.

Joseph permaneció fuera, quizás demasiado tiempo, observando la lluvia que se desprendía de las hojas. Se había ganado el rechazo de Rowan. En diversas ocasiones había dado charlas a estudiantes de medicina y asistentes jóvenes sobre la importancia de prohibir la entrada a aquellos que probablemente no lo entenderían bien. Ruidos de protesta habían perturbado el trabajo de los jóvenes de vez en cuando, y el nombre del doctor Rowan —mucho más valioso que el orgullo marital de Joseph— había sido difamado en un artículo periodístico escrito por un atildado autor teatral, conocido por su ingenio pero sin el talento necesario para comprender lo que estaba en juego en el trabajo de Rowan, osando cuestionar a un miembro del Real Colegio de Cirujanos con el único objeto de vender entradas para una farsa. Rowan, que raras veces se enfadaba, llamó al escritor «Lucifer del escenario». Agitaba el periódico y gritaba: «¡Se siente satisfecho de que la gente se muera con tal que los supervivientes puedan disfrutar de su último espectáculo!»

Él no deseaba volver adentro. El ruido era lo que la había molestado. Y la vista, por supuesto. El olor sin duda también podía afectar a una nariz poco acostumbrada. Tenía que ir tras ella y confortarla. Tenía que perseguirla y castigarla. La trataría como siempre cuando regresara a casa aquella noche, ni un minuto antes. Seguía llevando su delantal fuera. A menudo reprendía a los jóvenes por hacer eso. Lo llamaban La Directora a sus espaldas. Harry le había dicho en una ocasión que pensaba azotar al siguiente joven que dijera eso, con lo que se aseguraba así de que el insulto original llegaba a su destino. Holgazanear bajo la lluvia era indecoroso e inusitado. Rowan mandaría pronto un chico a buscarlo.

La lluvia cesó de repente. Un aturdidor silencio reemplazó el chapoteo del agua en los charcos y el tamborileo en los tejados. Gruesas gotas caían de los aleros, cada una de ellas más lenta que la anterior, con puntitos de luz que eran el reflejo de los rayos del nuevo sol. Las gotas caían con tal apariencia de lentitud que, aunque él conocía las ecuaciones físicas que dictaban el inmutable ritmo de la aceleración del agua en su caída, se preguntó si no podría existir una compensatoria ley de la óptica que causara esa engañosa languidez, alguna propiedad de la luz, o de las córneas, o de la perspectiva, que retardara, no la velocidad, sino sólo la percepción de la velocidad, como si pudiera depositarse una película de fantasía sobre los hechos, una pantalla de ilusiones, imaginativas pero improcedentes, por supuesto, o procedentes sólo en cuanto a su capacidad para suavizar —en los débiles— la inmutable dureza del mundo.

Uno tiene que aceptar ambas cosas, supuso, la verdad y la fantasía. No debemos permitirnos creer solamente en las ilusiones; eso le convierte a uno en un estúpido o una mujer. Pero, de vez en cuando, quizás no sea una cosa tan peligrosa. Su hija aún vivía felizmente bajo la lluvia que caía lentamente, o incluso en la lluvia *que subía*, según había dicho en una ocasión. La nube con forma de perro, el perro sonriente con nubes en los ojos, las encías del viejo mendigo manchadas como las de un perro: Angelica había descrito todas estas cosas a Joseph en una u otra ocasión, una interminable cadena de consuelo y entretenimientos sacada de las superficies carentes de sentido del mundo.

Él había intentado, ante la insistencia de ella, percibir pinturas en las nubes. Una serie de riscos en un cielo aborregado podía casi parecer, reconoció él (incómodo incluso delante de esa niñita con tanta fantasía), «los restos esqueléticos de un reptil marino sacados de los acantilados de Dorset, por una niña, ¿sabes?, no mucho mayor que tú. Esa niña encontró algo bastante importante, ella sola, simplemente empleando los ojos y pensando».

—¿Qué era eso? ¿Se parecía de veras a aquellas nubes?

—Oh, no lo sé. Lo supongo. Había estado muerto durante innumerables siglos y se había convertido en piedra, igual que la piedra que lo rodeaba.

—Quizás alguien lo hizo a partir de la piedra.

—No, en el pasado estuvo vivo.

—¿Lo viste?

—Lo leí.

—Quizás te equivocas. Quizás Dios lo puso allí para engañarte.

En aquel momento, él se rió, admirando su pequeña mente, las historias que creaba, la manera en que la niña podía casi comprender. Pero después de la representación de su madre en el laboratorio, después de estos últimos días viviendo con las fantasías de Constance, el matiz de ese recuerdo cambiaba. Aquel día él había quedado hechizado por una ilusión superficial (que su hija era una pequeña pero inteligente narradora de historias), y no había percibido la oscura, dura verdad que había debajo: que ella estaba repitiendo como un loro lo que había oído en otra parte, a su madre o a Nora, o a algún aflautado ratón de iglesia de andrajosa chaqueta que Constance hubiera llevado a casa a tomar el té mientras él se encontraba fuera. Él se vería enfrentado con su hija algún día en esa situación, permaneciendo allí de pie, solo, con un manchado delantal, suplicando patéticamente su perdón por haber mejorado la condición de la humanidad. Él no había hecho nada para impedirlo. Sucedería. Y la perdería a ella. También.

Porque la influencia de Constance era fuerte. Cuando Joseph regresó al laboratorio le resultaba difícil no verlo con los ojos y oídos de ella. Si uno se imaginaba a una mujer sin la capacidad para ir más allá de las inmediatas sensaciones y emociones, entonces esa sala podía, admitió, tener un efecto desorientador, incluso doloroso. Ella no poseía una mente capaz de aprovechar el valor de la observación objetiva, que amortiguaba el impacto del momento, de modo que debía de haber quedado terriblemente afectada por lo que había visto allí. Y el sonido podía ser bastante perturbador. Joseph recordó que cuando había empezado a trabajar allí, durante días, eso le había trastornado incluso a él (que había llegado a acostumbrarse al ruido de los cañones, del fuego enemigo, de la tienda de los cirujanos).

La tienda de los cirujanos. Él podía, sin la menor dificultad, recordar todavía el ruido de la sierra contra el hueso. La primera vez que manejó aquella hoja pensó que iba a vomitar, o llorar. En vez de eso, a pesar de todos sus esfuerzos por permanecer impasible, tuvo un comportamiento atroz: serraba y se reía. Un cabo estaba mordiendo una tira de cuero, y Joseph no podía evitar reírse disimuladamente mientras su brazo se movía solo. Había pensado que jamás se acostumbraría a aquellos horrores; sin embargo, a no tardar, fue capaz de realizar las más espantosas tareas con su cena al alcance de la mano, y sin aquella risa nerviosa. Sin embargo, tenía que confesarlo, Constance lo había hecho mejor que él la primera vez.

Capítulo 11

*J*oseph tenía pensado recoger a Harry en su casa y desde allí ir a cenar y al boxeo, pero la prudencia le dictaba que pasara la noche con su esposa e hija, para reparar las posibles brechas tanto en la disciplina como en el cariño, y afrontar los resultados de su negligencia doméstica. Tras ser el último en marcharse del Laberinto, como era su costumbre, se detuvo, por lo tanto, en casa de Delacorte para ofrecerle sus excusas.

Pero, antes de que la muchachita de ojos saltones pudiera anunciar «Mr. Barton» con su débil vocecita galesa, Harry ya había gritado como un niño, «¡Joe! ¡Excelente! Necesitamos consejo en cuestiones militares». El cuadro familiar sobre el suelo del salón sorprendió a Joseph, dada la declarada indiferencia de Harry hacia su familia, porque allí estaba él sobre la alfombra, detrás de un escuadrón de miniaturas de plomo alineadas frente a un corpulento caballo bajo el mando de un muchachito. Dos perros *beagle* de color limón dormían sobre el sofá, la cabeza de uno sobre la panza del otro. Esos animales eran las mascotas familiares, quizás excusados de servir en el Laberinto.

Joseph examinó un cuadro para dar a Harry la oportunidad de recobrar mientras tanto el dominio de sí mismo y restaurar el orden, pero su amigo permaneció boca abajo, la barbilla entre sus manos, y los perros no se movieron de su absurda percha.

—Siéntate ahí y aconseja a Gus, por favor, sobre cómo se forma una falange, vamos.

Joseph se sentó en el borde del sofá.

—Por favor, señor —dijo el chico—. ¿Están bien dispuestos?

—Lo siento. Yo no estuve en caballería.

—Este señor, Gus, es el Mr. Barton del que te he hablado. No es médico, pero aprendió a coser a nuestros hombres heridos en África. ¿Sabes?, un día, los rugientes negros atravesaron nuestras líneas y llegaron hasta la tienda hospital, y nuestro señor Barton, aquí presente, evacuó a los heridos a otro lugar, mientras organizaba a algunos hombres para que disparasen, e incluso dirigió el fuego. Después, Gus, él dispuso sus escasos hombres exactamente en el lugar adecuado para proteger la evacuación y a los negros les dio la impresión de que estábamos recibiendo refuerzos. Los negros pensaron que iban a verse atrapados entre dos fuegos, así que se esfumaron. Por supuesto, no había ningún refuerzo. Mr. Barton fue el artífice de la victoria de ese día. Salió en todos los periódicos.

—¿Es cierto eso, señor?

—En lo principal, supongo que sí. Uno no le da mucha importancia a eso, sabes...

—¿No mucha importancia? Le pusieron medallas. Todo lo excelente que hay en los ingleses está en ese individuo, Gus. Deberías sentirte orgulloso de estrecharle la mano.

Mientras Harry permanecía recostado sobre la alfombra, el niño respetuosamente se puso de pie y ofreció su manita a Joseph con gran seriedad.

—¿Serás un doctor como tu padre, Augustus?

—No, un soldado señor. Como usted, señor.

¿Un niño que deseaba parecerse a él? La idea le pareció tan notable que casi se rió en voz alta mientras regresaba a casa. Él nunca tendría un niño así, y, con todo, si Angelica hubiera alcanzado su madurez... Eso, precisamente, era lo que él deseaba de ella: que la niña, que cada día se parecía más a la muchacha de la papelería de la que él se había enamorado, dejara atrás la infancia y se convirtiera en alguien diferente. Anhelaba que ella existiera en algún estado purificado y permanente, sin ataques de rabia, miedos nocturnos, o una omnipresente muñeca, sin contradicciones ni una escurridiza comprensión de la verdad y un carácter variable. Brillando a través de la escoria de la infancia podía distinguir una sustancia más fina. Era una cuestión de paciente extracción. Ahora ella lloraba innecesariamente, pero, cuando acabara, estaría siempre serena. Algún día ella llegaría a mostrar el encanto, la belleza de la hechicera, que él había visto por primera vez a través del escaparate de la papelería. Ahora la niña tenía una conversación unas veces simpática y otras infantil, pero cuando terminara su proceso, sería bien educada, hablaría correctamente, sería una adecuada esposa, o compañera, para su padre, quizás incluso una científica, o, al menos, estaría interesada por la ciencia. En las comidas, se sentarían uno frente a la otra, y ella le describiría un descubrimiento en un campo que él no conocía bien, químico o físico. Luego, ella le preguntaría por su trabajo y no derramaría lágrimas por unos estúpidos animales; y se alegraría por la gente, por los niños especialmente, cuyo sufrimiento se vería reducido. Después del pudin, él sacaría su tabaco y, si para entonces la vista le había empezado a fallar, ella le leería junto al fuego. Ella se apoyaría en el brazo del sofá, el cordoncillo de éste apretándose contra la suave carne de su antebrazo.

Esta visión cobró vida casi inmediatamente. Llegó a Hixton Street y encontró, no a Constance, sino a Angelica, con una rara expresión de felicidad cuando lo vio. Inmediatamente le pidió que se sentara para que ella pudiera tocar el piano en su honor. Él se acordó, mientras la niña iba tropezando con las notas de sus breves piezas, de cómo Constance tocaba para él en ese teclado. En aquellos días, él invariablemente se había sentido tan emocionado que quería cogerla en sus brazos cuando se levantaba, pues el verla tocar música era más de lo que él podía resistir.

Sin embargo, Constance no regresaba, y la niña no mostraba signos de rabieta, ni tampoco quería que su padre la dejara al cuidado de Nora. Él, por lo tanto, se decidió a ayudar a Constance, porque si su visita al Laberinto había revelado alguna cosa, era que la mujer estaba abrumada por sus responsabilidades. Y, si Angelica hubiera realmente mostrado que se resistía a las nuevas disposiciones para dormir, él la enseñaría a conducirse adecuadamente, como un servicio tanto a su hija como a su esposa. Dejando a Nora en la cocina, condujo a Angelica en su rutina nocturna. La niña —encantada ante la novedad— no se quejaba sino que había madurado visiblemente para seguirle el juego. Declaró que estaba encantada de que su papá estuviera ocupándose de ella.

Él se quitó la chaqueta y el cuello, se subió las mangas, y, divirtiéndose al verse a sí mismo, se arrodilló al lado de la bañera de la niña. La ayudó a quitarse la ropa. Él se lavó las manos a su lado. La niña, por su parte, se enjabonó y olía a flores.

Sus mejores intenciones, sin embargo, tropezaron con la sospecha y la resistencia cuando Constance llegó a casa después de su misterioso itinerario de la tarde, una larga ausencia considerando que ella creía que él estaba fuera.

—Quería que Angelica viera que no estaba aislada en su nueva situación —explicó, y Constance al punto se ofreció, con tensa amabilidad, a volver a tomar las riendas del aseo de la niña—. Y quería, también, ofrecerte a ti un necesario descanso —dijo él a modo de conciliación, pero ella no se retiró, ni se excusó por sus acciones de aquella tarde, y tampoco se sentó en agradable conversación con ellos dos. Una y otra vez trató de echarlo, primero sutilmente (sacando toallas, peines, polvos, antes de fijarse en lo que Angelica necesitaba) y luego explícitamente, con ofrecimientos de «dejarlo libre» para sus diversiones nocturnas preferidas. Finalmente, se mostró tan rotunda en sus exigencias que aquello fue más de lo que él estaba dispuesto a soportar.

—Muy bien, tu madre terminará contigo.

—¡Que papá se quede! —gritó Angelica inmediatamente.

Joseph no carecía de vanidad. La repentina súplica de su compañía le agradó. Y tampoco le faltaba carácter vengativo. Su ira ante la intrusión de Constance en el Laberinto y la resistencia de la mujer ante la rama de olivo tendida esa noche era intensa. Cuán presuntuosamente se había instalado ya Constance en el lugar que él acababa de dejar, reajustando las ropas de cama que él había ajustado bastante bien.

—¡Que papá se quede! —insistió Angelica—. ¡Quiero a papá, también! ¡Quédate, papá, quédate!

Joseph vaciló, y las súplicas de Angelica se redoblaron, cada vez con más desesperación. Se estremecía y su cara se retorció hasta que empezaron a caerle las lágrimas.

—¡No quiero a mamá. *Sólo* a papá! —concluyó, llorando franca y conmovedoramente.

Unos días antes, la compañía de su padre provocaba la mayor indiferencia en la niña, pero ahora era de una necesidad urgente.

—¿Qué le has *hecho*? —siseó Constance.

—¿*Hacer*? ¿Para que ella prefiera mis atenciones por un momento? ¿Por una vez?

Joseph se hubiera marchado de la habitación, pero la niña dejó escapar un grito tan terrible que Constance le dijo que se quedara, y sin decir una palabra más le cedió el campo.

Joseph le leyó a Angelica, mientras oía cómo Constance se quedaba acechando detrás de la puerta. Luego, la oyó bajar por las escaleras para juguetear con el piano. Angelica, dulce y obediente a las palabras de su padre, cerró los ojos y se quedó dormida. Joseph le acarició con las palmas su suave y espeso cabello, tal como había hecho a Constance en el pasado.

Joseph subió por las escaleras a su habitación. Por supuesto, Constance no estaba allí. A veces podía ver sus propias frustraciones y las de ella brotar simultáneamente, sus vides sofocándose mutuamente pese a que habían sido plantadas muy separadas, años atrás, y ahora tanto en su caso como en el de ella era demasiado tarde para hacer el esfuerzo de podar estas enmarañadas frustraciones. Él esa noche planeaba una reconciliación, un alivio de los temperamentos inflamados y la maltrecha relación. Había pensado hacer que todo retornara a su debido lugar.

Esperó. Ella remoloneaba en las sombras abajo. Tenía miedo de él. Pero él le mostraría que aquel miedo era absurdo. Esperaría a que ella apareciera. Ni la perseguiría ni la expulsaría de su puesto al lado de la cama de Angelica. Semejante persecución era poco digna para él, y probablemente desagradable para ella.

—Creo que ya es hora de que superemos nuestros temores, nuestros comprensibles temores —explicó él cuando ella finalmente apareció.

Joseph estaba sorprendido tanto por sus propias palabras y acciones como por la aquiescencia de la mujer. Había empezado a creer que ya no la deseaba, debido quizás a su edad, su salud, sus humores o simplemente como resultado de su forzado período de abstinencia desde la última calamidad, como si el rechazo de la mujer se hubiera convertido ya en algo confortablemente habitual. Sin embargo, ahora la deseaba, y ahora se unirían, de una manera que no pudiera provocarle a ella alarma o dolor alguno. Fue considerado con su salud, y su consideración fue recompensada por sus tiernas atenciones, por un momento, tal vez dos, hasta que, por supuesto, la niña la llamó desde abajo, y ella lo abandonó, cruelmente, ansiosamente.

La persiguió, a pesar de sí mismo, olvidada la dignidad, y Angelica se obligó a soltar una o dos débiles tosecitas para justificar las atenciones de su madre, y adoptó las palabras de su madre, pretendiendo que se había estado ahogando, un sueño o un cosquilleo en la garganta, hinchados hasta parecer una tragedia debido a los nervios de Constance y la susceptibilidad de la medio despierta niña a la influencia de su madre. Pero para entonces la desagradable postura de Joseph —de pie completamente desnudo en la puerta delante de ellas dos— lo había empujado a retirarse, avergonzado y furioso, la preferencia que mostraban cada una de sus hembras por la otra había sido puesta de manifiesto de la manera más humillante.

Muy agitado, esperó durante un rato con la cada vez más apagada esperanza del retorno de Constance. Pero ella no volvía. La habitación lo oprimía. Sintió deseo de golpear contra algo. La oscuridad y pesadez de la habitación lo sofocaban. Ella había elegido todas esas cosas, lo que le pesaba, socavaba sus nervios, erosionaba el espacio en el cual se movía, comprimía el aire disponible para sus pulmones. La casa entera era inhabitable. Apestaba a mujer y repelía lo varonil. Él había tratado de reducir su ritmo de compras cuando, poco después de la boda, se hizo evidente que ella no tenía sentido de la mesura, sino que acumularía oscuridad a la oscuridad, cerrando el espacio, tapando la luz según sus gustos de mujer y los de la última moda en decoración, de modo que la casa se convertía en un tormento, habitación tras habitación atestada, sofocante, sobrecargada de cortinas, que interceptaban o absorbían la luz natural.

Anduvo entre los metros de tejidos escarlata y negro que lo invadían todo, la curvada parte delantera de la consola pintada de lustrosa laca, la línea del armario de la ropa como una mujer puesta de perfil, el dosel de la cama... la exasperante cama, donde minutos antes habían estado a punto de salvar el abismo que los separaba. Ella lo prefería así. Cuán cerca habían estado. Y ella había huido. Lo acosaba el deseo. En aquel desafortunado momento de ansia e ira entremezclados, con el deseo pulverizando la disciplina, ella, por desgracia, regresó, pillándolo desprevenido. La expresión de disgusto de la mujer era inconfundible, y él se convirtió inmediatamente en el niño castigado por su institutriz-madre en un parecido momento, un recuerdo que no le había visitado durante decenios. «En el infierno —había dicho Angelica con terrible calma, mientras le hacía permanecer en la mima vergonzosa posición en la que ella le había descubierto—, onanistas perpetuamente ahogados en un mar de semilla, la semilla de los demonios, negra y oleosa, caliente como pez, llena de púas. Los onanistas se atragantan con esa porquería, siempre arden con un insaciable deseo y dolor, a medida que las horcas se ensartan justo *ahí*», y ella casi tocó con la brillante perla de la uña de su dedo índice aquel lugar donde las horcas estarían eternamente clavadas.

Capítulo 12

ngelica fue la única que habló durante el desayuno. «Papá, ¿vuelan los pingüinos? ¿Entonces, son gallinas?» Normalmente él habría llamado a Nora para que se la llevara al cuarto infantil, y Constance se hubiera contrariado, pero hoy no deseaba que lo dejaran solo con su loca y enloquecedora esposa. Su orden continuaba tambaleándose. Esas hembras se inmiscuían incluso en los rincones más personales de su dominio, reduciéndolo a un torpe muchacho cuando debería haber sido el amo y señor. Antes de irse, dejó a un lado su persistente incomodidad e intentó suavizar a su caprichosa esposa, le cogió la mano, pero los músculos de ésta se aflojaron ante su tacto. Le dijo que ella no tenía nada que temer, ni para sí ni para la evidentemente robusta salud de la niña. Ella asintió, pero no pudo sostenerle la mirada.

«No menciones su nombre en esta habitación», había dicho coléricamente durante su arrebato en el laboratorio. El dardo de esta mordaz observación se había alojado en su mente, una herida constantemente renovada, y, como si su vergüenza de la noche anterior fuera una herida en la cual las bacterias rezumaran, el femenino horror de Constance lo infectaba. Sólo con dificultad podía realizar sus tareas matutinas sin verlas desde el alterado punto de vista de la mujer. Finalmente, la ira, un caparazón protector, se extendió sobre la herida. Tomaba a mal la intrusión de su ausente esposa, ese asalto mediante un voluntario malentendido y sus sentimientos femeninos, alimentados por las novelas, blandos, estúpidos. Llegó a enfurecerse tanto que allí donde, tan sólo ayer, había trabajado con determinación y placer estético en los experimentos y la satisfactoria medición —respuesta febril, postura reflexiva, el progreso de la infección indicado en bocetos anatómicos— ahora trabajaba mientras silenciosamente reprendía a su recalcitrante esposa. «*Esto* es para el bien de la humanidad. *Esto* nos dirá cómo se deriva la enfermedad de una herida. *Esto* es para nuestro bien.» Solamente después de transcurrir un inadvertido e irrecuperable lapso de tiempo observó él la ferocidad e imprecisión de su trabajo con el animal. Había estado ajeno a la realidad otra vez, por cuánto tiempo no lo sabía, igual que lo había perdido con su cuaderno, igual que la conversación de Lem daba a entender que le había pasado una vez durante un período de tiempo mucho más largo. Apresuradamente reparó sus errores. El trastorno de su casa lo perseguiría incluso allí, pisoteando todo lo que encontraba a su paso si él no recuperaba el control inmediatamente.

—Bueno, ahora Gus está pletórico de entusiasmo por el doctor Barton, héroe de la Batalla por el Hospital. Te llama doctor Barton, por más que le he explicado la diferencia. «Papá, ¿cuándo podemos ver al doctor Barton otra vez? Tengo preguntas que sólo un militar puede responder.» Me hace sentirme más bien pequeñito —añadió Harry con una risa fuera de lugar.

El desproporcionado orgullo que Joseph sintió ante aquel desenvuelto, y quizás ficticio, cumplido, sólo demostraba que él vivía una existencia casi exenta de placer. El trabajo (antes de la destructiva visita de Constance), las noches pasadas con Harry, los momentos en compañía de Angelica últimamente... aunque efímeras, ésas eran las raras alegrías de una vida cada vez más vacía de calor o compañía. Decidió, nuevamente, rehacer su hogar, e inmediatamente se sintió avergonzado al darse cuenta de cuántas veces había tomado esa decisión sin llegar a resolver nada.

Discretamente obtuvo de Harry un artículo de caballero.

Durante el resto del día, estuvo en su bolsillo con la solidez de un diagrama de ingeniería o el pilar de un puente. Llevó a casa casi todas las flores que fue capaz de cargar, y se las ofreció a Constance, besándola gentilmente. Su hija, de forma bastante atípica, corrió a sus brazos y le suplicó que se sentara a charlar con ella. Le preguntó si podía servirle té.

Nora estaba dando cuerda al reloj, y Joseph se sentó, mágicamente, cual *paterfamilias*, como si el peso de todas sus fracasadas resoluciones hubiera sido finalmente suficiente para restaurar el equilibrio de la casa. Su hija se esforzaba por entretenerlo; su mujer iba de un lado para otro arreglando flores y las comodidades hogareñas según el gusto de él; la criada hacía su trabajo en silencio. En el bolsillo sentía el pequeño paquetito envuelto, dentro del cual descansaba el artículo que Harry le había dado sin hacer ningún comentario, broma o pregunta. Su secreto le sirvió como un talismán, porque en cuanto se hizo con él su hogar se arregló solo.

Disfrutaba tanto de esa paz —duró toda la cena y hasta que la niña se retiró a dormir— que no se atrevió a exigir sus derechos aquella noche; no deseaba gastar la poderosa moneda que había guardado en el bolsillo todo el día. En verdad, se había sentido temeroso (eso lo vio solamente al día siguiente), no tanto preocupado como deseando guardar las apariencias. Había vacilado porque no quería echar a perder esa hermosa y falsa apariencia que había compuesto, sólo para enfrentarse a otro drama y decepción. Había sido golpeado tan completamente que la mera amenaza de más golpes era suficiente para conseguir su silenciosa aquiescencia a las condiciones de la mujer.

Y por tanto, veinticuatro horas más tarde, cuando hubo situado a Angelica en la banqueta del piano otra vez en un esfuerzo para volver a administrar la dosis de calma doméstica, hizo que Angelica se recogiera y habló con una pasión que le sorprendió sobre todo a él mismo:

—No, Con, toca *tú*. Por favor. ¿Recuerdas la noche que cenaste aquí, la primera vez? Tocaste para mí. ¿Lo recuerdas, no?

Nunca me he sentido tan bien como aquella noche. Yo estaba de pie detrás de ti. Toca ahora.

Ella accedió. Él se sentó a su lado, ligeramente detrás de ella, y sintió dolor al recordar el sentimiento que su música le había inspirado tantos años antes, un momento de perfección que él nunca había olvidado, una sensación de unión con ella y de desaparición de todas las preocupaciones, una agradable experiencia de perderse a sí mismo (como había estado haciendo tan angustiosamente en los últimos días). En vez de ello, esa noche, sintió sólo una débil merma de aquel éxtasis. Él se había obligado a creer que esa repetición podía restablecer su relación, restaurar la juventud de Constance y su calor hacia él. Tenía intención de que la música lo llevara a la época en que ella no sólo no había envejecido, sino que *no envejecería*, cuando no había nada en ella vulnerable al cambio o al tiempo, su belleza, su amor por él, el deseo de Joseph por ella. Se esforzaba por conseguir ese estado. Ella terminó y se levantó, y, antes de que los oídos de Joseph olvidaran los sonidos, la tomó en sus brazos, como había hecho años atrás.

—¿Nunca piensas cálidamente en mí? —suplicó él.

Y ella dijo esto solamente:

—Pero los médicos...

—No hay ningún riesgo —respondió él, arriba.

Él no podía haber actuado más gentilmente con ella. Considerando la frustración de los pasados días, por no mencionar las pruebas a las que había sido sometido aquellos últimos años, su cariñosa moderación merecía un comentario, una muestra de gratitud, un reconocimiento de que, en esas difíciles circunstancias, él no era ningún monstruo, no se estaba comportando como un turco o un francés. En vez de ello, ¿cuál era la recompensa de su cortesía? Ella no paraba de llorar. Él trató de explicarle en qué consistía el artilugio y la seguridad que significaba para ella, pero Constance, víctima de su sensibilidad y ansiedad, era incapaz de escuchar. Los esfuerzos de su marido por consolarla servían sólo para empeorar su angustia, y no contribuían a reforzar el propósito de Joseph. Sus incontroladas demostraciones de emoción daban a entender solamente que él era un bruto o que le parecía tan poco deseable a ella que apartaba la cabeza, cerraba con fuerza los ojos, se mordía los labios, y lloraba como un niño preparándose para un ataque, en vez de mirarlo a los ojos. Cuando su comportamiento se alteró para justificar las reacciones de la mujer, no debería haber sorprendido a ninguna de las dos partes.

Después, en el melancólico, irritado silencio que siguió, ella hizo como si fuera a huir, dirigiéndose a la cama de la niña. «Quédate», pidió él suavemente, y ella accedió, pero demasiado rápidamente, sólo por un evidente temor. Fuera lo que fuese lo que él había hecho en su vida —y él no negaría su debilidad y sus fallos, pecados de acción y de pensamiento—, probablemente esa noche él no había hecho nada malo, nada que no pudiera esperarse de un hombre. Sin embargo, el miedo y las silenciosas acusaciones de la mujer no cesarían.

Capítulo 13

Yo estaba leyendo hoy una cosa muy de su gusto. Un naturalista, que había estado estudiando los reptiles propios de los humedales asiáticos, había descubierto, para nuestro placer, una nueva especie de sapo en China, quizás en la India. En esa especie, sólo la carne de la hembra es venenosa para los depredadores locales. Habrá oído esta clase de cosas, pero aquí viene lo extraño: el simple contacto con su carne es venenoso para la mayor parte de los machos de *su* especie también. No los mata, como hace con los depredadores, pero sí pone enfermo al macho, dejándolo en un estupor temporal. Los individuos son atraídos por su perfume, al que encuentran irresistible. Hay gustos para todo, no me corresponde a mí juzgar. En todo caso, los machos tratan de cubrirla, pero no mucho después de situar sus pequeñas patas delanteras sobre las atractivas verrugas de su escurridizo dorso, no consiguen aparearse, caen hacia atrás y quedan debilitados, completamente aturdidos y vulnerables a los mismos depredadores que evitan a las coloreadas atractivas hembras, sabiendo que éstas son venenosas, pero que devoran a un excelente macho de color pardo, deliciosamente paralizado como un *plat principal* en La Tourelle, por cortesía de esa misma hembra. Pero lo más extraño aún está por ver, amigo mío. Porque, como usted recordará, he dicho *la mayor parte* de los machos. De vez en cuando, llega un pretendiente, indistinguible de sus colegas, que, transportado como ellos por los divinos aromas de milady, la monta. Pero ese bendito muchacho no da muestra alguna de estupefacción. En vez de ello, extiende su larga lengua como testimonio de su diversión, trepa sobre la dama hasta la culminación, y luego salta de ella felizmente. Ahora señalemos dos cosas: primera, su compatibilidad con esa hembra en particular no demuestra en absoluto su compatibilidad con la siguiente. No significa que sea inmune a todas las hembras, ni tampoco implica que ésta carezca de veneno. Nada de eso. Él es solamente inmune a *esa* hembra, y ella, a su vez, carece de poder sólo contra *ese* macho, más o menos. Segunda, antes de que tú empieces a cantar como una poetisa sobre la sabiduría del amor, que encuentra para cada *ella* un único *él* para sus únicos encantos, conviene que sepas esto. En cuanto nuestro amigo desmonta de la dama a la cual es inmune y está predestinado, confiadamente sale luego a medio galope para encontrar una nueva, que, como he dicho, estadísticamente es casi seguro que lo deje aturdido y estúpido para que se lo coma un mochuelo que baja en picado o una serpiente de paso o un hambriento chino aficionado a las ancas de rana. Bueno, ¿qué me dice? Dios y sus hembras nunca dejan de divertirnos y sorprendernos, ¿eh? Yo pensé en usted cuando leí esto.

El cabriolé se inclinó a la izquierda, giró demasiado rápidamente y Harry se vio lanzado contra el brazo de Joseph.

—Pienso que Constance puede estar enferma —confesó con calma Joseph, como si la presión del cuerpo del otro le hubiera arrancado ese reconocimiento.

—¿Cuál es tu diagnóstico, doctor Barton?

—Quiero decir trastornada, más que enferma, si puedes entenderlo.

—No estoy totalmente seguro de entenderte.

—Yo tampoco. Ha estado diciendo las cosas más absurdas. Casi no puedo comprender lo que le ha pasado.

Harry recomendó a un antiguo profesor suyo, un tal doctor Douglas Miles, de Cavendish Square, «algo así como especialista en trastornos mayores y menores». Bajaron del coche al llegar al destino de Harry.

—¿Estás seguro de que no puedo convencerte? ¿Una noche de placeres efímeros? —preguntó ante el restaurante de tres plantas que servía cena sólo en la planta baja—. Podría ser una cura menos cara que el viejo Miles.

Joseph anduvo sólo a través del barrio y reflexionó sobre la noche que le esperaba a Harry, su amigo, que ya debía estar desanudándose la corbata, pero luego acudió a su mente la imagen de los enredados esqueletos, la cabeza de la hembra cayendo a un lado cuando Joseph le pegó un puntapié al macho. Poseía suficientes conocimientos de anatomía para saber qué músculos del cuello debieran haberse flexionado para hacer semejante gesto en un cuerpo viviente, la fibra muscular, roja y gris, los globos oculares girando en sus cuencas, los despellejados tendones estirándose uno contra otro, el hueso ahora protegido. Y luego la piel y el cabello, la coloración, la cara de Constance, Constance inclinando la cabeza a un lado, no como un gesto de placer, sino como temor o locura. Fantasmas de luz azul la perseguían, y ella asustaba a la niña con sus historias.

La niebla se espesó y empezó a picarle en los ojos. Le helaba la cara. Aparecían mujeres en los portales, una aquí, otra allá. Él iba entrando cada vez más en su barrio, y ellas se juntaban formando grupitos de tres o cuatro en los bordes de los círculos de luz de las farolas. Él se encontraba en un país extranjero, entre sus ciudadanos, su lenguaje más sencillo y más sonoro. Ellas se acercaban con ofertas y volvían a apartarse para formar nuevas formaciones. Entre las mujeres como aquellas existía una calma que no se veía en otras partes. En el Londres respetable, las mujeres parecían tener prisa cuando él las miraba, se escabullían aunque él no diera a entender nada con su mirada. Quizás él involuntariamente expresaba algún deseo que las asustaba. Quizás no ejercía un control más riguroso sobre sus expresiones del que tenía sobre sus pensamientos. Pero podía mirar detenidamente a las residentes de ese barrio, saborear pormenorizadamente unas caras que diariamente la vida prohibía.

Se obligó a arrastrarse hasta su repelente hogar. Esperaba, contra toda experiencia y lógica, encontrar a Constance dormida y a Angelica despierta, dispuesta a conversar. En vez de ello, llegó a un hogar que estaba al borde del caos. Nora se había excusado de sus deberes, y Constance había preparado una infame comida. La compañía de Angelica era el único placer, pero después de que estuviera sentado con ella en su cama, la niña protestó ferozmente cuando iba a marcharse, obsesionada por los cuentos de Constance de seres sobrenaturales. «¡NO ME QUEDARÉ SOLA!», gritó, y su nerviosa madre, los ojos hundidos y enrojecidos, saltó a su lado y, de forma nada sorprendente, cedió a los caprichos de la niña.

El trastorno de Constance avanzó hasta convertirse en una extraña desobediencia. Abiertamente se negó a ir a la cama y abandonar a la niña. A la mañana siguiente, Joseph la informó de que Angelica iniciaría su adecuada educación en la escuela de Mr. Dawson al cabo de una semana.

—Todo este comportamiento tuyo, al igual que el suyo, redobla mi preocupación sobre su educación.

—Pues enséñale tu estupendo laboratorio, entonces —replicó heladamente Constance—. Eso la educará sobre ti de la forma más elocuente.

Capítulo 14

Al principio Joseph había tardado en observar la progresiva degradación de la persona de Constance, la diaria, infinitesimal acumulación de cambios en su rostro y su humor. Pero ahora, en una sola semana, un carnaval de caos había desplegado sus tiendas de campaña y trompetas en su hogar. Él apenas podía permanecer firme bajo aquellos furiosos vientos, sentía que tenía que fijarlo todo en su lugar para que no fuera barrido: los recuerdos, los muebles, su hija, su esposa, él mismo. En los pocos días desde que había enviado a Angelica fuera del jardín familiar, la situación había llegado a parecer irreparable y no obstante bastante risible. Era incapaz de explicárselo completamente, incluso a Harry. El tema parecía inabordable por su misma magnitud. Seleccionar y subrayar el más simple detalle —Constance tenía miedo de la oscuridad, o se despertaba en mitad de la noche, o imaginaba demonios flotantes, o le desafiaba histérica y violentamente— era al mismo tiempo una exageración y una subestimación, incluso no pertinente, por no decir autoacusatoria (porque él había permitido ese miedo, ese insomnio, esa desobediencia).

Se sentó ante el doctor Douglas Miles y fue incapaz de hablar; hubiera cambiado la sala de consulta por un campo de batalla, por no tener que decir una palabra. No podía mirar al especialista a los ojos, pero se permitió extasiarse ante un enorme ficus que bloqueaba la luz que penetraba por el ventanal, sus hojas verdes y amarillas, gruesas y cubiertas de surcos, que brotaban de unos tallos tan gruesos como su muñeca, un trozo de jungla atrapado en ese apartamento de una segunda planta en Cavendish Square.

—Diga usted. —La vieja cara del doctor Miles colgaba pesadamente de su cráneo como una bola suspendida de un palo—. Diga, diga. El tiempo gastado no se recupera, señor.

Joseph hizo una detallada descripción de la incapacidad de la mujer por aceptar que la niña fuera enviada a su propia habitación, su costumbre de vagar por los pasillos a todas horas de la noche, sus incesantes temores por la niña, sus llantos sin motivo, el terror que sentía ante su marido, sus malsanas ideas —que si los asesinos rebeldes en el extranjero—, el disgusto que mostraba ante el trabajo de su marido, sus sospechas sobre él, su continua mención de los fantasmas que rodeaban la cama de la niña. Perdió la noción del rato que estuvo hablando, y aceptó el ofrecimiento de una copa de jerez del doctor Miles cuando terminó con un ataque de tos, nuevamente asombrado por su aparente falta de todo autocontrol.

—Hace falta un cuchillo para diseccionar una mente ida —observó el doctor Miles, con su papada colgándole—. ¿Qué es lo que la infecta? ¿Cuál es la raíz de su comportamiento?

—Tengo mis propios fallos —admitió Joseph, enojado por ser reconocido tan rápidamente en su justo valor—. Quizás mis apetitos...

—No se preocupe por sus pecadillos, señor —se burló el médico—. No está usted en discusión aquí.

—He decidido procurar que nuestra hija sea educada según su condición social y talento.

—Tonterías. Eso difícilmente constituye un motivo de locura. De celos, quizás, en algunas mujeres, de resistencia, desobediencia. Pero usted habla de un estado de ánimo bajo, nervios destrozados, hastío, neurastenia y alucinaciones.

El médico iba contando los síntomas con sus frágiles dedos, y éstos se doblaron casi hasta romperse.

—Mi esposa es incapaz de tener otro hijo, y tiene miedo... de forma poco natural... Ha tomado casi literalmente las advertencias de los médicos. Tiene miedo, histéricamente, sabe usted.

—No, no lo sé. Hable claro, ¿quiere?

Joseph se esforzó por hacer una adecuada descripción de sus relaciones maritales, pero lo cierto es que acabó confesando, con embarazo:

—Temo que está intrigando para volver a la niña contra mí. Aunque quizás aquí tengo mi parte de culpa, porque he sido impetuoso en mi... Mi mujer procede de un entorno diferente... se educó en una institución benéfica, sabe...

—Lo entiendo, señor. Lo entiendo de veras. Hay razones —biológicas y necesarias— para la manera en que una sociedad se organiza, como ahora está usted aprendiendo a su costa y para su desventaja. ¿Se muestra ella, en esta reciente crisis, menos obediente?

Joseph confesó que últimamente era incapaz de ejercer mucha influencia.

—¿Ejercer mucha influencia? ¿Cuán a menudo se ve usted obligado a usar un castigo físico?

—Nunca he visto la necesidad.

El doctor Miles se quedó brevemente asombrado, y luego visiblemente irritado.

—Sus preferencias no están en cuestión aquí, señor —dijo finalmente—. Usted está hablando de un manifiesto desequilibrio psíquico. Debo aclararle que usted ha alentado ese desequilibrio. Los humores de las mujeres son la locura en miniatura, Mr. Barton. La ciencia lo ha demostrado categóricamente. A la inversa, la locura en las mujeres es una magnificación de los humores que normalmente tienen en su repertorio, una magnificación permitida por ellas mismas y por los incapaces de sus amos y señores. Son, por norma —y no pretendo hablar de su mujer con una completa autoridad todavía—, pero, por norma, son una sustancia volátil que requiere una cuidadosa gestión durante la época adulta como en la juventud. Ha dicho que tiene una niña, ¿no? Bueno, maldita sea, si castiga usted a una puede castigar a la otra, y su deber es el mismo con ambas.

Joseph no podía confesar que jamás había pegado a Angelica. Se sentía últimamente más afectuoso hacia ella que hacia la madre.

—La lealtad y ternura de las mujeres es un producto de su sistema glandular, Mr. Barton. Simple anatomía, como usted debe de saber. Es usted un hombre de ciencia, ¿no es así? Un fallo más o menos prolongado en la acostumbrada lealtad y ternura —lo cual es un razonable resumen de su queja— puede surgir por un agotamiento de ese mismísimo sistema glandular. Quiero decir que la ciencia está sumamente cerca de descubrir la verdadera naturaleza material del carácter. Y yo le sugeriría a usted que los problemas con que usted se enfrenta son el resultado de su negligencia en controlar los primeros síntomas de la merma glandular de su esposa. No se trata de un trastorno poco corriente cuando la mujer envejece. Bien podría ser que este deterioro de la personalidad femenina en el período que va de los treinta y cinco a los cuarenta años, después de unos quince o veinte años de matrimonio, sea una ilustración del modelo de Darwin. Puede ser que esa «devenustación», ese embrutecimiento, tanto de la belleza física como del encanto y el carácter, aparezca precisamente para desalentar la fecundidad a una edad avanzada, la cual, como la selección ha demostrado ampliamente, produce una descendencia inadecuada.

»Como usted ha permitido que esta crisis se encone más allá de lo razonable, una vez traspasado el punto de un tratamiento fácil, su reafirmación del control será bastante difícil. Me preocupa sumamente su creencia de que los espíritus están dañando a la niña. Ella puede representar un peligro para sí misma, o para su hija, quizás incluso para usted. Se está usted riendo.

Joseph no se había estado riendo en absoluto, no sabía que el humor hubiera entrado en esta conversación.

—Le recomendaría que no se tome a la ligera esta cuestión. Sabe usted, me acuerdo —continuó el viejo y apergaminado doctor, mientras se frotaba vigorosamente las estribaciones de su nariz, como para cerciorarse de su solidez—, de un individuo que conocí, que amaba a su mujer excesivamente. Jamás se cansaba de hacer cosas por ella. Gastaba dinero en la mujer como si ésta fuera un gigoló italiano que había que mantener. La vestía con las ropas más elegantes y nuevas, llenaba la casa por las tardes con todas las chucherías a las que echaba el ojo por las mañanas. Cada noche daba un *festino* con la mejor compañía. Todo para agradarla y exhibirla. Decía que era la más grande Helena de su época a cualquiera que quisiera escucharlo.

»Una noche fui a cenar a casa de este individuo, y conocí a la dama en cuestión. También yo quedé deslumbrado, pero sólo en el sentido de que nunca había visto a una mujer tan sorprendentemente carente de atractivo. Espantosa. ¡Y su conversación! Como un negro sudario que cayera sobre tu espíritu. Yo ciertamente no sustentaba el punto de vista minoritario, pues estaba escrito en cada rostro de todos los comensales. Excepto, por supuesto, en el del marido. Miraba a su mujer con un embarazoso fervor. Su más insípido comentario, su menos gracioso lapsus... era calurosamente acogido por él. El hombre estaba loco. ¿O deberíamos llamarlo amor, como a las damas les gusta hacer? Las muchachas sueñan con un hombre que sonría ante cada uno de sus múltiples fallos como si fueran las facetas de una joya. Pero ¿cómo explicar la presencia de aquellas multitudes en sus múltiples *soirées*? Porque la suya era la mesa más solicitada de Londres. No podía haber sido por el placer de contemplar a su espantosa amada. Bueno, lo comprendí al probar por primera vez la sopa. Nunca había saboreado la obra de un genio semejante en mi vida. ¡Qué *chef* tenía aquel hombre trabajando duramente en la trastienda! El anfitrión imagina una mesa llena de personas que admiran a su recién casada, cuando no se trata de otra cosa que de anhelar su mesa y la ausencia de la mujer. Me llegué hasta la cocina y abordé al maestro. "Estaba sólo buscando el retrete", dije, con la única intención de saber algo más sobre aquel Michelangelo. "Unas viandas exquisitas.

341

De paso, dígame cómo se llama usted, señor." Él estaba completamente preparado para no decir nada. Cruzó por mi mente la idea de que el marido le había cortado la lengua al *chef*. Detrás de mí se alzó la voz de mi anfitrión, y sus manos se posaron sobre mi hombro: "¡Doctor Miles! ¡Si está usted tan confundido como para pensar que esto es el retrete, entonces me pregunto sobre el valor de su consejo médico!" Una jovial carcajada, y mi anfitrión me encamina hacia mi aparente meta, alejándome de mi secreto deseo. ¿Ve usted? Él *sabía* que el atractivo de su entretenimiento era la comida, no su horrorosa esposa. O simplemente hacía que la comida sirviera de imán para su fría audiencia, para representar ante ellos su amor por la mujer que tenía a su lado. Una extraña demostración, reconocerá usted, especialmente cuando uno se entera de que —la misma noche que yo fui un invitado allí— ella asesinó a su marido en su lecho con una violencia que uno esperaría sólo de un furioso mongol de constitución particularmente irritable. Un horror, sí, después de todo lo que él había hecho por ella, de lo que le había demostrado, especialmente tratándose de una mujer de tan poco atractivo. Se nota su impaciencia, señor. Por favor, atiéndame un momento más.

»La mujer compareció ante la ley. ¿Su defensa, Barton? Aquel consagrado marido, aquel devoto príncipe de las artes maritales era... ¿se lo imagina usted? Había sido asesinado en su lecho por su desangelada esposa porque él la había estado vendiendo al ejército del Zar, noche tras noche, durante años. ¿Me sigue usted? Estaba loca, Barton, tan loca como el caso más claro de los que he visto en mi vida. Se levantó ante el tribunal y explicó detalladamente las acciones de los soldados rusos, a los que llamaba por sus grotescos nombres uno tras otro: Polawosky, Ivanovanovna, Belliniovitschskiovitch. Describió lo que cada soldado le había hecho con los más repelentes y perversos detalles, hasta que el juez despejó la sala de todo el mundo excepto de los abogados y el médico asesor, yo. Su historia era firme y consistente hasta el último detalle. Cada noche, su marido introducía a uno o más soldados rusos en su habitación, dejándoles que hicieran lo que les diera la gana con ella, de alguna horrorosa manera desconocida fuera de la estepa siberiana. ¡Cuántos detalles! La historia, las preferencias, las maneras, la apariencia de cada soldado... Nunca se contradijo, y suplicó al tribunal que la protegiera. Vladimirawiskypiskyovich, un cosaco, la tomaba como si fuera un león y exigía que ronroneara para él y lo llamara el favorito de la Zarina; llevaba su plateado cabello muy corto, casi a ras del cráneo, porque así es como su padre lo había llevado, y porque su color resaltaba bellamente contra el cuello azul de su guerrera de dragón (ella tenía que reconocerlo), guerrera que él conservaba en un estado tan elegante gracias a un criado ciego al que había rescatado de una muerte cierta a manos de unos bandidos magiares. Wallarmirsky no decía nada en absoluto, pero lloraba copiosamente durante el acto, lo cual ella podía comprender muy bien, teniendo en cuenta sus penas, pero de ningún modo eso suavizaba su odio hacia él, considerando su posición. Y así sucesivamente. Bueno, la ley es clara: ella no podía ser tratada como una criminal. Aunque uno pudiera sentir compasión por el hombre asesinado, ella fue enviada al asilo de Fairleigh.

Joseph, tratando de sacar algún paralelismo de esta historia sin interés, o de reír si eso era lo que se requería, intentaba hacer una pregunta, que, debido a su fisonomía y a la excitación del doctor Miles, fue tomada como signo de impaciencia, rasgo que el doctor Miles no toleraba en aquellos a los que él tenía la bondad de recibir en consulta.

—Aguarde un momento todavía, señor. Me ha pedido usted mi consejo. Así se marchó ella, contentísima con la decisión del tribunal, convencida de que estaba siendo colocada bajo protección real. Sólo que entonces los agentes de la Corona descubrieron otro armario en la cámara del hombre asesinado, abierto en la pared, oculto detrás de su corriente armario de la ropa. Mr. Barton, ¿se imagina usted lo que encontraron allí? ¿No? Cuatro uniformes del ejército ruso, de diferentes regimientos, pero todos de la misma talla... La del hombre asesinado, naturalmente. Había estado jugando a un juego cruel con su poco atractiva, y por tanto plácida, esposa; el hogar de un hombre es su castillo, no se había causado daño, pero ella estaba cada vez más confundida y creía que el juego era real. O quizás era una astuta asesina y estaba ahora utilizando su inofensivo pasatiempo como una excusa para fingir locura, salvándose así del patíbulo. Confieso que yo mismo no estaba seguro. ¡Vaya, Barton! ¿Se está usted ruborizando? Que vacile al hablar sobre su propio estado marital, lo puedo comprender, pero, señor, estamos sólo rascando la superficie. Este cuidado jardín que nosotros estamos encantados de llamar «el matrimonio inglés» es una jungla subterránea con algunas delicadas florecillas en la superficie. Seguramente leerá usted más cosas relativas a la nueva ciencia que yo, por lo que debe de saber lo que nuestros antepasados eran capaces de hacer, arriba en los árboles. Más parecidos a los españoles que a los ingleses, pero ahí está. Todos estuvimos en ese árbol una vez, y muchos aún lo están.

»La viudedad dictaba que la casa pasara a la esposa, pero si ella iba a ser mantenida en custodia indefinidamente, entonces pertenecía a la hermana soltera del asesinado, y ésta estaba ansiosa por recoger su recompensa. En el escritorio del muerto, la hermana encontró una carta, firmada por la esposa de su puño y letra, fechada unos tres años antes y dirigida al Zar de Rusia. Nuestra Señora X informaba a Su Eslava Majestad, Zar de Todas las Rusias, que si sus soldados hubieran de venir alguna vez a Londres y estuvieran necesitados de refrigerio o de compañía femenina, ella era su devota servidora, mientras esto no violara la confianza depositada en ella por su prima, Victoria. ¿Había escrito ella esto para su marido como un elemento de su inocente teatro conyugal? ¿O era un síntoma de su locura, cruelmente explotada por el sátiro de su esposo?

»Cuando le pedí a la desgraciada mujer que explicara el documento, ella insistió en que nunca había tenido intención de cometer traición, que yo debía explicar esto a los caballeros del servicio secreto de la Reina. Durante sus semanas en Fairleigh, ella no se había deteriorado en su aspecto o sus modales, como les pasa a muchos en aquel lugar, pero por otra parte, tal como he mencionado, ella había empezado bastante abajo. "Mi marido me obligó a hacer esa invitación al Zar", insistía ella.

»Estábamos paseando por el parque que rodeaba el asilo, y yo estaba convencido de que ella se creía su historia, de que estaba loca. La dejé en su lastimoso estado, regresé a esta misma habitación y encontré esperándome nada menos que a aquel mágico *chef de cuisine* del trágico hogar, un rumano llamado Radulescu. Era como si un ángel de los cielos hubiera bajado a mi vida. Lo contraté inmediatamente como jefe de mi cocina, y allí reina hasta el día de hoy, en la misma secuestrada seguridad de la que gozaba en su anterior empleo. Recuerdo su milagrosa aparición como uno de los días grandes de mi vida. —El doctor Miles bajó sus protuberantes y amarillos párpados—. Anoche, completó su actuación con una tarta de membrillo, una nube de grumosa crema de la cual asomaba un cruasán de tan insuperable suculencia que uno podría haber llorado, como los peregrinos católicos hacen ante una famosa *pietá*.

»Sí, había venido a mí en busca de empleo, ya que la hermana del muerto no era de su agrado, y él deseaba escapar de aquella casa, cuyos recuerdos lo trastornaban. "La esposa es una mujer asquerosa", dijo él. Con frecuencia había intentado seducir a mi *chef*, a menudo a la vista de su marido, y era en muchos otros aspectos extremadamente cruel. Le pregunté a Radulescu si estaba seguro de eso, porque, con franqueza, como él *es* un extranjero, podría haber visto seducción donde sólo había bondad hacia los sirvientes, algo desconocido en su tierra. "¿Seguro? —replicó él absolutamente imperturbable—. Era totalmente claro. El marido no le gustaba." Radulescu describió su hogar con un marido demasiado amable que no hacía otra cosa que atender todos los caprichos de una mujer de carácter disoluto e innata crueldad. ¿Y por qué asesinarlo? El *chef* dijo: "Porque él la encontró con uno de sus rusos."

—Yo creía que era el *marido* el que se vestía como los rusos...

—Lo mismo que yo. Mi *chef* me juró que al hombre de la casa, pese a la plenitud de su entrega hacia su dama, se le privaba de su cama, e incluso en aquellas ocasiones en que conseguía tener acceso, era en vano, porque, una noche en la cocina, bajo la influencia de algún coñac rumano el marido le reconoció al simpático Radulescu que era incapaz de conseguir siquiera «la potencia de una oveja anciana». Un proverbio rumano, al parecer. ¿Y aquellos rusos? Eran jóvenes reclutados y servidos por el hermano de la doncella de la señora, por lo que ambos hermanos eran recompensados ricamente gracias al excesivo dinero que el pobre marido le daba a su esposa para sus gastos. Debieron de ser unos servicios muy ricamente recompensados, pues no pudieron ser hallados después del asesinato.

La historia no terminaba aquí, sino que daba al menos tres vueltas más hasta que Joseph perdió toda pista de quién había sido culpable, loco o merecedor de sus simpatías. Con los testimonios de cada nuevo personaje (un criado de origen ruso, el sastre londinense responsable de los uniformes rusos, un secretario de la misión diplomática rusa, un escocés que se hacía pasar por comerciante japonés), los significados, tanto del asesinato como del matrimonio, cambiaban, y la culpa saltaba de unos hombros a otros, emprendiendo el vuelo en cuanto sus garras habían tocado suelo.

Cuando Miles parecía finalmente haber llegado al término de su recital —Joseph retuvo su lengua durante unos momentos para asegurarse de que no iban a aparecer nuevos testigos capaces de replantear todo lo que había ocurrido—, Joseph reconoció su total confusión.

—Ahora, creo que está usted empezando a ver el problema, señor —replicó Miles—. Soy más bien de la opinión, basada en la descripción de su esposa, de que ella se está acercando a una crisis. Será necesario tomar una determinación, pero no puedo, sin hablar con ella directamente, ordenar su internamiento.

¿Internamiento? Eso era ir mucho más lejos de lo que pretendía Joseph. No recordaba haber tenido ninguna intención de hacer que la internaran. Había venido medio irritado y herido en su *amour-propre*, sin pensar muy claramente qué implicaban sus quejas sobre el comportamiento de la mujer, o qué responsabilidades se derivarían de confiárselas a un médico.

—En Fairleigh, ella podría encontrar algún respiro a sus problemas y recuperarse felizmente. Pero, por ahora, no consienta sus temores. Reitere su intento de educar a la niña. Sea bueno, pero firme, mucho más firme de lo que ha sido hasta la fecha. Y, por el amor de Dios, manténgase vigilante, señor. En el instante en que crea usted que puede causarse daño a sí misma o a la niña, habrá que tomar medidas.

Resultaba difícil no ver a su esposa y su hogar (y a él mismo) a través de los ojos del doctor Miles, y entonces imposible no encontrar la visión lamentablemente vergonzosa. Aquella noche ella comió y le sirvió a él con una servil y curiosa cortesía, como si supiera que su comportamiento había conseguido llamar la atención de una experta autoridad, o quizás Joseph, bajo la influencia del doctor Miles, parecía un hombre al que no había que desobedecer. Charlaron de naderías, luego solícitamente ella le preguntó por sus necesidades con un interés que no había demostrado en meses, quizás más. Él le dijo que iba a ser enviado a una importante misión a York el lunes, y ella se mostró entusiasmada por él y por el trabajo que tanto la había enfermado sólo unos días antes. Él era aparentemente el perfecto dueño de ella y de su casa, exactamente tal como deseaba, pero, en ese momento de triunfo, apenas poseía la energía para replicar, apenas siquiera con las fuerzas para levantarse de su silla. Se puso de pie vacilante. El vino le había afectado más de lo que creía, sin duda debido a que su conversación con el doctor Miles le había afectado mucho. Miró a la durmiente niña. La besó en el cuello. Podría haberse quedado dormido al lado de ella en la camita, pero Angelica apestaba tan profundamente a ajo que se echó para atrás, apenas desvelado lo suficiente para arrastrarse hasta su propio dormitorio.

~ · ~

Capítulo 15

$\mathcal{T}$e casarás conmigo algún día —ronroneó Angelica, montada a horcajadas en sus rodillas y casi tocándole la nariz con la suya. La niña vio la expresión de su padre y vaciló—. ¿No es verdad? Mamá será tu esposa también, naturalmente —dijo como para tranquilizarlo—. Hasta que se muera. —La niña no pudo evitar precipitarse a su gozosa conclusión—: Y entonces yo seré tu única esposa. Hasta que *tú* te mueras.

Cuán claramente veía la niña los días que le quedaban a él, su muerte un acontecimiento ansiosamente esperado, incluso por ella, distante solamente tantos años como podía contar con sus dedos. Joseph recordó una conversación con Constance cuando ésta era casi idéntica a esta niña y, al igual que ella, estaba sentada en sus rodillas.

—Eres tan adorable —había dicho él, sus manos sobre el cabello de la mujer.

—No siempre lo seré.

—Yo pienso que sí.

—¡No! No lo seré. —Su repentina rotundidad, el cambio de tono, lo dejaron asombrado. Debiera de haberlo sabido entonces. Ella se liberó de su abrazo y se puso de pie, como si estuviera haciendo una declaración lógica—. Por favor, dímelo ahora. Acéptalo. Dime que sabes que no siempre seré hermosa.

—Se puso muy seria. No le permitió que la tocara otra vez hasta que se mostró de acuerdo en que ella no siempre sería preciosa, aunque de hecho él no lo creyó en aquella habitación de Italia, y asintió, de una manera que ella no podía creerle.

—¡Sí, sí, sin duda, serás sumamente espantosa!

Ese día, con su hija hablando sobre su próximo fallecimiento, la obsesión de la madre con la muerte perdía su encanto y ahora lo ofendía, porque *él* había sido el más viejo, y todavía lo era. Era más bien de *su* muerte de lo que se trataba, aunque ella insistía en la transitoriedad de su propia belleza, en la fragilidad de su vida.

En la cena del domingo, él se sumergió otra vez en otra semimuerte, su cuerpo se levantó tambaleante de una comida indigesta y entró en otro sueño sin fantasías oníricas. Apenas podía concentrar su visión en Constance, que le levantaba las piernas sobre la cama y le quitaba los zapatos. Se despertó el lunes con la cabeza martilleándole como si hubiera consumido botellas y botellas de vino. Ella no estaba a su lado, por supuesto. El esfuerzo de atender a sus deseos durante dos días la había dejado agotada. La encontró dormida, ni siquiera en la silla al lado de la cama de la niña, sino en el *suelo* de la habitación de la niña, agarrando la muñeca de ésta, entre las ropas de la pequeña.

Joseph disfrutaba de la obligada separación de su mujer. En el tren que lo conducía a York, Londres se alejaba de él a la rápida velocidad de la locomotora. Se había liberado de sus preocupaciones y de la voz en su cabeza que le repetía, una y otra vez, lo que, en su situación, el doctor Miles haría, Harry Delacorte haría, e incluso lo que su propio padre hubiera hecho. Podía sentir que la presión se reducía poco a poco, sustituida por las agradables esperanzas relativas a su viaje. York marcaría una transición, un cambio, en todos los aspectos de su vida. Se liberaría de una vez de su sofocante existencia. Licolnshire se desdibujaba ya, y él estudiaba nuevamente las notas y la carta del doctor Rowan, y su propio informe, más breve, que detallaba algunas pautas que él había observado. No se debía subestimar la responsabilidad de su misión y el valor de intercambiar algunas palabras con el genio de York. Durmió en un hostal y se despertó temprano, preparado para ponerse a prueba.

Pero el gran hombre no lo veía, le tendría horas esperando en un agrietado banco de cuero, ante su despacho, enviándole al que podría ser su equivalente —un «responsable» de mediana edad de lentos movimientos y adormilada expresión en sus ojos (probablemente con una esposa loca, desobediente)— para recoger su paquete, ofrecerle té y pedirle que aguardara. Y eso fue lo que hizo, durante horas, hasta que le entregaron un bulto dirigido al doctor Rowan para que lo llevara a Londres en el próximo tren. Joseph fue simplemente un mensajero de cierta edad.

Se quedó ante la puerta de su odiado hogar, como si sólo hubieran transcurrido unos minutos desde su partida. La llave le pesaba en su débil y temblorosa mano. Se volvió de espaldas a su casa y se quedó mirando fijamente el tráfico peatonal, las negras figuras que se deslizaban en la niebla, inclinándose una hacia otra en murmurantes parejas, secretas confidencias bajo el paraguas, y más allá, los coches de punto, con sus conversaciones privadas, intimidades que flotaban sobre el profundo barro de las calles, detrás de cortinillas de cuero corridas.

Subió por las escaleras, sorprendentemente con Constance tras él, ya que los síntomas que se habían aferrado a él los últimos dos días ahora lo derrotaban: las náuseas y los dolores de cabeza. Él había hablado sin reflexionar, incluso a ella, de sus «responsabilidades», de sus esperanzas de ganarse el elogio del legendario científico de York para mostrárselo a Rowan, de conseguir un ascenso en ese laboratorio que su esposa tanto despreciaba. Ahora ella lo acosaba con preguntas, incluso en el mismo umbral de su vestidor, repentina y burlonamente interesada en hablar sobre su trabajo y su humillación. «¿Qué tal te ha ido en York? —le preguntó a través de la cerrada puerta—. ¿Tuviste éxito, tal como esperaban de ti? ¿Te recompensarán los médicos por tu trabajo?» Él se quedó detrás de la puerta hasta que ella se marchó, y entonces consiguió arrastrar su enfebrecido cuerpo a través de la habitación, hasta la cama.

Ella lo despertó unas horas más tarde. «¿Qué diablos pasa ahora?» Pero Constance estaba dormida. Sin embargo, lo había despertado. El tumulto de su mente en reposo había sido suficiente. La mujer sacudía sus miembros, murmuraba cosas ininteligibles, gimoteaba como un animal encogiéndose ante un cuchillo. Joseph podía ver sus ojos describiendo rápidas evoluciones bajo sus párpados. Sus temores la consumían incluso en sueños. Su rostro mostraba el más supremo terror y la mayor de las tristezas. Aquella visión lo dejó estupefacto, era algo dulce y doloroso que se había resistido a revelarse durante mucho tiempo.

La compasión que sintió tanto tiempo lo sorprendió cuando empezó a resquebrajarse y a derretirse, tan acostumbrado estaba a la rabia y a la soterrada frustración y los vergonzosos secretos. Tan persistente era todo aquel golpeteo en su pecho y el ruido sordo en su cráneo que ese nuevo y emocionante calorcillo lo conmovió. Casi podía haber creído que era *él* el que soñaba, tan irreal era la sensación. Un momento más tarde sintió una oleada de gratitud hacia Constance por presentarse así de indefensa ante él. Sus propios apetitos, fallos, debilidades, tenían probablemente la culpa de su difícil situación. ¿Cómo podía Constance no ser consciente de ellos? Su visión se nubló y Joseph emitió absurdos murmullos de simpatía por el continuo sufrimiento de su esposa, del que había que culparle a él. Buscó a tientas en la oscuridad, y encontró un codo y una muñeca. Al punto las protestas de su mujer aumentaron: «¡Cambiaré! ¡Dame tiempo! ¡No me mires!» Él le cogió la mano y la apretó contra sus húmedos labios. «Mi niña, no tengas miedo.» Casi sollozaba cuando dijo estas débiles palabras de consuelo. Incluso mientras susurraba, el cuerpo de la mujer se estremecía y sus piernas se movían frenéticamente. Daba vueltas y se retorcía como si él y la mano que sostenía constituyeran los únicos puntos fijos de un remolino que no dejara de girar y extenderse. «Mi niña, estoy aquí.» Los ojos de Constance se abrieron con un sobresalto y gritó: «¡No, déjame!», y ahora estaba mirándolo claramente. Su pesadilla no se había desvanecido ante la visión real de su marido; probablemente había estado soñando con él. Joseph le soltó la mano y, no obstante, ella lo miraba como si fuera un amenazador extraño. «Estabas soñando», dijo él con calma, y la compasión desapareció de su interior con terrible rapidez, dejándolo casi helado. «Has gritado. Te he cogido la mano.» ¿De qué grave acusación sentía que tenía de defenderse? Dijo ella: «Lo siento. Es culpa mía, padre.» La mujer cerró los ojos y se dio la vuelta para apartarse cuando él hizo amago de tocarla. «Padre», había dicho, el único papel que ella nunca le había atribuido.

Yacieron en silencio, dándose la espalda. Sus pies, cuando accidentalmente se tocaban, se apartaban como una asustada presa. Él sentía coagularse la amarga rabia, que rezumaba viscosa y fría, ocupando nuevamente los espacios que un momento antes había llenado la compasión. Intentó detenerlo; no debía entregarse tan fácilmente a la ira. No había hecho nada tan terrible, realmente no, nada (al menos) que Constance supiera. Si la mujer lo trataba como a un enemigo, era porque algo no funcionaba en *ella,* un defecto, una enfermedad del alma. Su amada muchacha estaba afligida, arrostrando unas horribles cargas. Miles había dicho eso mismo.

Al poco rato la oyó levantarse y, en el pasillo, encender una cerilla para ver en la oscuridad y bajar, por supuesto, al lado de la niña.

Joseph cerró los ojos.

Despertó al oír el grito, aunque el sonido de éste no le llegó inmediatamente. Primero tuvo que esforzarse por salir de un sueño que tuvo un repentino y ensordecedor *finale:* una multitud de mujeres y muchachas que le gritaban, asustadas de él pero a la vez exigiendo que fuera él quien aplacara sus temores, ya que él era el diablo y el médico al mismo tiempo, que él solo reconocía los muebles, mientras que estaban también gritándole, contradiciendo lo que las mujeres y las niñas le decían.

Se levantó de la cama y cruzó tambaleándose la oscura habitación hacia donde, en su semiinconsciencia, recordaba que había una puerta. Se equivocó por unos centímetros y se dio con el marco de la puerta, abriéndose la frente contra el canto. Salió al pasillo, preparado para repeler a los negros que habían invadido su casa y asaltado a su esposa e hija, que no dejaban de gritar. Su rabia era más intensa aún que en la guerra. La sangre le bajaba por la nariz. La repentina impresión producida por su corte y los gritos de su mujer lo espoleaban.

El cuadro que apareció ante él era casi tan insensato como su sueño o su duermevela. Las manos de su mujer brillaban por la sangre, y ella estaba arrodillada junto a una cama en llamas, mientras un frío viento soplaba desde una ventana abierta, y la niña se encontraba de pie al lado, con su camisón manchado de rojo. Joseph no podía encontrar ningún sentido a la escena que había ante él. Se movió hacia la ventana, pero Constance, sin hacer nada ante el peligro que la había ensangrentado e incendiado la habitación, se levantó para tratar de cortarle el paso. Él pasó rozándola, apartó a la niña de aquellas llamas que se extendían y se apresuró hacia la ventana para que el viento que entraba por ella no alimentara el fuego. Dejó a Angelica en el suelo, cerca del espejo, donde la niña inmediatamente empezó a chillar, lo que no hizo más que espolear los chillidos de Constance. En medio de esos alaridos, Joseph se dispuso a restaurar el orden, apartando las ropas de cama, sofocando las llamas que envolvían el lecho y luego los pequeños conos de fuego esparcidos por el suelo, como fogatas de una guarnición de juguete. Angelica estaba ahora en brazos de su madre, pero la niña le gritaba: «¡Papá, mi pie!» De él manaba sangre.

Arrancó a Angelica de los poco dispuestos brazos de su madre, la dejó sobre las almohadas y envió a Constance en busca de agua y vendas. La mujer se resistía. No parecía estar oyendo las palabras de Joseph; había dejado que su histeria llegara hasta tal punto que estaba sorda y, sólo después de que él lo hubo repetido varias veces, ella pareció comprender lo que se le pedía. Su partida calmó a la niña casi inmediatamente. «Papá, mi pie», volvió a gemir Angelica, pero esta vez con más calma. «Papá, papá, mi papá.»

—Tranquila, niña, todo irá bien —susurró él, y puso sus piececitos en las chamuscadas y amontonadas ropas de cama—. Eres mi niña valiente. —Las palabras apenas importaban, tal como ocurría con los animales, porque el tono podía anestesiar tan bien como el alcohol—. Te tendremos cazando tigres otra vez en un santiamén. —El llanto de la pequeña se convirtió en una débil risita.

Un curvado triángulo de cristal azul estaba clavado en el pie de la niña, y él empezó a realizar la pequeña cirugía que aquello requería.

—Te voy a contar la historia de un pie vendado. Cállate ahora y escucha a papá. Cuando yo estaba en el ejército, un viejo camarada que conocía salió fuera de su tienda descalzo. Muy imprudente, estarás de acuerdo, porque fue a parar justamente contra la boca de un ligrefante dormido.

Joseph sintió cierto placer al ver las ganas de escuchar de la niña, su propia habilidad de entretener, la suavidad de los blancos piececitos en su mano, y la capacidad de poder, finalmente, practicar la medicina en una persona, en la niña, para consolarla, para ser un padre bueno, para olvidar sus últimos e innumerables fallos.

—Como debes saber, los ligrefantes prefieren dormir con...

—¿Qué? —La niña repitió su natural pregunta pese a sus abundantes lágrimas y la sangre que manchaba las manos de su padre.

—Creía que lo sabías. Un ligrefante es un animal con los dientes, los bigotes y la melena de un león, y el tronco y las patas de un elefante, y con las rayas de un tigre, pero por supuesto en rosa y azul. Todo el animal no es mayor que un ratón, pero duerme igual que tú, Angelica, boca arriba, con la boca completamente abierta y las garras junto a su barbilla. A diferencia de ti, tiene unos dientes sumamente afilados, que quedan al descubierto cuando duerme. Bueno, este antiguo camarada de mi regimiento —que nunca podía dormir bien y estaba siempre yendo de un lado a otro— salió andando de su tienda y fue a parar contra aquellos afilados dientes del ligrefante. Empezó a chillar y a dar saltos por ahí, y el ligrefante se despertó de un sueño en el que estaba cazando cebras, sintiendo el sabor del soldado de caballería en la lengua. Entonces llegó a la conclusión, de forma bastante natural, de que *había* cazado una cebra, así que dejó escapar un grito, para llamar a los otros ligrefantes a que fueran a compartir aquel festín. Todos sabíamos lo que pasaría. Pronto nuestro campamento se vio invadido por ligrefantes. Se comían nuestra comida, hacían agujeros en nuestras ropas, arrojando trozos de piel por todas partes; y eso, cariño —le dijo a la niña que se mordía los labios mientras él le vendaba el pie—, estropearía nuestras armas y nuestro té y sobre todo nuestros mapas, lo que querría decir que seguramente no sabríamos encontrar el camino y no podríamos volver a casa, a Inglaterra, y no volveríamos a ver a tu madre, y no nos casaríamos ni seríamos bendecidos con tu nacimiento. De modo que...

Ató el último nudo, apretó el pie aquí y allá, encantado de que no aparecieran manchas de sangre en la venda. Tapó a la niña con una manta limpia. La pequeña cerró los ojos y deslizó la punta de su dedo una y otra vez por el puente de su nariz.

—De modo que corrimos con nuestros gorros de dormir y algunos terrones de azúcar —que a los ligrefantes les chiflan—, y los encerramos a todos. Acabó siendo un juego. Yo, como era el que tenía conocimientos médicos, era el más experto, y fui el ganador.

—Eres un mucho excelente doctor.

Él no la corrigió.

—Los recogí metiéndolos en mi gran gorro de dormir.

—¿Cuatro mil?

—Más.

—¿Quinientos?

—Justamente. Ahora tienes que dormir, niña.

—No te vayas. Por favor, quédate, papá. Duerme aquí. ¿Y si mi cama se vuelve a quemar?

El miedo de Angelica, que asomaba ante cualquier signo de que él fuera a marcharse de su lado, hacía que se apresurara a llenar todos los silencios. La niña se esforzaba por tener una conversación y así impedir que se fuera.

—La señora gorda dijo que hay un hombre colgando en nuestro techo —dijo Angelica, mientras sus ojos se cerraban.

—¿Qué señora gorda?

—No hay ninguna señora gorda. Hice un juramento. No estuvo aquí cuando te fuiste.

Cuando la niña se durmió, él siguió contemplándola, hermosa, blanca y suave, bañada por la plateada luz de la luna. Era Constance... No era el confuso enigma, ni la pálida y manchada víctima de la fiebre puerperal, ni la transformada bestia maternal, sino la Constance del mostrador de la tienda, o casi. Angelica pronto sería la viva imagen de la muchacha que vendía objetos de papelería en Pendleton's, aunque una imagen temblorosa, como si estuviera proyectada en un negro estanque de agua donde rielaba la luna. Ella, muy de vez en cuando y sólo en momentos de reposo, cuando uno contenía la respiración, presumiría de los labios y ojos de su madre, de sus miradas, tanto las sinceras como las fingidas.

En la niña, las manipulaciones y el artificio eran todavía transparentes, y por lo tanto instructivos. Esta expresión franca le enseñaba a interpretar la secreta, porque allí, cuando él apareció, estaba acurrucada Constance en el suelo del pasillo, y sus expresiones y mentiras en los minutos que siguieron se explicaban por el rato que acababa de pasar él con la niña. Constance fingía primero una cosa, luego otra, el miedo, la preocupación, el amor, el respeto, y él veía el chirriante mecanismo funcionando por debajo. Le vendó la mano, cortada por la lámpara que ella pretendía que se había roto al tratar de abrir la ventana. Afirmaba no haber visto nunca el cristal azul que él acababa de sacar del pie de Angelica, aunque había varios trozos debajo del espejo. Por más que Joseph sabía que en lo principal ella estaba mintiendo, no podía ver con exactitud cuándo, o por qué, o qué verdad estaba escondiendo. Cualquier fragmento de su explicación era plausible, pero su totalidad era sospechosa.

—¿Qué te ha pasado? —preguntó Joseph—. Apenas te reconozco ya. Te escondes de mí.

—Te juro que no estoy escondiendo nada. He sido siempre sincera en todo contigo. Es mi deber con mi marido.

Él apartó la mirada mientras ella hablaba, y percibió la misma fácil ironía de Harry, incluso de su propio padre. Ella exhibía una perfecta máscara de inocencia —que debía de requerir horas de cuidadosa preparación ante un espejo— o la perfecta inocencia.

—¿Dónde va a acabar todo esto? —preguntó, detrás de ella, con sus manos sobre los hombros de la mujer, y sintió que los músculos de ésta se contraían como si quisiera esconderse de él bajo el suelo. De no haberse despertado él, de no haber salido al pasillo, la locura de Constance —para ser generosos, su loca despreocupación— podía muy bien haber acabado con la vida de Angelica, o la de ella misma, tal como había previsto el doctor Miles. La idea de que, en algún momento de ofuscación, ella podía, sin querer, causar daño a la niña ya no era inconcebible, aunque al mismo tiempo también era imposible conciliar eso con el recuerdo de su bondad. Joseph sabía que una cosa no necesariamente excluía a la otra, aunque no podía considerar como ciertas ambas cosas: si ahora era mala, no había sido encantadora, y si había sido encantadora, ahora no era mala, no estaba mintiendo, no era ninguna amenaza para la niña.

Aquellas dos extrañas le habían quitado mucho, y aun así, ante la idea de que ellas llegaran a sufrir algún daño, le invadía la ternura como una llama se apodera de un papel. Era tan doloroso que él sujetó la cara de su esposa y rezó silenciosamente a un Dios que no existía para que ella no fuera mala, ni loca, ni evocara a, o huyera de, fantasmas, para que no le ocultara su naturaleza, para que fuera la misma dulce criatura de años atrás, igual e inalterable, como la niña había prometido que sería. La besó.

—Has de tener cuidado. Tú y la niña sois demasiado valiosas.

~ · ~

Capítulo 16

Se despertó temprano. Ella dormía. Sobre la brillante superficie taraceada del mueble situado fuera de la habitación de Angelica observó una sombra. La tocó y se lamió el dedo. Constance había sangrado sobre él la noche anterior. Abrió un cajón en busca de un trapo para quitar la mancha, y descubrió que el rastro de color bermellón continuaba, bajando a través de varias capas de crujiente ropa blanca hasta el fondo de una caja de cartón con la etiqueta de «Arenques de McMichael», dentro de la cual había dos frasquitos del mismo cristal de color azul que él había extraído de la carne de Angelica. La caja también escondía ramilletes de hierbas, crucifijos de hojalata, botecitos de polvos blancos y verdes, y un cuchillo, su mango de hueso manchado del mismo tono bermellón que lo había llevado hasta él. Éste era el resultado de la femenina vacilación y los escrúpulos mostrados por él.

Sorprendió a Nora en la cocina.

—¿Qué mujer gorda visitó la casa en mi ausencia?

Ella no fingió ignorancia durante mucho rato ya que las consecuencias de sus mentiras estaban dolorosamente claras. Joseph se sorprendió a sí mismo ante la ferocidad con que interrogó a la muchacha irlandesa y el profundo placer que eso le producía. Disfrutó de la rapidez con que quebrantó a la joven y restableció la diferencia de su posición.

—Sólo tonterías, una dama con conocimientos espiritistas —empezó a decir Nora, pero la cosa no acabó hasta que él se enteró de que su mujer había estado envenenando su comida—. Yo traté de detenerla, señor, pero ella dijo que sólo eran sales. —Nora lanzó un gemido cuando él le retorció la muñeca.

—¡Papá! ¡Eres el primero! —dijo Angelica cuando él se levantó para recoger a su hija herida. Ella le rodeó el cuello con los brazos y le besó las mejillas—. Así es como estaremos cuando yo sea tu esposa. —Joseph la llevó arriba y, con ella en su regazo, contempló cómo dormía Constance.

Cuando, poco después, se abrieron los ojos de ésta, su plácida expresión al despertar fue inmediatamente sustituida por el odio y el miedo. Empezó a soltar mentiras y se marchó rápidamente a consultar con su derrotada aliada escaleras abajo. Él le dio tiempo; seguía esperando, a pesar de todo esto, que ella no intentara engañarlo más, que le pediría perdón. Sus pesados ojos querían cerrarse, dormir y olvidarlo todo en el sueño. Pero, ay, cuando la siguió, tuvo que presenciar una inútil representación.

—La niña se ha herido con algo tuyo, Nora —recitaba la irritada ama—. Realiza tu trabajo más cuidadosamente, Nora, si es que lo aprecias.

—Nora —dijo su nada impresionado auditorio—, la señora no se encuentra bien. Necesita descansar. Hoy le proporcionarás paz y soledad. Nada de visitas.

¿Qué estaría sintiendo ese hombre, me pregunto, cuando se dirigía, a pie o en coche, impacientemente o de mala gana, otra vez a la consulta del doctor Miles? Sospecho que ya no sufría más angustia por la pérdida de su esposa. No tendría que llevar más luto. Llevaba despidiéndose de ella muchos años; la había perdido hacía mucho, eso si es que realmente la había poseído alguna vez. Ella le había tendido esta trampa, había preparado su mortífero mecanismo, años atrás, tal vez incluso —lo más traicionero de todo— antes de haberlo conocido siquiera.

No. Creo que mi padre no sentía ninguna pena cuando

puso sus pies en Cavendish Square, sino que lo empujaba una vigorizante ira, que le trasmitía decisión. Pienso que no era imposible que se sintiera aliviado, incluso feliz. No habría ningún escándalo, sino que él sería el indiscutible dueño de su hogar y el padre de su hija. Mandaría a su hija a un colegio para que la educaran. Cenarían el uno junto al otro. Bajo su control, ella se convertiría en su más perfecta compañía. Quizás Constance regresaría al cabo de unas semanas o meses, restablecida a su estado anterior. O no.

Por supuesto, pensó él, cuando se encontraba ante el edificio del doctor Miles, contemplando la escultura de bronce de tamaño natural de Perseo en el jardín, que agarraba por su serpentino cabello la cabeza de la Medusa, por supuesto, uno no podía evadirse de la vergüenza que como hombre le correspondía en este asunto. Si la mujer sufría un debilitamiento de la razón, una enfermedad del alma, no podía, en definitiva, ser acusada por lo que de ello se derivaba. Él la había elegido para que fuera su mujer. Él no se había dado cuenta cuando el peor aspecto de la naturaleza de la mujer había crecido grotescamente. Era deber suyo modelar a esa mujer, y él había rehuido esa responsabilidad. Sus estados de ánimo, como los de toda mujer, eran intensos y rápidos, y él, durante demasiado tiempo, los había contemplado con una indulgente diversión... Las mujeres se enfurecían, era su naturaleza; por eso las estrechamos contra nuestro pecho, para que nos calienten, a fin de que podamos obtener calor de ellas incluso aunque nuestra firmeza las enfríe. Pero esta condescendencia no hacía más que demostrar su fracaso, también, porque sus estados de ánimo eran goteos de locura. Si no los frenaba el muro de la sensatez masculina, acabarían por ocuparlo todo. Por eso, viudas y solteronas eran universalmente peculiares; nadie censuraba su incesante, insidiosa expansión. Y ahora los humores de Constance eran como mareas que lamían las ventanas y manchaban las paredes a la altura de la cintura, y seguían creciendo.

Débil y pusilánime, ahora suplicaba la intercesión de un

verdadero médico, un padre adecuado, un hombre. Miles lo arreglaría todo. Joseph al menos protegería a su Angelica y no la dejaría que jamás supiera el origen contra natura de su peligro.

Pero el doctor Miles no apareció, aunque Joseph regresó a mediodía y de nuevo a última hora de la tarde, bajo la penumbra de la noche, al lado de Perseo, mucho después de que razonablemente el doctor pudiera aparecer.

Regresó a su casa sin ninguna solución, obligado a mantener las temporales limitaciones sobre ella que había ideado. No era cruel, y le ofreció aire fresco, y una comida, pese a todo lo que ella había hecho. Casi podía imaginar que su esposa había sido reemplazada, expulsada, por algún otro ser que ahora ocupaba su cuerpo, siendo aquella belleza en proceso de desaparición la medida de cuánto tiempo había estado poseída por esa podredumbre.

—Puede que muera —desvarió— pero, aun así, no permitiré que a Angelica le ocurra algún daño. No puedo imaginar nada peor que ser una niña en esta casa.

—¿Qué estás diciendo? —respondió él

—Te vi —escupió ella—. A ti.

Él se estremeció ante sus palabras, pese a la firmeza de su posición.

—Dime exactamente lo que viste. —¿O eso era un error? ¿Debería haber insistido enérgicamente en que ella no había visto nada?

—No lo permitiré. No me quedaré sin hacer nada, no la abandonaré. Mi final está decidido, pero el suyo no.

Y así sucesivamente, vagas acusaciones mezcladas con rotundas fantasías. Internarla demostraría que él tenía razón. Cuando Miles estuviera de acuerdo, eso demostraría que nada de ello era culpa suya. Sus secretos anhelos y deslices no estaban en discusión aquí, ni tampoco su profesión, sus hábitos, su pasado, recordado u olvidado.

Como con cualquier animal o criminal, la vigilancia perfecta e incesante era un imposible ideal. No podía esperar —aunque la compasión lo impulsara a ello— mantener a Constance en su casa, en su estado, indefinidamente. La prueba de ello llegó, antes del alba, con el sonido de la puerta principal cerrándose y con su aturdido descubrimiento de que ella había estado vagando por las calles toda la noche con Angelica, y luego clandestinamente la había devuelto a su cama.

Las examinó a las dos a la creciente luz, durmiendo madre e hija. Si la cambiante apariencia de Constance era una medida de su angustia interna, esa mañana había habido una terrible y drástica decadencia. No tenía sentido siquiera llamar a esa mujer su esposa, o seguir usando el nombre de Constance. Éste ya no guardaba relación alguna con la muchacha de la papelería. Su cabello aparecía enredado y sucio, sus ojos ribeteados de oscurísimos círculos, su cara ensangrentada y amoratada, salpicada de barro. Esa arpía de las cloacas no era Constance, pero allí, frente a ella, esperando pacíficamente el rescate de Joseph, se encontraba, sí, el pequeño original de la belleza de Constance, paciente y encantadora, más Constance ahora que la propia Constance.

Capítulo 17

r. Barton! ¡Excelente! Deseaba hablar con alguien esta mañana. ¿Vino usted? Por qué hizo usted eso... Nunca paso consulta los miércoles. Siéntese, señor, siéntese. Sí, sí, no lo dudo, pero, primero, anoche tuve una experiencia notabilísima; me gustaría que otros oídos la hicieran más real, si comprende usted lo que quiero decir. Mientras, según entiendo, estaba usted esperando en mi jardín, yo estaba cenando como invitado de un colega de la Royal Astronomical Society. Cenábamos en la sede de la sociedad, en una sala iluminada por estrellas en movimiento en su techo. Barton, la sociedad emplea a una especie de Da Vinci tan magistral en su cocina que apenas puedo expresar mi maravilla ante su arte. Cada plato, sabe usted, representa una fase del conocimiento humano del universo. La sopa —sea paciente conmigo, yo no soy astrónomo—, la sopa era el universo tal como lo describía Aristóteles: anillos concéntricos de tomate, y crema de pimienta esparcida sobre un *potage* negro, y en el centro estaba la Tierra, representada por una tostada redonda, coloreada de azul, encima de la cual aparecía un muy convincente mapa de Grecia hecho con crema de espárragos. En cada uno de esos círculos concéntricos había un objeto flotante: un disco de tomate para Marte, un rombo de chirivía para Venus, una trufa como la Luna, todo ello salpicado con dorado polvo de estrellas... virutas de oro, excelente para la sangre.

Joseph se iba sintiendo cada vez más pesado en su silla. La voz de Miles tenía un efecto sedante.

—¡Sigamos! Los persas, quizás los indios, no puedo recordar, tal vez los chinos... creían que la Tierra era una montaña veteada de ríos sujeta en las mandíbulas de una víbora, y el Sol, la Luna y las estrellas estaban sostenidos respectivamente en el dorso de una tortuga, en las alas vueltas de un águila y en una cesta que colgaba del morro de un verraco. Barton, era una representación sin igual. Las conchas de sus tortugas habían sido reemplazadas por delgadas tajadas de buey esculpidas, y debajo un brillante melón amarillo relleno de pulpa de naranja y rábanos. El ave era enorme, un ganso enorme con las asadas alas extendidas hacia arriba y arqueadas, sobre huevos de codorniz y, balanceándose entre las puntas de sus alas, la Luna: una superficie de patatas al gratén, mares de judías, volcanes que vomitaban queso fundido, sin duda expulsado por algún artilugio situado bajo la mesa. ¡Y aquel jabalí indio! Visnú lo bendiga, tan grande como usted era aquel ejemplar, pero una visión muy suculenta, y en sus mandíbulas un cesto, tejido de fideos, sosteniendo una montaña de estrellas: las yemas de codorniz flotando en manjar blanco y... oh, sí, sí sí, lo recuerdo: ¡la víbora y la montaña! Bueno, cada uno de nosotros recibió una anguila de gelatina, ojo, las mandíbulas abiertas, agarrando en sus fauces trozos de cerdo, por los que fluía una salsa azul para representar los ríos, sabe usted. Y ahora el pudin... Estoy omitiendo algunos platos. No soy capaz de recordar la cosmología de todos aquellos pescados entrelazados, los quesos moldeados como cometas de Copérnico o algo así. Tengo el folleto aquí, en alguna parte, explicando cada plato.

»Pero en el pudin, Barton, llegamos finalmente a la moderna, científica y completa interpretación de nuestro universo. Cinco pinches de cocina nos trajeron aquel alarde sobre una plataforma casi tan grande como la misma mesa. Aquel hombre era un verdadero maestro. Habría sido la cosa más fácil del mundo hacer ocho globos de chocolate y luego escarcharlos con la misma pasta de azúcar de colores ligeramente diferentes. Pero no, él no podía conformarse con una obra pedestre. No, los ocho planetas orbitaban un sol hecho de crema de limón, cada planeta a su vez rodeado por sus correspondientes satélites. El centro de la mesa era Saturno, circundado por caramelos duros de todos los colores apretados para formar los flotantes anillos del tamaño de una rueda de berlina. ¡Y Júpiter! ¡Vaya pudin! Aparentemente, Júpiter es de color anaranjado y tiene una enorme mancha roja, aunque si esa mancha está hecha de la más dulce confitura de grosella y frambuesa, supongo que sólo lo sabrá Nuestro Creador. ¿Y los helados polos de la Tierra? Merengue de vainilla. ¿Venus? Naranjas americanas y azúcar de remolacha cubriendo un bizcocho de Génova hecho de crema de limón.

Joseph deseaba ahora que los recuerdos de Miles pudieran seguir fluyendo indefinidamente, liberándolo de la necesidad de pensar. Podría haber permanecido sentado allí hasta que el sol se pusiera y volviera a salir, mirando a través del ficus Cavendish Square, más allá, y viendo de segunda mano los ríos de oporto, los bosques de cigarros, la conversación de los grandes científicos reunidos para un tranquilo festín sólo para hombres. Sin embargo, con un puñado de nueces asteroidales esculpidas, el doctor llegó al final de su alegre recitado e insistió en oír las penas de Joseph.

—¿Incendió la habitación? ¿Está usted absolutamente seguro? De modo que la histeria ha empeorado, no puede caber duda. Trastorno que tiene su raíz en el miedo mórbido al deber conyugal, causa no pertinente. Ha intentado usted, a su manera, ejercer su voluntad sobre ella, y ella se ha resistido. Está decidida a abandonarse, parece. Ha elegido la histeria y, con esa rendición de su cordura, ha expuesto su hogar a una grave infección.

»La niña representa los fracasos de su esposa; por lo tanto su trastornado yo la odia y, si no restauramos su lado bueno, la atacará. Nada de esto es muy infrecuente, Barton, en mujeres de cierta clase y constitución. La ciencia médica demuestra a diario lo que se lleva sabiendo desde la Expulsión del Hombre del Paraíso: están *todas* completamente locas, en mayor o menor grado, parte del tiempo. Están gobernadas por la luna, como lo están las mareas. Son criaturas de las mareas, diosas del mar. Las amamos por ello, pero son propensas a las mismas furiosas tormentas que los océanos. No es extraño que la palabra *mar* sea, sin excepción, un nombre femenino en cada una de las lenguas que juiciosamente asignan género a los objetos.

»¿Consultó a una médium? Por supuesto. Los espiritistas tienen partidarios entre todas las clases sociales, incluyendo a muchos hombres eminentes que deberían mostrarse más juiciosos; pero la credulidad es una infección que la medicina parece totalmente incapaz de erradicar. En las mujeres, el atractivo de las prácticas ocultas está profundamente arraigado. Yo he investigado todas estas visiones y apariciones a que son tan aficionadas, la substancia ectoplasmática que vomitan, las mesas habladoras, las escrituras automáticas... Todo esto es femenino en su misma esencia, y viene totalmente al caso con usted, por desgracia. En la raíz de todo este asunto hay un miedo esencialmente sexual: el miedo de la transformación, o el deseo de transformación acompañado de un temor ante ese mismísimo deseo. Examine, señor, el mito de la licantropía, la mensual metamorfosis de un hombre en lobo. ¿Por que asusta eso? Porque *hay* criaturas que, en realidad, se transforman involuntaria y horriblemente cada mes, con resultados sanguíneos, dolorosos, desorientadores... Un mensual extravío del carácter. Y, al igual que las mujeres temen ese cambio regular, así lo hacen los hombres, en su alma, siendo el miedo similar en todos los sentidos al de ellas. De ahí, la licantropía. ¿El vampirismo? Cada caso cuidadosamente investigado ha resultado ser un loco, que afila sus dientes y ataca a las mujeres para beber su sangre, a fin de llegar a *ser como ellas*. Como es usted un científico, puedo recomendarle algunos textos: Gellizinski, Kaspar, Ufford, Karl Knampa, incluso mi propia y humilde contribución puede encontrarse en Gower's, en

Old Compton. Estamos todos dando vueltas sobre las mismas verdades, señor. Su mujer teme su propio deseo de ser transformada en un hombre. Usted la asusta porque representa ese oculto deseo. Y los espíritus que ella cree que la acechan —apuesto que usted cena en La Tourelle—, esos espectros están tratando de ahuyentarla de su más profundo deseo, porque su lado bueno sabe que ese deseo es malsano. Los espectros —aunque ella posiblemente no lo sepa, o no lo admita si se le informa—, están ahí por orden suya, porque ella desea ser asustada y puesta de nuevo en su lugar por una indiscutible autoridad... Un papel que yo le pedí *a usted* que representara, señor, pero del cual usted abdicó, para su perjuicio y el de ella.

Aunque parte de la filosofía de Miles se le escapaba a Joseph, había un elemento que lo había impactado: desear el cambio incluso aunque uno lo tema. Esto estaba fuera de discusión. Él se había enamorado —si ése era el término apropiado— de la joven de la papelería, y, en cuanto fue capaz, la sacó de allí y la hizo su esposa. Amaba a una esbelta y bonita muchacha, la había preñado y se había cansado de lo mucho que lo hacía sufrir. Había desencadenado un proceso que ahora estaba lanzado a toda velocidad, imparable.

Él mismo se había transformado también, simplemente por estar tan estrechamente ligado a ella y a la niña. Se había alterado más allá de donde llegaba su amor, como los condenados de Dante: *Una forma pervertida, no lo que era, / cambiado en todos sus aspectos.*

Estaba sentado delante de la arqueada ventana, de un piso alto de un hotel de cinco siglos de antigüedad, con el Duomo de Florencia, plateado y negro, situado detrás y debajo de él, una luna llena que servía de redonda lámpara de lectura, y bajo esa única luz le había leído a ella el Dante. Aquel momento, aquella cima de su felicidad y perfecta tranquilidad, los dos juntos, se había ya, incluso entonces —Joseph lo veía ahora gracias a la áspera luz blanca del diagnóstico del doctor Miles—, corrompido por la transformación, porque apenas una hora más tarde la mujer llevaba en su interior la primera semilla de la destrucción, dispuesta a desfigurar su belleza, su juventud y su paz mental siete meses más tarde. Y aunque él mismo había plantado esa semilla con la mejor de las intenciones, quizás ella había sido más juiciosa que él, temiéndole con razón como al agente de la transformación. En aquella noche iluminada por la luna, en un castillo de cuentos de hadas, él la había tomado con toda la suavidad y gentileza de las que era capaz, pero ella, a pesar de todo, gritaba de dolor y de miedo.

~ · ~

Capítulo 18

omo no era una adecuada esposa ni madre, se esmeró en su cometido como anfitriona. Recibió al doctor Miles —que había venido a llevársela— con el encanto de su juventud. Pero lo hacía sólo como un regalo para Joseph, naturalmente, una especie de disculpa, incluso como un reconocimiento de que ella veía lo que iba a suceder y deseaba que él viera que ella lo aceptaba. Joseph jadeó al cerrar la puerta de su casa dejando allí al doctor Miles analizando la locura de Constance. Jadeando por la falta de aire, inhaló solamente el fibroso estiércol de caballo y las rosas de una florista que pasaba. ¡Tenía los ojos húmedos! Lloraba por Constance, mientras ella se esforzaba, demasiado tarde, por mantenerse cuerda, viendo sólo ahora, demasiado tarde, las consecuencias de su débil voluntad, ofreciéndole dulcemente un camafeo de lo que antaño había sido ella, un recuerdo al que él pudiera aferrarse durante su larga ausencia, hasta que ella decidiera recuperar la razón. Al otro lado de la calle, los dos hombres que Miles había traído para dominar a su esposa lo observaban, pero no podía controlar sus lágrimas.

Y ahora ha caído la noche, y me vienen a la cabeza los detalles, primero los tobillos, luego los ojos. ¿Da él un paso en falso nada menos que esa noche, cae al Támesis o en manos de unos asesinos, rateros, atracadores? Esa noche no. Nunca lo creí. Y tampoco lo hizo Harry ¿Actores contratados, entonces? El Tercero lo negó.

¿Se arrojó desde un puente, cayendo en el fango de la orilla, en la jaula de los leones del zoo? ¿Se alejó de su familia esa noche, esperó al primer tren, el barco de Calais? Es improbable. Su mujer había sido internada, su hija y su casa eran suyas, al día siguiente despediría a la desleal Nora e iniciaría su vida nuevamente como un hombre.

«¡Especule, querida!», me recomendó, tan seguro y tan impaciente, relamiéndose los labios, a la espera de hallar respuestas sobre mí. «Sus especulaciones pueden revelarnos las formas ocultas más allá de su conciencia.» Siempre atento a mis formas ocultas. Muy bien, entonces, señor, aquí están mis especulaciones, aquí, donde ni Nora, ni Harry, ni Miles, ni El Tercero, ni Anne, ni mi madre me proporcionan ninguna pista.

Él trataba de perderse, pero fracasó, miraba fijamente al Támesis y a la Torre y a las fulanas, se tapaba los oídos a los desesperados gritos que imaginaba que se alzaban en su hogar. Anhelaba regresar corriendo y salvarla de aquellos fuertes hombres que meterían su cuerpo a empujones en el cabriolé que estaba aguardando. Pero se obligó a mantenerse al margen, controlando sus llorosos ojos e inútiles puños, contra su deseo de rescatarla, hasta que la marea de ese deseo cambió. Cuando creyó que Miles debía de haber hecho una señal a sus hombres y éstos se habían llevado a su esposa a la fuerza, cuando creyó que iba a enfrentarse con un hogar sin su mujer, de repente no pudo regresar, y se pasó horas vagando aturdido, resistiendo el atractivo de su nueva casa, pensando en voz alta, lanzando puntapiés a las ratas, contemplando cómo la lluvia golpeaba los charcos con diminutos y blancos chapoteos hasta que, para asombro suyo, sin tener la menor idea de la hora, se encontró inclinado ante la puerta de su restaurado y purificado hogar, y con unas manos empapadas por la lluvia hundió su tosca llave de hierro en la cerradura y subió por las escaleras hasta su fría cama.

~ · ~

Cuarta parte

Angelica Barton

*P*ero ¿cuándo volverá él?

—Algún día. Quizás. Dentro de algún tiempo. Los papás hacen esto. Por ahora, pienso que deberíamos acostumbrarnos a su ausencia. No creo que lo encuentres difícil. Yo seré tu amiga, si me aceptas. Puedo ser una excelente compañera para la Princesita de los Tulipanes, cantar canciones y contar historias. ¿Te gustan esas cosas?

Rápidamente llegué a querer a Mrs. Montague, mi tía Anne, como una segunda y mucho más entretenida madre, especialmente aquellas primeras semanas, cuando ella nos enseñó a vivir sin papá, a hablar y comportarnos sin tener que fijarnos en su muda desaprobación, o su aprobación sin alegría. Con un apremiante sentido de lo práctico, nos preparó a mi madre y a mí para el mundo lleno de curiosidad que se acercó a nuestra puerta.

—Sus colegas vendrán a ver que tú estás bien, a pedir explicaciones, que ninguna de nosotras tiene y, por encima de todo, a *tranquilizarse* al ver tu evidente preocupación por tu errante marido. —Anne se rió—. Sí, incluso en su difícil situación, ellos querrán que *tú* les proporciones consuelo *a ellos,* les demuestres que *sus* esposas los echarían de menos si ellos decidieran desaparecer. ¿Puedes hacerlo, querida?

Me sentí muy importante, las semanas que siguieron a la marcha de papá, al tener tantos hombres solicitando un momento de mi tiempo y mi encantadora conversación. La desaparición de papá me había transformado y elevado, y Mrs. Montague era mi amable dama de honor (si es que yo era una princesa todavía), o mi camarera (si estaba ya convirtiéndome en una actriz). Ella me ayudó a encontrar mi voz para esos cortesanos, estos figurantes en el drama de nuestra familia.

—¿Dónde supones que se ha ido tu papá? —preguntó un hombre muy guapo con una voz tranquila y un acento vulgar, tras haberme pagado su tributo en forma de muchos caramelos duros de color rosa brillante.

—Se fue volando con los ángeles —dije— que envió la Princesa de los Tulipanes.

Ésa era la respuesta que yo le había dado a Mrs. Montague cuando ella me hizo la misma pregunta unos días antes. Mrs. Montague consideró mi respuesta en silencio durante un rato, y luego finalmente opinó:

—Creo que es una respuesta encantadora y totalmente perfecta, hija mía.

Recuerdo el placer que sentí ante aquel retardado elogio, aquella aprobación tan adulta de mi respuesta, de modo que, naturalmente, no vacilaba en dar esa misma respuesta a todos los adultos que me hacían, continuamente, esa misma pregunta. Variaba sólo el tono, añadiendo de vez en cuando una ligera vacilación.

—¿Fue así de veras? —preguntó un joven pelirrojo con la cara llena de espinillas, tras obsequiarme con más caramelos—. ¿Lo viste salir volando con ellos?

—Oh, no, señor. Pero él viene a verme. Los ángeles lo traen para que nos veamos, y me besa para darme las buenas noches. Fue él el que me dijo que había sido así.

—¿Crees que tu papá estaba muy triste? —preguntó el doctor Miles, con muchos caramelos en la carnosa palma de su mano, y yo le pellizqué varias montañitas de piel al cogerlos. Su anciana carne era de un amarillo traslúcido, y debajo de ella la sangre discurría por azules canales. Parecía un dibujo que yo había visto en un libro de papá, con ojos y músculos pero con piel en sólo la mitad izquierda de la cara.

—Sólo estaba triste cuando yo era mala, señor. ¿Piensa usted que yo hice que se marchara?

Esa idea me ponía triste. El que yo me pusiera triste ante aquellos hombres producía una maravillosa reacción en ellos.

Comí un montón de caramelos en las semanas posteriores a la desaparición de mi padre. Yo sentía que su ausencia y mi creciente reserva de dulces guardaba alguna relación, aunque si mi tesoro de caramelos era una recompensa, un premio o un soborno, nunca estuve segura, ni siquiera hasta el día de hoy. Estaba, sin embargo, absolutamente segura de que podía juzgar, por la calidad de los caramelos que me ofrecían, cuál de esos visitantes era listo y cuál estúpido. De forma similar, una conocida mía presumía recientemente ante mí de que su hijo, un niño de seis años, estaba dotado de una notable sensibilidad, y sus primeras reacciones ante los adultos eran infalibles, e incluso en aquellos casos donde ella había previamente llegado a sus propias conclusiones sobre una determinada persona, no vacilaba en ceder ante el niño, dada la mágica capacidad de éste para descubrir las naturalezas ocultas en unos minutos de trato. No paraba de oír afirmaciones así. Pienso que es más bien una ilusión bastante extendida que algunos niños ven con claridad el mundo y sus actores. La fe en el corazón puro y la visión inocente de un niño es un síntoma de que algo va mal en nuestro mundo, una vergonzosa pérdida de confianza en nosotros mismos como adultos. Pronto los estaremos reclamando en nuestros tribunales, llevando el mazo que corresponde a su categoría. Te digo, como alguien que se gana diariamente el salario con las simulaciones, esta simple verdad: los niños fabrican personajes totalmente imaginarios a partir de un simple rasgo físico o un hecho: la dama de la nariz demasiado grande es una bruja, el hombre que me riñó es cruel. De pronto, el mundo se puebla de personas que se corresponden a sus diversos estados de humor. Los miedosos llenan el mundo de adultos amenazadores; los confiados, de aventureros de cuentos fantásticos. Los crédulos padres, a su vez, adaptan la realidad en función de esto, desterrando a los amigos y abrazando a extraños según el capricho de sus queridos niños.

Y peor aún, el recuerdo de nuestra propia infancia nos convence de que los niños juiciosos que conocemos ahora deben tener razón, porque recordamos a aquellos adultos que *nosotros* conocimos con unos colores que sólo un niño podría haber pintado: criadas de fuerza sobrehumana, capaces, en lo más oscuro de la noche, de cargar y trasladar un cadáver ellas solas; lascivos y borrachos vidrieros; joviales gordas que luchan con fantasmas; padres vagamente recordados, espiados desde una ventana del piso de arriba cuando huían de la casa llorando. Miramos hacia atrás, encantados por los personajes que creábamos y a su vez prestando crédito a las caricaturas de personas que nos cuenten nuestros niños. Ellos crecerán creyendo que tenían razón, y así sucesivamente.

—Quiero a papá.

—Y él te quiere a ti, querida niña. No lo dudo.

—Es verdad. Así que nos casaremos algún día.

¿Recuerdo diciéndole esto a mi frágil y celosa madre? Sí. Y, más aún, recuerdo que ella se rió de mí, no con la risa de una madre encantada con la confusión de su hija, sino con la despreciativa sonrisa de una rival en una provisional y peligrosa situación de dominio. Sin embargo, apenas he escrito esto cuando estoy segura de que el recuerdo es imposible, porque ésa es una comparación que yo no podía haber hecho en aquella época. Yo tenía sólo cuatro años, de manera que ¿qué podría haber sabido de rivales y desprecio? Creo que es más probable que su risa en mi recuerdo haya sido imaginada para crear un papel que ella no estaba representando entonces, pero que yo no llegué a comprender hasta más tarde, en otros contextos. Los recuerdos son implantados después de los hechos con la perspectiva que da el tiempo. Tal es esta senda traicionera en la que usted irreflexivamente me ha puesto, agitando ante mí sus endebles promesas de seguridad y verdad.

Mis recuerdos dan a entender que yo podía moverme por

la casa silenciosamente. Las escaleras no crujían debajo de mí; las puertas no gemían al tocarlas. Yo me encontraba a menos de tres metros de distancia de los adultos, y éstos no oían mi respiración. Robaba fragmentos de sus historias y mezclaba las conversaciones, hacía hablar a mi muñeca de trapo y a mis invisibles amigos, recosía historias nuevas a partir de telas sobrantes. ¿A quién debo prestar crédito, a la inconsciencia de los adultos o al sigilo infantil? No puedo decirlo. Ellos, a la inversa, eran torpes y ruidosos, como es propio de los gigantes. Sus voces resonaban en las habitaciones, haciendo caso omiso de paredes y techos, como hacen los dioses.

Los únicos dioses verdaderos y los únicos fantasmas verdaderos. Los comprendemos sólo poco a poco, por etapas, al llegar a la edad que ellos tenían. Es una lección que ellos imparten desde más allá de la tumba, guiándonos, apareciéndose aquí y allá, hacia nuestra propia muerte (y entonces nuestros espíritus persiguen a nuestros propios hijos a su vez). Sus personalidades, cuando eran más jóvenes, unas personalidades que nunca conocimos, de repente aparecen reflejadas en nuestros espejos, como las inconcebibles personas que eran antes de que ellos nos concibieran. Estas fantásticas criaturas nos desconciertan, se liberan de las arrugadas vestiduras de sus envejecidos yoes para pavonearse otra vez con el llamativo plumaje de la juventud restablecida. Lo contrario es igualmente cierto, por supuesto. Nuestros hijos llegan a cierta edad y nos ofrecen, como un regalo, recuerdos de nosotros mismos cuando éramos así de jóvenes.

*   *   *

Yo caminaba libremente entre ellos, como si fuera un espectro. Oí, por ejemplo, la leyenda de la familia Burnham la brillante mañana en que Anne se la contó a mi madre en el parque, consiguiendo así asustar a la vacilante mujer para que se comportara nuevamente como una dócil cliente. Volví a oír esa historia una docena de veces más, ya que Anne con frecuencia la usaba para domesticar a otras clientas cuando, años más tarde, yo la ayudaba en su trabajo. Pero sé que la oí por primera vez en el parque, acurrucada detrás del banco en el que ella y mi madre estaban sentadas, ignorantes de mi presencia. Aquella mañana creí que Mr. Burnham se había colgado del techo del cuarto de mi madre para expiar su inenarrable crimen contra una niña.

No obstante, recuerdo casi con la misma claridad a Harry Delacorte y a mi madre abrazándose en nuestro salón, él rodeándola con sus brazos y piernas. Cuán claramente puedo ver cómo su mano se movía por sus ropas y luego iba trepando por la espalda para agarrarla del pelo, de modo que la escena entera debe ser considerada con pícara sospecha. O quizás no, ya que una niña de tres años podría muy bien confundir dos manos, una en la cabeza y otra en la cintura, desconociendo la razón por la que una de ellas tuviera que detenerse en medio en vez de continuar hasta acariciar el hermoso cabello de mi madre, un objetivo evidente. Y puedo ver el brillante cono blanco que proyectaba la vieja lámpara de gas de nuestro salón sobre la brillantina del negro cabello de Harry Delacorte. La tirantez de la piel del cuello de mi madre cuando ésta giraba la cabeza a la izquierda y apartaba el rostro que trataba de besarla con sus dedos todavía manchados de negro del atizador que ella se había inclinado a recoger del lugar donde él lo había dejado caer, sobre la alfombra, con sus dibujos de verdes viñas y negras uvas, mientras la voz de mi padre resonaba desde la habitación de al lado: «Harry, ¿dónde te has metido?»: tantos detalles son incontestables, debió de ocurrir exactamente así. Y no obstante... ¡cómo podía yo haber pasado inadvertida en el salón, a esa edad, en aquel momento de la noche? Supongo que debí entrar y salir furtivamente, pero no sé cómo llegué a estar allí, saltándome las normas imperantes en la noche; no sé cómo ninguno de los actores (abrazándose y poniendo tranquilamente los cuernos al marido, en el comedor, como un burlador francés) se dio cuenta de mi llegada, de que los estaba observando, o de mi partida; y recuerdo sentirme sólo medianamente interesada y nada sorprendida ante la visión. Los mecanismos de la memoria se superponen y despiden calor pero no luz, pues la maquinaria del recuerdo, del sueño, responde a otras leyes físicas

Sospecho que suavicé los ingredientes de este picante *souflé* mucho más tarde, porque Harry nos visitaba a menudo los meses que siguieron a la desaparición de mi padre. Vino primero como inquisidor, deteniéndose diariamente para ver si Joseph había reaparecido, claramente desconcertado por la sutil y omnipresente Anne Montague. Más tarde, vino como consejero familiar, luego como amigo mío, ofreciéndome, a medida que yo crecía, algún fragmento ocasional de la historia de mi padre, contado desde la perspectiva de un condescendiente compinche. Y, más tarde, se transformó otra vez y, mientras escribo, sólo ahora se me ocurre que he transpuesto las manos y labios de Harry de mi cuerpo al de mi madre, suavizándolos y oscureciendo su cabello (posteriormente de un gris menos brillante), recreando la memoria.

*   *   *

Recuerdo que estaba jugando en el suelo de la habitación de mi madre. Después de la ausencia de mi padre, mi presencia era nuevamente bien acogida en ese enclave adulto. Nora, fuerte y silenciosa, servía el té a Anne y a mi madre, cambiaba las sábanas, pedía algunos chelines para reemplazar la ropa blanca, recogía cubos de agua sucia, con sus brazos arañados y magullados, y cortes en su cara. ¿Qué le había pasado a Nora? Nadie se fijaba en ello.

—¿Adónde puede haber ido Joseph? —preguntó Constance, sólo brevemente despierta por primera vez en dos días desde que su marido la dejara ofreciendo un bizcocho de limón a Douglas Miles. La magullada Nora me sopló un beso, me hizo un guiño y salió de la habitación.

—No se me ocurre, queridísima amiga —replicó Anne,

aunque ella creía que sabía con detalle lo que suponía que Constance debía de saber: que El Tercero y algunos anónimos cómplices habían asesinado al villano en un callejón, en la habitual ruta de Joseph entre el Laberinto y Hixton Street, y al día siguiente había rechazado generosamente el pago de Anne por el acto. («CORIOLANO: Os lo agradezco, general, / pero no puedo hacer que mi corazón consienta en tomar / un soborno para pagar mi espada: lo rehuso», recitó El Tercero, obligado a citar un personaje principal para expresar semejante sentimiento, tras haber entrado Anne en su taberna de por las mañanas, exultante: «MENSAJERO SEGUNDO: ¡Buenas noticias! ¡Buenas noticias! ¡Las damas han ganado!»)

—¿Cree usted que su ciencia ha eliminado a Joseph, al mismo tiempo que al espectro? —insistió Constance, bostezando detrás de su taza de té.

Anne sonrió antes de continuar con esa necesaria comedia.

—Creo que no es imposible. Debemos sencillamente esperar, ir tomando cada mañana tal como venga.

—Cuando nazca el niño y yo muera, Anne, ¿querrá usted ocuparse de él y de Angelica? La casa es suya, si lo desea. ¿Querrá usted hacerse cargo de mis huérfanos?

—A salvo, estarán a salvo conmigo, si semejante cosa llegara a pasar.

—No dejará usted que se los lleve Joseph si vuelve, ¿verdad?

«Ella representará su papel hasta el final», debió de haber pensado Anne con excusable irritación después de todo lo que ella había maquinado por el amor de su amiga. «Me suplicó que lo hiciera asesinar, y yo ni me inmuté, y ahora ella está ahí repantingada y fingiendo que nunca sucedió; no quiere dejar que este secreto nos una.»

Sin embargo, cuando le pregunté directamente años más tarde a El Tercero, sólo respondió: «MOZO: La fama de los hombres se acrecienta demasiado fácilmente por unas proezas / que ellos reclaman sin fundamento.» ¿Fue reacio a presumir ante la hija de su víctima? ¿O es que Joseph había eludido la emboscada de los actores, porque aquel día había salido temprano del Laberinto para acompañar a Miles a ir a ver a mi madre?

Constance no dejó huérfanos, naturalmente, al menos durante muchos años, porque no mucho después de la desaparición de Joseph, su visitante mensual anunció su llegada con su habitual rimbombancia, trastornando a mi madre, que puso la casa patas arriba con la violencia de sus exigencias. Pero esta vez, su acostumbrado tirano llegaba aureolado de salvador, trayendo un perdón que ella no se había atrevido a esperar. Cuando el período la despertó por la noche, la amnistía que suponía tenía un brillo negro bajo la luna, y ella lanzó un grito de gozoso alivio. Nora estuvo a su lado durante todo el tiempo, fuerte y silenciosa, trayendo té y ropa limpia, un paño frío para la frente y más rótulas de oveja procedentes de Irlanda.

* * *

Las visitas llegaban con frecuencia, haciendo preguntas, y después, no tan a menudo, expresando condolencias, y, más tarde, ya no vinieron. Nadie me sugirió que la vida de mi padre había terminado por orden de mi madre, y que Nora, furiosa porque él la maltrató, le quitó el cuerpo a su señora de las manos y lo sacó de la casa, con o sin la ayuda de primeros actores, mientras Constance yacía inconsciente o delirando. Y no puede usted esperar que la nítida imagen mental que tengo de esta escena sea un fidedigno recuerdo de una niña de cuatro años de edad. Por el contrario, se me dijo repetidamente que mi padre se había marchado por su propia voluntad, y algún día regresaría, si lo deseaba. Incluso lo vi marchar desde la ventana de mi torre, nada menos que llorando. Forenses, amigos, empleadores, policía e incluso el doctor Miles no fueron capaces de llegar a ninguna otra conclusión. La declaración escrita del doctor Miles al tribunal daba fe de que la autodestrucción no era inconcebible, ya que el sujeto se había mostrado sobreexcitado la semana anterior a su desaparición, lanzando infundadas, paranoicas acusaciones contra su esposa, que, vistas retrospectivamente, con toda probabilidad reflejaban más bien las propias inclinaciones y un soterrado sentimiento de culpa del hombre desaparecido que un trastorno de la muy capaz, por no decir, encantadora, dama. Harry intervino para decir que consideraba improbable la auto-destrucción, pero que tenía que admitir que su amigo Joe había estado últimamente un poco pachucho, aún más taciturno que de costumbre. Harry incluso volvió a contar la historia, que conocía de oídas, de Lem, con todas sus contradictorias implica-ciones.

Sobre nuestro hogar caía la débil sombra del fallo del tri-bunal: el hombre desaparecido había dado abundantes pruebas de una melancolía idiopática acorde con una gran probabili-dad de autodestrucción o de perturbada fuga. Y entonces vino otra visita. El director del banco responsable de distribuir la ge-nerosa renta de viudedad que Joseph había proporcionado a la muchacha de la papelería.

Mi madre me enseñó a atribuir toda nuestra buena suerte a la ciencia de Anne Montague. «Nuestra amiga nos salvó, cariño.» Yo me dormí, tranquila. Constance también recobró el sueño, sintiéndose a salvo quizás por primera vez en su vida. Todos los conocimientos de Anne —los encantamientos, los pétalos de rosa depositados en cuidadosos círculos, las hierbas frotadas a lo largo de la ventana— habían sido útiles. La espantosa aparición y su amo humano habían sido desterrados, fuera a donde fuera. Las tres mujeres vivíamos, seguras y felices, servidas por Nora, en la purificada y encantadora casa de Hixton Street.

Por más completa y certificada que fuera su ausencia, a pe-sar de todo, él seguía viniendo. Aunque Constance estaba cada vez más fuerte y segura de que todo estaba realmente resuelto, de vez en cuando soñaba con él y al despertarse incluso perci-bía, en la suave y confortante respiración de su lado, los sonidos del caballero que había entrado en Pendleton's y la había arran-cado del duro trabajo y el tedio. Parpadeando bajo la menguan-te oscuridad, ella le sonreía y sujetaba más estrechamente la gran mano que había bajo la manta, confortada por la solidez de su amiga y protectora, sin mancha alguna del lado oscuro de los hombres.

* * *

¿Lo vi vendarle su mano cortada, y luego retorcérsela, y apuntar su dedo contra su rostro, exigiendo saber cómo había empezado el fuego en mi habitación? Pero yo tendría que haber subido por las escaleras con mi pie vendado y dolorido. De manera que ella debió de contarme, más tarde, que eso era lo que había sucedido arriba mientras yo dormía en campos de ligrefantes. Sin embargo, no recuerdo esa conversación.

Recuerdo, sí, aquella mariposa, una tarde de agosto, estando de vacaciones. De eso estoy segura. Recuerdo el enfado de mi madre con mi padre por alentar mi interés en el mutilado insecto, aunque, desde luego, no sé qué le hizo imaginar aquella visión, qué asociación o qué recuerdos de otro día, otra mariposa, otro padre. Yo no era tan joven que no me diera cuenta de que era la causa de la discusión de mis padres. Ella estaba disgustada con mi padre y conmigo. Su repulsión no se me escapaba, y recuerdo que me planteé cómo podía recuperar su amor. De modo que caí enferma. ¿Ligeramente enferma? ¿Terriblemente enferma? ¿Imaginativamente enferma? Sé que la respuesta tiene importancia, y sé que se ha perdido de forma irrecuperable.

* * *

Las atenciones de mi madre eran tan continuas que apenas si me daba cuenta de ellas, sólo cuando me faltaban, del mismo modo que uno sólo repara en el aire cuando está enrarecido. Pero la mirada de mi padre —incluso una leve mirada de desaprobación o de desprecio— era una rareza muy apreciada. Yo hacía grandes esfuerzos por ganarme su afecto, aun sabiendo que esos esfuerzos tenían que ser discretos, porque mi madre no quería que yo le agradara excesivamente. Una mañana, cuando mi madre se encontraba abajo, yo traté de despertarlo soplándole en el oído. Estaba de pie junto a su cama, sintiendo frío en mis desnudas piernas. Necesité ambas manos para apartar a un lado la gruesa cortina carmesí. Soplé y los negros pelos que ribeteaban su oreja se movieron. Él apartó, dormido, la molestia de un manotazo y, si recuerdo lo sucedido correctamente, me golpeó en el ojo con el dorso de la mano, aunque él no llegó a despertarse. Si mi madre más tarde me preguntó qué era aquella marca en el rostro, seguro que lo protegí tanto a él como al dulce recuerdo secreto de un violento golpe propinado en sueños porque yo le había hecho cosquillas.

Le recuerdo afeitándose la barba, recuerdo aquel nuevo padre que levantó su auténtico y goteante rostro de la palangana y captó mi mirada en el espejo. Habló de perdón para su padre y, con evidente orgullo, del redescubierto parecido entre ellos. ¿Comprendió Constance que él se refería a que ella debía perdonar a su propio padre? ¿O que debía perdonar a Joseph por comportarse como el padre de ella? Porque, al final, él había decepcionado a Constance. No había sido ningún príncipe, ningún salvador, ni siquiera un italiano de sangre caliente, ni amigo ni protector. Era solamente (y cada vez más) un padre, cuyo papel Constance había aprendido muy pronto a considerar con gran sospecha.

Más bien me inclino a pensar que una verdadera aparición no es tanto una repentina manifestación de un ser espectral como una suma de elementos, la ebullición y consiguiente desbordamiento, de una mezcla que se ha estado cociendo durante años. De repente, ese vapor empaña las cosas. Quizás para algunos de los que habitan la casa, la llegada de fuerzas invisibles o de fantasmas visibles casi no resulta sorprendente. Durante mucho tiempo han estado sintiendo que se acercaba algo oscuro, o que ya estaba presente en los rincones de la casa. Es como si se hubieran sentido incómodos pero incapaces de expresarlo en palabras, y por tanto la sensación finalmente acaba tomando la forma de unos fantasmas.

En nuestro enrarecido hogar, las impresiones de los últimos años empezaban a brotar en la mente de Constance, como setas en la tierra húmeda, hasta que, en esa crisis cada vez más acelerada, todo lo que ella veía le evocaba recuerdos cada vez más luminosos, cada vez más próximos: la ventana del nuevo dormitorio de su hija, el olor de su marido por la noche, la visión de su recién afeitado rostro, la de un utensilio de vidriero sobre una mesa en su laboratorio, la coincidencia de dos nombres similares, invertidos.

Vagos pero dolorosos recuerdos, extrañas asociaciones, yuxtaposiciones de los pequeños detalles que constituyen el escenario tanto de los recuerdos como de los sueños. Ella miraba por la ventana de mi nuevo dormitorio y eso le recordaba la ventanita de la habitación donde ella había pasado tantas horas de niña: una ventana redonda, dividida en ocho secciones, como los trozos de una tarta. Seis de los paneles eran claros, pero dos de ellos —en el centro— eran de colores, uno rojo, como de cerezas reducidas a pulpa, y el otro del feo marrón oscuro de un verde no conseguido, un prematuro intento de coloración del vidrio llevado a cabo por su padre, un vidriero. Como era una niña con pocas cosas en las que ocuparse, ella observaba el cambio de los colores de la ventana a medida que el día avanzaba, la ligera tonalidad negra poco antes del alba, brillante durante toda la mañana y luego progresivamente oscura a medida que avanzaba la tarde, y después los reflejos del crepúsculo aparecían como conos amarillos donde se recortaban los árboles de más allá. La ventana era el ojo de Dios, porque «El ojo de Dios te está siempre observando —solía decir su madre—. Incluso cuando estás sola, Él te vigila.» Pero, por la noche, cuando las velas estaban apagadas y ella no podía ver Su ojo, quizás Dios parpadeaba, o incluso dormía, pues el aire se volvía espeso y sus ojos le ardían a causa de un olor anónimo, los pelos de una barba le arañaban la cara.

Aquel olor no tuvo nombre durante años, porque ella era demasiado joven para llamarlo whisky, y ni lo olía nunca en el Refugio, o en su piso con Mary Deene, o ni siquiera después de casarse con Joseph, porque éste nunca bebía whisky. Pero ese olor regresó una noche, entró en su casa con la ropa de su marido, el mismo día en que él acababa de expulsarme de mi paraíso infantil.

Los sueños de la mujer eran un intento, no de *recordar*, sino de *borrar* lo que había ocurrido antes, de eliminar a aquel canalla: ella soñaba con que *se* apretaba contra mi armario de la ropa, como si no hubiera nadie que alguna vez la hubiera apretado contra su propio armario. Movida por invisibles fuerzas, ella daba traspiés, caía y corría contra los muebles y la hierba. Huía y se acurrucaba para esconderse en la maleza y el bosque, pero siempre huía de la *nada*, un invisible pero omnisciente temor, o incorpóreos y aterciopelados olores, tales como los que se traía su marido aquella noche, hasta que, en sus sueños, la nada misma se convertía en un enemigo lanzado perpetuamente en su persecución.

Ella aguardaba ante la puerta de mi habitación y recordaba a su propia madre aguardando. Me veía fingiendo dormir cuando mi padre entraba en la habitación y recordaba que ella misma se había comportado idénticamente. Veía una herramienta para soldar sobre una mesa en el laboratorio de Joseph, un utensilio de vidriero que no había visto desde que era una niña, y su laboratorio adquiría un aspecto más siniestro por ello. Después de cumplir yo los cuatro años, ella, diariamente y con una terrible claridad, empezó a recordar su propia vida a esa edad. Cuando Joseph en broma me llamó «niña malvada», eso le recordó a ella a Giles Douglas, que la llamaba «niña malvada» con una voz absolutamente desprovista de broma.

Ella me contó estas historias, años más tarde, dando finalmente voz a los recuerdos que tanto tiempo había tratado de olvidar o de convertir en simples pesadillas. Cuando habló, todo era confusión. Ella me confesó, como yo hago con usted ahora, que raras veces estaba segura de cuáles eran recuerdos correctos y cuáles sueños recordados, cuáles eran fantasías proyectadas hacia el pasado y cuáles eran fantasías de su infancia proyectadas hacia el futuro y tomadas como verdades. Las combinaciones de la perspectiva se vuelven demasiado complejas para pintar un cuadro comprensible, como si la geometría de las formas fallara de repente. Y, además, ella quizás deseaba justificar, indirectamente, su comportamiento conmigo. Como resultado de ello, la verdad era filtrada por tres veces, a través del deseo, de la memoria y de la sinceridad. Y, con todo, usted me promete que cuando sepa la verdad quedaré libre de mis dolorosas quejas. Imprudentemente promete y promete, y casi puedo ver el atractivo de clavarle un cuchillo en el costado.

Constance recordaba el sonido de un hombre orinando y luego acercándose a su cama con las palabras «¿Estás despierta?» Ella no se movía. «¿Estás despierta, niña?» Ella fingía apartar el cabello de sus adormilados ojos. «No puedes engañarme. Abre los ojos. Ábrelos. Eres mi niña, ¿verdad?»

Su incesante perseguidor era capaz de descubrirla cuando ella se ocultaba en el oscuro jardín, y llevarla volando en un santiamén hasta su cama sin despertarla. Un enemigo mágico, capaz de adivinar sus silenciosos pensamientos, que decía: «Dios te está observando siempre. Sabe lo que guardas en tu corazón. Cuando dices una mentira, eso hiere a Jesús y hace llorar a sus ángeles.» Lo sabía todo. Podía ponerle la mano bajo la barbilla y echarle la cabeza hacia atrás, examinarla y arrancarle todos sus secretos, todas las cosas escondidas, de sus ojos. «Sé dónde has estado. Lo veo todo en ti.»

Su madre, en absoluto contraste, no tenía poderes mágicos, sólo un inútil amor, pero no magia, de manera que no podía leer sus pensamientos secretos. En vez de ello, se veía obligada a pedir respuestas. «¿Dónde has estado? ¡Respóndeme!» Recibía los regresos matutinos de la niña de sus escondites en el jardín con rabia. Y la azotaba. «Tienes el diablo en el cuerpo, sin la menor duda, lo tienes.» En una ocasión, tal vez dos, su padre llegó a tiempo de detener la paliza, pero eso fue peor: «Vamos, es sólo una niñita, no hay necesidad», y la apartó de su madre, que no dejaba de gritar.

—Tiene el diablo metido en el cuerpo, lo tiene, no creas que no lo sé —insistió su madre, sacudiendo el brazo para liberarse de él.

—Tal vez. Pero tendremos que llevarlo lo mejor que sepamos.

Su madre se alejó de Constance (en las manos de él todavía), reacia a hacerle frente, a luchar por la niña. «Entonces que el diablo se la quede», dijo, dirigiéndose a sus tareas, que siempre la mantenían ocupada cuando era necesario, sus propias lágrimas corriendo un conveniente velo. ¡Cuán fácilmente entregaba a su despreciable Constance al diablo! La entregaba a sus diablos interiores, y éstos atraían a aquel diablo exterior. Si el diablo estaba en Constance, ¿por qué su madre no se quedaba y la azotaba para hacerlo salir? «¿Por favor», lloraba Constance, pero su madre la dejaba sola con él.

«Eso explicaría las cosas, por supuesto, si el diablo había estado en mí. Yo sería la causa de que todos los que me rodeaban se comportaran vilmente. Mi padre se volvía más asqueroso cuanto más se acercaba a mí. Yo deseaba que mi madre fuera más severa.» Azotarla a ella era protegerla, era expulsar al diablo, era mantener alejado a su padre.

Recordaba el hecho de esconderse, una realidad constante en su infancia, «mantener al diablo lejos de aquellos a los que tienta». Recordaba escapar de un implacable enemigo, y, tras haber puesto cierta distancia entre ellos, detenerse a recobrar el aliento. Sabía que él se estaba acercando, ya que percibía su olor, no desagradable en sí mismo, pero sí el preludio del inevitable dolor. El cielo, gris y amarillo, se agitaba a su alrededor, y los edificios estaban demasiado lejos para alcanzarlos. Incluso aunque pudiera escapar hasta allí, el edificio no tenía cerraduras, y sólo las cerraduras podían detenerlo. Tenía que esconderse, fuera, al aire libre, bajo las nubes hechas de nata y mantequilla, entre la maleza que levantaba las costras que ayer le había provocado en sus brazos. Ella no era más que otro animal solo en ese espacio abierto, pero tenía esperanza, porque podía cambiar de color y de aspecto. Animada por esta idea, probó su poder: su piel y ropas de dormir se volvieron amarillas y grises para hacer juego con el cielo. Ante un árbol, sólo sus ojos tenían un brillo azul, porque su piel y camisón se veteaban del marrón de los árboles. Estaba a salvo.

Pero, con todo, el olor estaba más cerca. Su intensidad alteraba su poder: su piel se volvía amarilla y gris, pero su ropa de dormir brillaba bajo la luz de la luna, y sus pies acababan moviéndose como las ondas de un arroyo. Había perdido todo control sobre sí misma. El olor estaba cada vez más cerca. El olor la bloqueaba. No podía oír o pensar o actuar; sólo el miedo seguía su curso a través de sus venas, y las hacía quebradizas. Y entonces, allí a sus pies, vio un agujero, exactamente de su forma, tan profundo y ancho como ella, esperando recibir su nariz, su barbilla, sus pestañas. Todo lo que tenía que hacer era echarse y esconder su espalda. Seguramente eso no le exigiría demasiado. El olor le picaba en la garganta, y tosió, aunque se esforzó por ahogar el sonido, y se le llenaron los ojos de lágrimas. Él no podía estar lejos.

Escóndete, no respires, oculta tu espalda en la tierra de color pardo. Volvió la cabeza para echar un vistazo, aunque sabía que no debía hacerlo. Hubiera sido mejor no saber: su camisón, blanco como una nube, se agitaba bajo la brisa, descubriendo sus desnudas, arañadas piernas. Débilmente lo intentó y lo intentó, cada vez más flojamente: la espalda de su camisón se volvió del descolorido azul de algún cielo, luego adoptó los colores del manchado espejo de su dormitorio, luego los de un arroyo, y mientras tanto —aunque ella yacía boca abajo en el agujero— podía verlo de pie, encima, riendo ante su inútil disfraz. El dolor empezaba suavemente pero pronto se convertía en fuego, y ella lo veía quemar su vestido y luego su carne.

Ella me contaba todo esto como si fuera un recuerdo. Yo no

sabía cuándo habíamos cruzado la frontera que nos separaba del país de los sueños, pero evidentemente habíamos llegado a ese país. Al final de su vida, cuando ella era más capaz de hablar y hablar de Anne y Joseph, del Refugio y Giles Douglas, esa frontera era muy fácil de cruzar. Ella contaba una y otra vez las mismas historias, mezclando lo plausible con lo imposible, la tragedia con el ensueño, en nuevas combinaciones. Una vez, por ejemplo, contó que había conseguido esquivar a su padre, pero con las más espantosas consecuencias. Se escondió en el estrecho y sombrío espacio entre un roble y la cerca de madera que separaba el terreno de su familia de la finca del vecino. (Nunca estaba segura de la longitud de la valla o del tamaño de nada cuando relataba estos fragmentos de su más lejano pasado. Todo paisaje recordado es desproporcionadamente grande.) Había lugares mejores para esconderse, cerca del heno amontonado, pero ella temía que alguna pajita le pinchara en un ojo, de manera que esa noche se acurrucó, y la piel de sus pequeños dedos y plantas era tan curtida como la de un hombre de sesenta años. Esta noche, la voz del hombre era amable al principio, aunque ella sabía que eso era sólo la traviesa voz de la noche, más suave, más pegajosa: «¿Donde estás, nena? Tu madre y yo estamos aquí en la oscuridad buscándote, ¿sabes? Estamos aquí los dos, tratando de encontrarte ¿No querrás que te encontremos muerta por el frío, ¿eh?, nuestra nena durmiendo en el estiércol, ¿eh? ¿Puedes oírme? Claro que puedes, así que di algo.» Pero como Constance no replicaba, su tono se endureció. «¿Dónde estás, marranita? No te escondas de mí. Siempre te encuentro. Y será mejor que lo haga, antes de que un búho gigantesco baje y se te lleve, y te arranque los ojos a picotazos para dárselos de comer a sus pequeños.»

Ella yacía recostada contra sus almohadas y me miró:

—Tenía razón, desde luego. Siempre sabía lo que yo sentía o pensaba. Recuerdo el cálido líquido que se formaba alrededor de mis pies. No podía pararlo, y no me atrevía a mover los brazos para levantar las faldas. Mi madre me pegaría al día siguiente por ello.

«Si le digo a tu madre que te estás escondiendo de mí, te azotará hasta dejarte llena de cardenales.» Ya había abandonado la ficción de que la madre de la niña estaba con él. «Pero puedo protegerte de ella, ¿sabes? Le diré que fuimos a dar un paseo, tú y yo.»

La niña seguía acurrucada, sus pies fríos sumergidos en su propio orín, mordiéndose los ensangrentados labios, para que sus dientes no castañetearan. Cuando finalmente él guardó silencio, ella no se movió hasta que hubo contado diez veces diez en su cabeza, y luego cinco veces cincuenta, con los dedos. Finalmente cayó hacia atrás contra la cerca y se quedó dormida allí, afortunadamente, y no se levantó hasta que una grisácea luz se insinuó en el horizonte. La niña volvió a la casa, preparada para recibir sus azotes, pero éstos no llegaron. No veía a su madre ni a su padre, sólo a su hermana.

—¿Me busca madre? —preguntó.

—Sólo George. Dijo que tenía un secreto para ti.

Pero aquella mañana George seguía durmiendo, y aunque se despertó algunas veces más antes de morir, nunca pudo contarle su secreto a Constance, y la espantosa sospecha que le cosquilleaba por el cuerpo se vio confirmada por su padre unos días más tarde.

—¿Te crees muy lista? George está enfermo por tu culpa. Él y yo te estuvimos buscando en medio del frío y la oscuridad, y míralo ahora. Es el favorito de tu madre, sabes, y después de lo que pasó con Alfred tiene el corazón roto. ¿Estarás satisfecha, no, nena?

La niña aprendió a esa temprana edad una absurda ley: resistirse a las seducciones de un hombre llevaba a la muerte de un ser amado, y a la congoja de los demás.

* * *

«¿Tan malvada he sido?», debió de preguntarse ella una y otra vez a medida que sus sufrimientos aumentaban durante las semanas anteriores a la muerte de mi padre. De modo que aquí se plantea una bonita cuestión para su débil ciencia, doctor: ¿se sentía ella peor porque los acontecimientos empeoraban, o los acontecimientos empeoraban porque ella se sentía peor? Y si se trataba de esto segundo, ¿por qué aumentaba cada vez más su angustia? Si la acosaban negros recuerdos, entonces cuando sentía el cálido aliento de su perseguidor aproximándose desde detrás, veía visiones ante ella para justificar su creciente miedo. Atormentada por la terrible imagen de Giles Douglas, ella creaba otra aparición para explicar su miedo, y esos recuerdos evolucionaron hasta convertirse en fantasmas.

O no. Quizás Giles Douglas (si ése era su nombre, si realmente existió, si era vidriero, si era un esclavo de la bebida, si no era un vecino o incluso una extravagante fantasía infantil) no cometió ninguna de las violencias que ella a veces casi, pero nunca perfectamente, recordaba. Quizás su padre era un hombre gentil, y quizás Constance simplemente había nacido preparada para el desastre, siempre advirtiendo contra él, a unos oídos sordos cansados de sus historias y sus temores: había nacido asustada, y, cuando los desastres no llegaban, ella los creaba. Porque lo único que podía explicar su temor era algo espantoso.

¿Cuándo, exactamente, comenzó ella a despreciar y a temer a Joseph Barton? No cuando él dijo que la amaba. No cuando se casó con ella. No cuando la tomaba tan rudamente que ella se mordía labios y mejillas hasta sangrar. No cuando ella se quedó embarazada y perdió a sus ensangrentados hijos. No, ella lo detestó solamente cuando él se convirtió en el padre de su hija y ella se vio como madre. Sólo entonces comprendió lo que había hecho: había encontrado un hombre distinto de Giles Douglas y lo había trasformado en un hombre espantosamente parecido a él.

O no. Quizás aquí tenemos solamente a una mujer acostumbrada a vivir en grupo, primero su familia, luego el Refugio, que se aísla y se entrega devotamente a un torpe marido sin ningún valor y que no puede soportar sus necesidades emocionales, y, por tanto, ella a su vez se entrega a la recién nacida, después de años de dolorosos fracasos, y el marido se siente ofendido ante la natural mudanza de los afectos, y ninguno puede oír la voz del otro, pues es cada vez mayor la brecha que los separa. O no.

Pocas son las pruebas que quedan de la vida de Joseph Barton —un rostro barbudo en un deslustrado guardapelo de plata guardado en un cajón entre condecoraciones militares; su nombre (que ya se había transformado del italiano al inglés) más tarde se latinizó en *bartoni*, en honor de una especie de bacteria, un amable gesto por parte del doctor Rowan (después de que su propio nombre, así como el de Harry Delacorte y los de otros varios fueran privados de sus mayúsculas, latinizados, inmortalizados).

Haciendo acopio de toda la objetividad de la que puedo ser capaz, podría decir que los modales, los gestos y el aspecto de Joseph reflejaban tan completamente la lentitud que se le podía perdonar a uno que lo confundiera con un hombre a punto de quedarse dormido. Con razón me pregunto por qué Constance lo creía dominado por sus humores italianos, a punto de estallar de deseo. Más bien pienso que era un hombre de escaso ardor en todos los aspectos de su vida y, con toda probabilidad, no le costaba nada dominar sus arrebatos amorosos. Esto no significaba que sus sospechas, o las de Anne Montague, sobre él fueran injustificadas.

* * *

Y, por tanto, he dado la vuelta, regresando a donde empecé: había un fantasma. Yo nunca he visto ninguno, pero muchas otras personas sí, y no se extrañan demasiado ante su visión. Constance veía sus fantasmas y, en sus esfuerzos para protegerme (por lo que no puedo más que honrarla y amarla, y *creerla*), se libró del hombre que invitaba a ese fantasma a nuestra casa, y expulsó al fantasma al mismo tiempo.

O bien, mi padre era un seductor de niñas y fue asesinado para protegerme, gracias a la sabia mujer que se convirtió en mi segunda madre, de cuyo amor por mí no dudo y que me guió en mi carrera y me condujo hacia la limitada alegría que he encontrado en mi vida. Y, porque la quiero y la honro, *tengo que creerla*. Es una decisión consciente. Pero dudo porque queda un tal vez poco importante punto que debo mencionar: no conservo recuerdo alguno de que mi padre se comportara conmigo como algo que no fuera un padre, o un desconocido. Eso difícilmente lo absuelve, pero tampoco puedo declararlo culpable, para saciar su infantil apetito de conclusiones, doctor.

Cuando Constance sollozaba y se preguntaba si Anne no la creía, y Anne insistía en que por supuesto creía cada una de las palabras de Constance, ¿cuál de las dos era mejor actriz? Cenaban después de ir al teatro mientras la última de las esperanzas de Joseph en su futuro se rompía en York. Anne trataba de asegurar que Constance confiara en ella como clienta, quizás incluso buscaba su afecto en aquel primer momento. Pero ¿acaso no estaba Constance intentando ganar alguna cosa aquella noche también? Si el diagnóstico de Anne era tan sólo a medias correcto, entonces Constance *sabía* que su marido estaba actuando perversamente conmigo, y ni por un momento vio fantasmas, sino que estaba más que dispuesta a *fingir* que los veía, para que Anne la rescatara de «ellos», y Anne fingía ver fantasmas para impedir que Constance viera una verdad mucho más espantosa. El doctor Miles comprendió algo, al conocer la historia de los soldados rusos (vuelta a contar ante una copa de jerez y unas pastas a una embelesada Anne Montague) sobre la capacidad de una esposa agraviada de obrar con toda la astucia en busca de justicia. Y también comprendió algo sobre la precisión de los hechos.

O bien, yo me dedico a juntar los escasos y desconectados fragmentos de la vida de Joseph, y llego a la conclusión de que estaba atormentado por una esposa cada día más loca y más enloquecedora, provocándole para que él la provocara a ella para que ella lo provocara a él en sus conversaciones, acciones, suposiciones. Imagino a un hombre que vio en mí, no es imposible, el material para una mejor compañía, algún día, que sentía un triste amor por mí, que no era ni paternal ni romántico ni práctico, sino algún híbrido, abigarrado y deformado afecto que hizo que sus perseguidores llegaran a la conclusión de que él era culpable de unas acciones que justificaban su forzada eliminación de la sociedad civilizada.

O mi madre estaba empujada por una obsesión de diferente especie, perseguida por una oleada de recuerdos cada vez más amenazadores, cuyo horror ella hubiera hecho cualquier cosa para apartar de su vista. La atormentaron hasta que mi padre apareció una noche, su cabello enredado por la niebla a través de la que había estado andando durante horas, su respiración ardiente por el whisky en el que había bañado su autocompasión, y pronunció el nombre de Constance en el inadecuado tono de voz, en el momento inadecuado, sus ojos hundidos, y entonces su parecido —fugaz, vago, venenoso— con Giles Douglas selló su destino, y ella dio muerte al padre que provocaba su dolor precisamente porque su propia madre no lo había matado. Quizás.

Y usted —con arrogancia, con seducción— me promete que en todo esto yo encontraré las respuestas a mis penas, frustraciones, fracasos, amargas victorias y sucios amores, todo lo cual describe, no como mi vida, sino simplemente como síntomas (aunque la vida que tendría sin estos síntomas no soy capaz de concebirla). Me promete seguridad, pronto, sólo un poco más adelante, pero bajo esa inseguridad hay sólo más inseguridad. Estamos excavando en la porquería, poniendo nuestros cimientos en un terreno pantanoso, pestilente, movedizo, carente de base, una suerte de Venecia que se hunde rápidamente. ¿Qué podemos construir cuando nunca, nunca, acabaremos de escarbar en el pasado? Me he quedado completamente sola ahora, perdida por la muerte de Anne, como ella y yo lo estuvimos cuando murió mi madre.

No puedo contar todos los hechos que sé que ocurrieron realmente. Si *esto* pasó, entonces *aquello*, no. Si *aquello* sucedió, entonces *esto* no. Si cada uno de los actores interpretó su propio y desconectado drama, sólo en la intersección de estos dramas puede verse mi vida, a la luz de la trama de tres historias superpuestas entre sí. Y, sin embargo, cuando sitúo estas historias una encima de otra, no pasa ninguna luz y no queda espacio. Toda mi capacidad de conocimiento se agota. Lo que vi personalmente, lo que me dijeron, lo que deseaba, lo que soñé. No pretendo que no sean cosas diferentes, sólo que yo no soy capaz de distinguirlas, y usted no me ha ayudado en absoluto. ¿Se sorprende de que yo ahora aborrezca sus masculinas promesas de seguridad y a usted?

Un hombre al que conozco sólo superficialmente me invitó este último fin de semana a ver cómo masacraba algunas aves en sus tierras. Viajé desde Londres hasta una casa situada junto a un lago. Mi anfitrión se pavoneaba, paseando por su territorio, sacando pecho, haciendo movimientos de orgullo con la cabeza, hasta que comprendí su afición a matar aves, y deseé hacer estallar su plumaje con una escopeta.

En la cena, relamiéndonos con los frutos de su sangrienta afición, él desafió al grupo de comensales a que contaran una historia de fantasmas, a medida que el tiempo iba volviéndose un poco más inclemente, y algunos débiles rayos parpadeaban en la lejanía y, lo que en realidad es más importante, la conversación de la mesa se había vuelto hedionda hacía rato. Este desafío surge últimamente casi cada noche siempre que amenaza una débil lluvia. ¿No lo ha observado? Nadie tiene el más pequeño interés en decir nada más, al menos en mis círculos. Sin duda los hombres son unos pelmazos, y por tanto se espera de las mujeres que empiecen a excitarse con los suelos que crujen y a aflojarse el corsé. Gané yo, por supuesto, con una versión de buen gusto de la vida de mi madre.

—Por supuesto, tú puedes dedicarte a ensayar tales cosas, al no sufrir la carga de un marido o unos hijos que exija tu atención —dijo con desprecio una dama cuyo propio intento de contar una historia de fantasmas fue acogido con burlas, y cuyo marido pedía mis atenciones hasta que, puedo garantizárselo a ella, encontré que su compañía constituía una insoportable carga.

Los invitados, aunque en general eran idiotas, se mantuvieron en silencio mientras yo los entretenía.

—¡Oh, Dios! ¿Se trata de ti? —preguntó otra de las insustanciales esposas al final, precipitándose hacia lo obvio y echando a perder completamente los placeres de la narración—. ¿Eres tú esa pobre niñita?

—Bella, por favor —murmuró su marido, un hombre al que una vez encontré prometedor, pero cuya presencia desde entonces ha llegado a convertirse en un eficiente método de autotortura—, no seas boba.

—No te *atrevas* a hablarme, con ella aquí sentada, encantada de sí misma —replicó Bella, que es, técnicamente hablando, una boba—. Me marcho, voy a ver a los niños. —Y se fue bufando de cólera para asegurarse de que la libido de mi padre no iba a descargarse contra sus pequeños inocentes.

Pero usted me acusará —estoy segura— de haber evitado mi desagradable tarea de escribir sobre mi infancia. Levantará las manos en signo de protesta ante mi reticencia a atribuir culpas, incluso por establecer la verdad, por distinguir entre espectros y seductores, paranoias y conspiraciones, asesinando a esposas y asesinando a actores. Me mirará maliciosamente y se quejará: «¿Cómo, mi querida dama, vamos a *curarla* si no está dispuesta a enfrentarse con el pasado?»

¡Cuán fácilmente, señor, podríamos habernos puesto de acuerdo, después de tanto tiempo y tantas libras, y tantos fugaces besitos en las mejillas, en que yo castigo a los hombres porque deseo castigar a mi padre por lo que me hizo! Sé que eso figura en sus textos, en la primera página, pero yo no deseo castigar a mi padre. Creo que fue injustamente castigado. De haber tenido la oportunidad, posiblemente yo hubiera sentido placer en castigarlo por ser un hombre, pero no por ser mi padre. «Estupendo —replicará usted—. Si es inocente de esas acusaciones, entonces su madre era simplemente una histérica.» Y yo le diré que no es así. Soy totalmente capaz de creer, al mismo tiempo, que mi madre estaba literalmente y verdaderamente hechizada, y que mi padre era inocente de ese hechizo. «Muy bien —continuará usted (ya ve, querido doctor, cuán poco exijo de su real compañía... Se ha instalado en mi cabeza, en una pequeña, bien amueblada, suite, donde yo puedo visitarte o encerrarte a mi capricho)—, entonces podemos ponernos de acuerdo en que esa entrometida figura, la médium, estaba equivocada, porque es ella la que convenció a su debilitada madre de que su enemigo era su padre, y lo hizo así por puro interés, tanto material como, si la entiendo bien, por, por...» y aquí, azorado, usted tose y se ruboriza, echa mano de un término latino para encubrir el obvio término griego. Pero, nuevamente, no. Tengo con Anne Montague una deuda —muchas— y no la declararé, no puedo declararla, culpable de ningún perjurio o hecho delictivo pese a su intimidante insistencia masculina. No, no soy capaz de compaginar la inocencia de mi padre con la certeza que tenía Anne de que era culpable. Yo no tengo recuerdo de su culpa. Pero no tengo ninguna duda de que puede haber sido posible.

«¡Vamos, vamos, mujer! ¿Cómo puede decir con la misma convicción que su padre no la sedujo, y que merecía ser asesinado por seducirla? ¿Que los fantasmas no la sedujeron, y que su madre los vio hacerlo? Aunque la verdad objetiva de un hecho no tiene importancia si la paciente *cree* que el hecho sucedió, usted no está aceptando una creencia en *algo*, sino en *todo*. ¿Qué clase de juego es éste?»

Se siente frustrado con su paciente, doctor. Ella yace a sus pies, tal como usted insistió, pero aún no se somete a su voluntad. Se resiste a sus honorables esfuerzos por liberarla de su sufrimiento. Malogra sus crecientes expectativas de éxito, seguridad, juicio, conclusión. Es una desagradecida. Una frívola. Juega con las palabras y el sentido mientras usted intenta enseñarle algo de valor. ¿Por qué ella no se comporta, por su propio bien, tal como usted desea? Le gustaría agarrarla, tanto le irrita en su intencionada ambigüedad. La cogería en sus brazos y le mostraría que usted tiene razón. ¡Tranquilícese, doctor!

Yo solamente quiero decir que, dado que no tengo ningún recuerdo de ello —ni de seducción, ni de abstinencia, ni de fantasmas, ni de histeria— quizás no es asunto mío juzgar lo que pasó ni decir cómo me afectó. Quizás estas vidas no son mías para utilizarlas como explicación de mi vida en este verano tardío de la edad, y tampoco es su brillante luz el medio de disipar las sombras en mi corazón. Esos hechos son propiedad de otros, sólo suyos.

De modo que usted suspira como una actriz, se quita las gafas y las limpia furiosamente y dices: «Bien, entonces discutamos *su* culpabilidad en la cuestión», siempre ansioso de que cargue con la hipertrofiada conciencia que mis exitosos pacientes soportan el resto de sus vidas, dolientes tullidos que usted llama *sanos*. «Usted no recuerda a su padre seduciéndola, aunque puede fantasear sobre los sentimientos de su madre seducida por su propio padre. Recuerda haber contado alguna especie de ataque contra su joven persona, pero no recuerda concretamente a su atacante. Recuerda alentar a su madre en sus creencias, a la médium en *sus* creencias y a su padre en *sus* creencias. ¿No está entonces —y aquí finalmente modula su voz acusadora, y emplea en su lugar un poco convincente tono científico— quizás, correcta o equivocadamente, considerándose responsable de algunos de esos hechos y está ahora sufriendo sus síntomas con una especie de castigo autoimpuesto?»

¿Agudizó la niña alguna vez aquella tensa situación? Inevitablemente. Ahora prefería la compañía de su padre, ahora la de su madre, sabiendo muy bien que con cada cambio estaba hiriendo a uno y agradando al otro. Exageraba sus temores para ganarse las atenciones de su madre, y se burlaba de los miedos de su madre para ganarse la diversión de su padre. Puede que algunas veces dijera exactamente lo que Anne esperaba que dijera. Tal vez le decía a su madre: «No te preocupes, mamá, si te mueres, yo seré una estupenda esposa para papá.» Puede que de vez en cuando representara el papel de coqueta, y fuera generosamente recompensada por ello por alguno de sus tres progenitores. Y por ello tiene la culpa de desencadenar el incendio que siguió, ¿no?

«Al final veremos las raíces de todas sus quejas enterradas como si la tierra fuera el más transparente de los cristales.» Me prometió temerariamente ese tesoro cuando empezamos a vernos, como hacen todos los hombres cuando sus deseos son fuertes y recientes. Y a este sucio final es adonde me conduce, un gris infierno de soledad, autorreproches y apetencias insatisfechas. Tengo mejor juicio que nunca, y sin embargo encuentro que —¿qué nombre emplear?—, mis inclinaciones, actos, debilidades, toda la intranquilidad que de ello se deriva, son más fuertes que nunca. He tratado de retratar a estos personajes con toda la habilidad que he sido capaz de reunir, y no consigo atraparlos. No me acerco más a ellos de lo que un objeto que descansa en un espejo lo hace de su reflejo. No encuentro ningún consuelo, sólo una máquina de cuatro ruedas dentadas, sus engranados dientes hechos solamente para encajar el uno con el otro, sin ruido, cada uno de ellos empujando los otros hacia delante.

¡Y usted! Me cogió por las manos, luego me hizo malgastar horas y dinero, y hurgó en mis heridas, manteniéndolas abiertas. Típico de un médico. Me siento desgraciada y usted se aburre. Yo lloro y usted consulta el reloj. ¿Se extraña de que no volvamos a vernos? Confiéselo: usted tampoco quiere saber nada más de mí. Con sus promesas imposibles de cumplir, y su fascinación por mí ya menguando, está deseando ir a buscar a su sala de espera —con su seductora pose de científico— a su próxima y guapa histérica.

~ · ~

Agradecimientos

El autor reconoce con agradecimiento la ayuda de Lee Boudreaux, Julia Bucknall, Tony Denninger, al profesor Norman Fruman, la obra de Peter Gay, Mike Levine, Peter Magyar, Mike Mattison, Douglas McDougall, Libby McGuire, del con toda razón legendario editor Daniel Menaker, Eric Oleson, ASP, DSP, FHP, MMP, Mihai Radulescu, el «hiper-mega» agente Marly Rusoff, Toby Tompkins, Donna Wick y, por supuesto, de Jan.

~ · ~

Índice

Impreso en el mes de septiembre de 2007
en Talleres BROSMAC, S. L.
Pol. Ind. Arroyomolinos, 1
Calle C, 31
28932 Móstoles (Madrid)